# NOUVELLE HISTOIRE DE L'HOMME

## DU MÊME AUTEUR
### *en poche*

*La plus belle histoire des animaux,* avec Boris Cyrulnik, Jean-Pierre Digard et Karine-Lou Matignon, Paris, Seuil, Points n° 997, 2002.

*Le singe est-il le frère de l'homme?,* Paris, Le Pommier, Les petites pommes du savoir n° 19, 2002.

*Qu'est-ce que l'humain?,* avec Michel Serres et Jean-Didier Vincent, Paris, Le Pommier et la Cité des sciences et de l'industrie, Le collège de la cité n° 1, 2003.

*Les premiers outils,* avec Hélène Roche, Paris, Le Pommier et la Cité des sciences et de l'industrie, Le collège de la cité n° 13, 2004.

*Les origines de l'homme: l'odyssée de l'espèce,* Paris, Seuil, Points Sciences n° 166, 2005.

*Les origines du langage,* avec Jean-Louis Dessalles et Bernard Victorri, Paris, Le Pommier et la Cité des sciences et de l'industrie, Le collège de la cité n° 21, 2006.

collection tempus

Pascal PICQ

# NOUVELLE HISTOIRE DE L'HOMME

PERRIN
www.editions-perrin.fr

© Perrin, 2005 et 2007 pour la présente édition
ISBN : 978-2-262-02663-9

**tempus** est une collection des éditions Perrin.

## Hommage

Alors que je suis étudiant en physique théorique, je découvre *Tristes tropiques* de Claude Lévi-Strauss. La première phrase m'ébranle, moi qui n'ai jamais voyagé. C'est un choc alors que s'éveille en moi un intérêt encore flou pour l'Homme. Les méandres de la jungle universitaire m'entraînent vers la profondeur des origines. J'explore une dimension de l'Homme encore vierge, la dernière peut-être, celle du temps. Quelle tragédie : découvrir ce qui fait l'unité biologique de tous les Hommes du côté de l'évolution alors que la diversité culturelle de l'Humanité s'étiole à jamais face à un avenir incertain. J'espère que cet essai contribuera à éveiller l'Homme à la nature et à sa nature, répondant en cela au message prononcé par Claude Lévi-Strauss le 13 mai 2005 à l'Académie française. En hommage à un grand anthropologue qui n'écarta jamais Charles Darwin ni les animaux, en un mot la nature, de sa réflexion sur l'Homme.

# Introduction

Il était une fois l'Homme, être unique et pensant planté sur ses deux jambes au cœur de l'Univers. L'unité du genre humain se retrouve là, au besoin universel de connaître la place de l'Homme dans le cosmos, autrement dit : d'où venons-nous ? Aujourd'hui, il n'existe qu'une seule espèce d'Homme vivant sur la Terre, mais aussi une seule humanité. Une seule espèce d'Homme, une seule humanité : rien de moins évident. Car s'il y a une seule histoire de l'Homme, celle d'une seule humanité procède d'une autre histoire : l'une appartient au domaine des sciences de la vie et de la Terre, l'autre à l'Histoire ; l'une s'écrit grâce à des fragments fossiles et des portions de gènes ; l'autre repose sur le récit, parlé ou écrit ; l'une s'appuie sur une mémoire hachée par le temps ; l'autre sur des textes et des exégèses. La seule ambition de ce livre se situe là, regarder l'Histoire depuis l'avant-Histoire, livrer un autre point de vue. La prétention apparente du titre s'efface pour présenter un essai qui revisite l'Histoire de l'Homme depuis la perspective de la Préhistoire.

Placer la Préhistoire, plus exactement l'évolution de l'Homme, avant l'Histoire, quoi de plus logique ? Cette lapalissade n'en est pourtant pas une car, jusqu'à présent, on a fait de la Préhistoire un préambule, un préliminaire, une mise en perspective, une ouverture à l'Histoire. Historiquement, c'est-à-dire dans l'histoire de l'avancée des connaissances produites par l'humanité, la Préhistoire émerge comme discipline à la fois scientifique et historique à la fin du XIXᵉ siècle. Une discipline récente qui se préoccupe des temps les plus anciens, ce qui appelle plus d'un paradoxe. Car si la Préhistoire se préoccupe de la vie des hommes d'époques révolues, elle attire toutes les représentations du monde de son temps, ce qui implique aussi les idéologies et les clichés. L'idée de cet essai est donc aussi simple que logique, partir du passé pour revenir vers le présent, remettre les événement dans l'ordre du temps, et partir d'un universel commun à tous les hommes, nos origines, pour investir la diversité des hommes d'aujourd'hui. Pourtant, qu'on ne s'y trompe pas, l'exercice n'a, à ma connaissance, jamais été tenté. Ce n'est que grâce aux acquis récents de la paléoanthropologie qu'on peut jeter les bases à la fois d'une histoire de l'Homme, mais aussi d'un nouvel humanisme plus urgent que jamais.

L'idée du livre se nourrit de conférences, de débats et d'échanges avec des collègues, et souvent des amis, dont les compétences se déploient sur un éventail de disciplines couvrant les sciences humaines, la littérature et la philosophie, les sciences de la matière et du cerveau. C'est aussi un essai, au sens où l'entendait Montaigne, le maître du genre. Une réflexion nourrie de connaissances et de mon itinéraire personnel. Je suis un spécialiste de l'évolution de l'Homme, un paléoanthropologue, après un parcours universitaire qui commence par la physique de la matière. Cela ne donne pas compétence sur toutes les disciplines abordées, loin de là, mais des expériences épistémologiques fort utiles, sans être épistémologue pour autant. Paléoanthropologue, je reste surpris par la persistance d'idées profondément enracinées à propos de l'évolution de l'Homme, ou tout simplement de l'Homme.

En dépit de l'accroissement spectaculaire des connaissances du côté des fossiles, en génétique ou sur les comportements des grands singes, se perpétuent de façon déconcertante les mêmes représentations, les mêmes mythes. Les nouvelles découvertes et les controverses, si bien relayées par tous les médias, entament à peine des falaises de certitudes. Plus troublantes encore sont les désapprobations parfois violentes à propos des avancées sur des sujets aussi divers que la place de l'Homme dans le cosmos comme dans l'histoire de la vie, les relations entre l'Homme et les animaux et plus particulièrement avec les singes ; plus inquiétantes aussi les réticences sur la diversité des hommes sans oublier les femmes et les enfants. D'où viennent autant de résistances ?

De la même façon qu'un jeune enfant naît dans un milieu culturel dont il se nourrit dès son plus jeune âge, il en va de même pour une discipline en attendant qu'elle atteigne son âge adulte, son âge critique. La paléoanthropologie a tout juste atteint l'adolescence, sa période épistémologique, conservant les certitudes de son enfance tout en ayant des audaces qui dénotent encore quelques défauts de maturité. Les idées les plus couramment admises sur notre évolution ressemblent aux contes lus aux enfants pour les endormir. Il était une fois une gentille fée qui transforma un vilain crapaud coassant en prince charmant ; il suffit de remplacer la fée par l'hominisation, le vilain crapaud coassant par le singe hurlant et le prince charmant par *Homo sapiens*. Que l'on ose proposer un autre scénario et tout tourne au cauchemar avec une théorie de l'évolution hantée par la sorcière rouge de sang appelée sélection naturelle, des grands singes aux figures de démon et, pour finir, une accusation d'hérésie digne des heures les plus sombres de l'Inquisition. Et on fustige des paléoanthropologues, dont je suis, de désenchanter le monde, comme on le dit trop volontiers des sciences. Je n'ai jamais rien entendu d'aussi stupide ! Car ces enchantements du monde ne sont que des fables entretenues par l'ignorance. Dire que l'Homme descend du singe, une expression usée jusqu'à la liane, offusque tant est grande la méconnaissance de ce que sont les singes. Des écrivains, des philosophes, des théologiens et même des scientifiques ne cessent de confondre le singe – et non pas les singes – avec le diable ; ne dit-on pas malin comme un singe ? Le seul enchantement du monde est celui des connaissances, avant d'espérer atteindre la connaissance.

Ce livre n'est pas un livre d'Histoire, même pas une histoire de l'anthropologie. Il se situe à la croisée des sciences et de l'Histoire, axé plus particulièrement sur l'idée occidentale de l'Homme confrontée aux autres modes de pensée. Après un essor considérable fort bien relayé par les médias et l'enseignement autour de l'évolution de l'Homme au cours du XX$^e$ siècle, ces avancées se trouvent désormais confrontées aux réactions des divers courants créationnistes, fondamentalistes et intégristes des religions, mais aussi des courants philosophiques encore encombrés de leurs héritages scolastiques sans omettre les chantres pseudoscientifiques d'un principe d'humanité. Car tous ces penseurs qui récusent les théories de l'évolution de façon aussi inquisitoriale ne s'appuient que sur leurs convictions profondes, des « ce que je crois » comme autant de révélations, sans jamais confronter les conséquences de leur pensée à l'Histoire ou aux avancées des connaissances. La discipline que je soutiens, l'anthropologie évolutionnaire, se pose comme un défi pour l'humanité face à son avenir.

L'anthropologie évolutionnaire a pour seule tâche de questionner l'Homme et son évolution. Cela implique d'accepter l'idée d'évolution et comment se fait l'évolution. Or, l'idée d'évolution est récente et s'inscrit dans l'histoire récente – dite moderne – de l'Occident. Comme il s'agit de science, c'est un mode de questionnement universel appréhendable par toutes les femmes et tous les hommes, ce qui est bien le cas au regard de la diversité géographique et culturelle des anthropologues actuels. Or l'anthropologie évolutionnaire qui s'appuie sur un mode de questionnement rationnel et universel s'intéresse à une question universelle : qu'est-ce que l'Homme ? C'est là que siège le cœur du problème ; toutes les cultures humaines d'hier et d'aujourd'hui ont investi cette question, apportant une diversité de réponses déconcertante avec autant de vérités qui, toutes, se heurtent au perpétuel requestionnement propre à la démarche scientifique. Confrontation des modes d'interrogation du monde et de leurs épistémologies pour un même sujet. C'est là que se tapissent les controverses, les oppositions, les anathèmes, les inquisitions. Celles-ci sont universelles, et même en Occident, creuset de la pensée anthropologique et évolutionniste.

Tout cela n'est pas nouveau. Ce qui l'est, c'est de le reconsidérer à la lumière des avancées les plus récentes de l'anthropologie évolutionnaire. De sortir d'une préhistoire enfermée dans une vision de l'Histoire centrée sur l'Occident et ses archaïsmes. Une Préhistoire – au sens élargi d'une anthropologie évolutionnaire – indépendante, d'avant l'Histoire en quelque sorte, afin de remettre les choses dans le bon sens, un retournement de paradigme pour aborder des questions qui concernent l'avenir de l'Humanité.

Il s'agit donc de porter un regard anthropologique, un autre regard sur l'Histoire de l'Homme de la plus grande actualité. De traiter des controverses actuelles sur l'évolution de l'homme, sa place dans la nature comme dans l'histoire de la vie et sa nouvelle responsabilité par rapport au futur immédiat de la planète car, dorénavant, l'Homme a pouvoir sur l'évolution.

L'homme est un bipède endurant qui, la tête haut perchée, scrute le monde. C'est là un postulat central de l'anthropocentrisme qui contient de fausses évidences et bien des contradictions au regard de l'histoire de l'idée d'Homme.

Il y a en fait une opposition entre le bipède voyageur et découvreur confronté au savoir institué et répressif, entre les jambes et le siège, entre la liberté et l'oppression. Socrate le péripatéticien, Hérodote l'historien, saint Paul sur le chemin de Damas, Giordano Bruno sur les routes de l'Europe, Las Casas le dominicain de retour des Amériques, Darwin et tous les voyageurs de l'évolution, Leakey l'explorateur du Rift, Jane Goodall parmi les chimpanzés, et d'autres encore, tous ceux qui obligent à repenser l'Homme, non pas pour attenter à sa dignité mais pour ouvrir son humanité, se sont vu infliger un procès de lèse-humanité à l'encontre même de leur désir. Opposition séculaire entre l'immanence et la transcendance, entre la connaissance et la révélation, entre la liberté de connaître et l'obéissance béate.

Cette nouvelle histoire de l'Homme émerge de l'évolution de ma discipline comme de mes rencontres avec des chercheurs et des penseurs d'autres domaines autour de sujets tels que le progrès, l'Homme et l'animal, l'éthique, la représentation de la femme en paléoanthropologie, la nature humaine, l'avenir des sciences, etc. Au fil de ces échanges ressort un même constat monolithique : une confrontation entre une vérité révélée dans les textes – qu'ils soient sacrés, philosophiques ou autres – et les avancées des connaissances scientifiques issues de l'observation et de l'expérimentation. Que toutes les conceptions cosmiques, philosophiques, religieuses et même scientifiques sont centrées ou tendues vers l'Homme occidental ; le terme d'Homme étant entendu dans son acception la plus restrictive, l'Homme au masculin exclusivement.

Les avancées des connaissances, plus particulièrement en sciences, sont confrontées à ces vérités ; en retour, celles-ci auront parfois, mais pas toujours, la capacité de les assimiler. L'invention de l'écriture a permis de fixer les récits, les contes comme les philosophies ; elle a favorisé la diffusion dans le temps et dans l'espace des exégèses, discussions et commentaires. C'est ce qu'on lit dans les grands manuels d'Histoire, l'Histoire qui commence avec l'écriture. Mais si, au lieu de parler de l'invention de l'écriture, nous évoquions les inventions des écritures ; au lieu de parler du néolithique, nous évoquions les inventions des agricultures ; au lieu de parler de l'évolution de l'Homme, nous parlions des origines des hommes, etc ? Passer du singulier au pluriel, ce simple exercice d'écriture lourd de sens et de conséquences nous ferait pourtant sortir du carcan d'une histoire universelle centrée sur la domination non pas culturelle mais technologique de l'Occident, nous obligeant ainsi à repenser un humanisme universel qui, sans renier ses origines, doit se dégager de valeurs obsolètes.

Cette nouvelle histoire de l'Homme a pour seule ambition, déjà considérable, de rendre une autre histoire possible, débarrassée de son anthropocentrisme occidental viscéral. Cela reste un projet nécessairement anthropocentrique, car il n'y a que l'Homme qui puisse parler de l'Homme. Un anthropocentrisme de fait légué par notre évolution, car *Homo sapiens* est le dernier survivant d'une grande lignée évolutive sortie d'Afrique il y a 2 millions d'années, mais un anthropocentrisme qui embrasse tous les hommes dans une arborescence affranchie du dogmatisme occidental. L'exercice n'est pas seulement salutaire pour établir une autre idée de notre évolution, il l'est aussi à une époque frappée par des conflits et des drames justifiés par des motifs d'un autre âge alors même que se restreint la diversité culturelle de l'humanité.

Ce livre n'est pas une ultime tentative de réécrire une histoire au regard d'un réductionnisme scientiste (Auguste Comte, Karl Marx, Friedrich Engels, etc.) ou scientifique. La plus récente et la plus réductionniste vient d'Edward O. Wilson dans son ouvrage paru en 1975 : *Sociobiology : the New Synthesis*. Il ne s'agit pas ici de tout rapporter aux seuls mécanismes de l'évolution biologique, mais de tenir compte de ce que l'on sait de l'évolution de l'Homme pour dénoncer l'archaïsme des représentations élaborées au cours de notre histoire récente, lesquelles cherchent à se justifier dans la Préhistoire sans aucun fondement.

Selon une phrase souvent citée de Sigmund Freud : « Au cours des siècles, la science a infligé deux blessures à l'amour-propre de l'humanité : la première lorsqu'elle a montré que la Terre n'est pas le centre de l'univers, mais un point minuscule dans un système des mondes d'une magnitude à peine concevable ; et la seconde, quand la biologie a dérobé à l'homme le privilège d'avoir fait l'objet d'une création particulière et a mis en évidence son appartenance au monde animal. » La réflexion historique et critique de Freud se prolonge par l'évocation d'une troisième révolution, celle de la découverte de l'inconscient.

L'analyse freudienne a, pour sa part, souligné l'évolution de la pensée de l'Homme dans son rapport à l'univers ou au cosmos, comme une thérapie – on n'ose pas dire psychanalyse – de son délire anthropocentrique au sein de la pensée occidentale. Serait-il possible de soigner l'Homme de cette névrose qui l'installe dans un rapport aussi destructeur au monde ?

En évoquant la révolution copernicienne puis la révélation darwinienne, enfin, si l'on y ajoute sa contribution, Freud interpelle trois grands récits des origines qui sont très en vogue en ce début du IIIe millénaire : les origines de l'univers, les origines de la vie et les origines de l'Homme. Hélas, trois fois hélas, Freud a sous-estimé la profondeur de la névrose anthropocentrique, sans doute parce qu'il vivait à une époque nourrissant tant d'espoirs dans l'avenir de l'humanité grâce aux avancées des sciences. C'est de l'avenir de cette illusion qu'il est question dans ce livre, replacée dans la perspective de la paléoanthropologie.

Les six chapitres de cet ouvrage revisitent de grandes questions : l'Homme et le cosmos ; l'Homme et les animaux ; l'Homme et les singes ; l'Homme et les autres hommes ; l'Homme et la femme ; l'Homme et l'enfant. Précision : l'Homme avec un H majuscule désigne l'espèce *Homo sapiens* et non pas l'homme rapporté à ses seuls représentants masculins et le plus souvent selon un réductionnisme là aussi très occidental. Six thèmes sur l'Homme comme les six jours de la création ; des thèmes dont la succession rappelle l'échelle naturelle des espèces, la *scala natura* héritée d'Aristote.

Chaque chapitre s'ouvre par l'évocation d'un procès ou d'un drame interpelant des personnages souvent broyés par l'histoire et les idéologies dominantes. Des mises en scène pour rappeler combien celles et ceux qui défendirent des idées qui nous semblent aujourd'hui si évidentes le payèrent dans leur vie et souvent de leur vie. Ce sont des ouvertures et, précision utile car il s'agit d'un essai, aucunement d'un artifice d'écriture mais d'un hommage à leur mémoire. Grâce à eux et à d'autres, j'ai le bonheur de vivre une époque de libre expression et de participer à une science, la paléoanthropologie, à l'intersection de toutes les sciences et de tous les modes d'interrogation du monde. Inutile de préciser que mes connaissances face à l'immensité de tous ces champs des savoirs sont aussi dispersées que les fossiles qui nous permettent de reconstituer l'histoire de notre évolution. Cependant, on trouve toujours plus de fossiles et ils racontent l'Histoire de l'Homme, toujours incomplète, toujours remise en question. « Qu'est-ce que l'Homme ? » Voilà la seule question qui vaille, et elle mérite que toutes les muses de la connaissance se penchent sur son berceau, même l'ancêtre de Clio qui attend encore son nom.

# 1

## L'Homme et l'univers

### Le procès de Giordano Bruno

La vie tragique de Giordano Bruno dépasse les destins les plus romanesques de l'Histoire. Marguerite Yourcenar dans *L'Œuvre au noir*, Bertolt Brecht dans *Le Manteau du philosophe*, Serge Philippini dans *L'Homme incendié* et d'autres évoquent ce personnage qui défie l'imaginaire des romanciers sous le nom de l'« apostat magnifique », du « philosophe incendié » ou encore du « chevalier errant du savoir » en raison des errances comme des fulgurances de ses savoirs. « Cet académicien de nulle académie » fut pourtant un des « lecteurs royaux » nommés par Henri III.

Philipo Bruno voit le jour à Nola, une bourgade proche de Naples, en 1548. Fils d'un gentilhomme modeste par les titres et les moyens, il reçoit pourtant un enseignement solide imprégné d'humanisme s'appuyant sur les auteurs classiques. A quatorze ans, il rejoint l'université publique de Naples pour apprendre les humanités, la logique et la dialectique en relation avec les débats philosophiques de l'époque. Il découvre alors la mnémotechnique, l'art de la mémoire, qui devient sa discipline de prédilection. Puis Bruno entre dans l'ordre des Dominicains du couvent de Maggiare, l'un des plus réputés d'Italie, en 1565. Il prend le prénom de Giordano en hommage à l'un de ses maîtres en métaphysique, Gior-

dano Crispo. Il termine ainsi son noviciat et il est ordonné
prêtre en 1573. Devenu lecteur en théologie, il soutient
avec succès une thèse sur la pensée de Thomas d'Aquin
et de Pierre Lombard en 1575. Avant cela, il a exprimé
des critiques sur la doctrine théologique et connaît les
œuvres d'Erasme, humaniste déclaré hérétique en 1559.
Il ne dissimule pas ses goûts pour l'herméneutique, la
magie ni sa passion pour la cosmologie hors de l'approche théologique. En cette époque de la Contre-
Réforme, il n'est pas recommandé d'écorcher le dogme
chrétien, ce dont Giordano Bruno n'a cure, contestant le
culte de Marie dès ses premières années de noviciat et
niant la Sainte Trinité. Une instruction se met en place
pour le déclarer hérétique. Il abandonne le froc dominicain et s'enfuit à Rome en février 1576. Il se réfugie au
couvent de Minerve où sa réputation le rattrape alors
qu'il poursuit de son scepticisme le mystère de la foi. Il
doit partir de nouveau, commençant une vie aventureuse
faite d'errances et de fuites entre les pays, les souverains
et les savoirs.

Sa condition d'apostat l'oblige à passer d'une ville d'Italie à l'autre entre 1576 et 1578. Il parvient à publier à
Venise un livre dont on n'a conservé que le titre : *Des
signes des temps*. Contraint de s'exiler, le voici à Cham-
béry puis à Genève où il semble se rallier au calvinisme. Il
ne tarde pas à entrer en conflit avec l'un de ses membres
éminents et se fait arrêter puis excommunier le 6 août
1578. (Calvin a déjà envoyé Michel Servet au bûcher
en 1553.) On le retrouve à Lyon puis à Toulouse où
Bruno enseigne la physique et les mathématiques. Il tient
deux ans avant d'être appelé à Paris par Henri III, impres-
sionné par son livre *Clavis Magna* traitant de mnémotechnique. Le roi devient son protecteur et le nomme au
Collège des lecteurs royaux (le futur Collège de France).
C'est la période la plus stable de sa vie.

Muni d'une recommandation du roi de France, il part en Angleterre en 1583, d'abord à Londres où il intéresse la reine Elisabeth. Il se rend ensuite à Oxford, précédé de sa réputation aussi brillante que sulfureuse. L'accueil est hostile, d'autant qu'il ne ménage pas ses critiques envers ses contradicteurs qu'il accuse de verser plus dans la bière que dans les auteurs grecs. Productif, il publie plusieurs livres dans lesquels il démonte le géocentrisme, soutient la conception copernicienne du monde tout en dépassant l'héliocentrisme, affirmant que l'univers est infini et qu'il existe une multitude de mondes semblables au nôtre. Bruno sème les intuitions de l'astronomie moderne, mais sans observation ni démarche scientifiques, ses fulgurances étant aussi nourries par ses penchants pour l'herméneutique, la magie, l'animisme, etc. L'homme n'est plus au centre de l'univers puisque l'univers n'a pas de centre, il y a une pluralité des mondes et Dieu n'a plus de lieu...

De retour à Paris en 1585, le roi laisse grossir une vilaine querelle entre Bruno et Mordente, prétexte à lui enlever son soutien alors que les conflits religieux se durcissent et que Bruno « l'hérétique » n'a pas manqué de fustiger les catholiques et les calvinistes, sans oublier d'égratigner les anglicans. Restent les luthériens. Il arrive en Allemagne en juin 1586, est accueilli à l'université de Marbourg puis à Wittenberg pour deux ans. Le voilà à Prague, soutenu par l'empereur Rodolphe. Il finit par heurter la hiérarchie et s'enfuit à nouveau, apprenant plus tard son excommunication en août 1588. Et de trois ! Ce qui ne l'empêche pas de continuer à publier, notamment ses réflexions sur l'infiniment petit qui le conduisent vers l'atomisme. Son dernier ouvrage sort en 1591. Encore expulsé, il reçoit l'invitation du patricien Giovanni Mocenigo à venir s'installer à Venise. Bruno accepte, motivé par la perspective de se voir attribuer la chaire de mathématiques de l'université de Padoue, vacante depuis 1588. La chaire sera donnée à... Galilée.

Ayant fâché une fois de plus un protecteur, Bruno se fait arrêter par les hommes de Mocenigo avant d'être remis à l'Inquisition, le 23 mai 1592. Premier procès à Venise, puis Rome le réclame l'année suivante. Commence un procès qui dure six ans avec une vingtaine d'interrogatoires menés par le cardinal Bellarmin ; parfois il passe à la torture. Bruno se montre habile, ce qui finit par exaspérer le pape Clément VIII. Sommé de conclure, le tribunal de l'Inquisition condamne Giordano Bruno au bûcher. Il est brûlé vif sur le Campo dei Fiori le 16 février 1600, non sans qu'on lui ait coupé la langue, de crainte qu'il ne profère d'ultimes propos impies.

Un tiers de siècle plus tard, c'est le procès de Galilée. Martyr emblématique de la science face à l'Eglise, Galilée ne connaîtra pas le sort tragique d'un Bruno. L'Eglise et l'Inquisition n'ont pourtant pas changé d'attitude entre-temps. Mais, alors que Bruno s'attaque ouvertement au dogme, Galilée le respecte. Alors que Bruno aura le soutien de tant de puissants sans se soucier de leurs suscepti-bilités, Galilée se montrera bien plus conciliant. L'un et l'autre font montre d'audace, mais l'un est provocateur, l'autre plus circonspect. Surtout, Bruno s'obstine jusqu'au bout, avec autant de courage que de panache, alors que Galilée feint de renoncer, ce qui ne l'empêche pas de publier ses livres. Bruno ne sera jamais réhabilité par l'Eglise, Galilée le fut dans l'encyclique du pape Pie XII, *Humani generis*, en 1950.

Laissons là ces affaires d'Inquisition. Que l'Eglise refuse de réhabiliter Bruno est une chose, mais que l'histoire des sciences l'ait négligé aussi longtemps surprend. Galilée reste incontestablement le fondateur des sciences par sa méthode : observation, expérimentation et modélisation mathématique. Galilée définit aussi l'attitude qui prévau-dra par la suite, selon laquelle « les sciences [qui] disent comment va le ciel et la religion [qui] dit comment on va au ciel ». Les grands savants du siècle suivant – Newton, Descartes, Harvey, Hook, Ray, etc. – seront d'authentiques croyants, leurs travaux faisant l'éloge de la grandeur du Créateur, devenu l'impérial Horloger servi par la théologie naturelle. L'étude du ciel loue la grandeur de la Création.

Giordano Bruno commet le pire des péchés, mettre en doute les dogmes et, du côté des sciences, les paradigmes dominants. Il clame que « mesurer, c'est mentir ». En d'autres termes, écarter la modélisation mathématique, c'est revenir vers la matière ; c'est renier les lois que Dieu a créées pour gouverner l'univers, preuves de son génie, des lois uniques dans un univers unique. Les savoirs et la pensée de Bruno n'entrent pas dans l'historiographie classique et progressiste des sciences ; celle-ci a aussi son orthodoxie, s'évertuant à faire de tous les savants des génies « positifs », occultant par exemple le Newton passionné d'alchimie et d'occultisme. Alors pourquoi un Giordano Bruno doublement ostracisé ? Le fait qu'il ait reçu le soutien de tous les grands de son temps, qu'il ait publié autant de livres et que son procès ait duré si longtemps témoigne de l'importance du personnage au cœur d'une époque fortement secouée par les querelles philosophiques, les conflits religieux et l'émergence des sciences. L'Inquisition l'a brûlé ; les sciences l'ont enfoui dans un trou noir ; car sans Bruno, tout va pour le mieux dans le meilleur non pas des univers mais d'un univers unique et cosmologique gouverné par des lois immuables et orientées vers l'émergence de... l'Homme.

### L'universel cosmologique

Depuis combien de temps *Homo sapiens* regarde-t-il vers le ciel ? Toutes les populations humaines d'hier et d'aujourd'hui, toutes les cultures établissent leurs rapports à la nature, au cosmos, selon une éblouissante diversité de récits oraux ou écrits appelés *cosmologies*. Etonnante pluralité des cosmologies pour un seul univers qui aurait séduit Giordano Bruno. Serait-ce cela le propre de l'Homme, un besoin de se situer et surtout de se penser dans le monde ?

La diversité et l'universalité des cosmogonies interpellent l'anthropologue évolutionniste qui a la tentation d'en retrouver les fondements communs et leurs relations, comme pour l'origine des langues. Retrouver les fragments des premières cosmogonies du lointain *Homo sapiens* et reconstituer leur histoire. On dispose d'une littérature abondante sur l'étude comparée des langues, des religions, des mythes. Dès qu'il s'agit de comparer et d'organiser les relations et les différences, on rencontre un éventail d'approches théoriques coutumières à l'anthropologue évolutionniste : un relativisme qui admet une pluralité des récits sans s'intéresser à leurs relations structurales ; un évolutionnisme hiérarchique tendu entre un archaïsme postulé des autres cultures, surtout celles de l'oralité, et une vérité supérieure, apanage de celles de l'écrit ; un évolutionnisme dans sa véritable acception, au demeurant encore fort mal compris, qui tente de retrouver une histoire universelle fondée sur ce qui est commun et divergeant sans volonté de hiérarchisation. Le relativisme et l'évolutionnisme hiérarchique recoupent deux postulats antagonistes de l'anthropologie culturelle radicalement opposés, le culturalisme descriptif et une hiérarchisation aussi péjorative que réductrice.

Entre les deux se déploie difficilement une approche authentiquement structuraliste et évolutionniste. Elle est à la fois fort ancienne et très récente en s'appuyant sur une démarche en deux temps que l'on croit trop souvent confondus. L'analyse structurale ne requiert en rien un quelconque postulat sur l'Histoire ou l'évolution. Prenons l'exemple de référence, celui des sciences naturelles. La comparaison entre les espèces vivantes et les classifications qui en découlent prend son essor au cours du siècle des naturalistes, à la fin du XVIIᵉ siècle et au début du XVIIIᵉ siècle, bien après la révolution copernicienne, alors que la pensée européenne est fixiste : le monde dans lequel nous vivons est tel que le divin l'a créé. Même si la Terre a perdu sa place au centre de l'univers, tout est pour le mieux dans le meilleur des mondes perçu comme l'œuvre du Créateur. C'est ainsi que la nature, admirée comme un temple divin, suscite un élan formidable appelé « théologie naturelle » qui accouchera des premières classifications. C'est ainsi que l'Homme apparaît dans l'ordre des *Primates* avec les singes.

L'analyse structurale se situe sur un terrain privilégié avec les études de linguistique comparée au XIXᵉ siècle. La linguistique comparée de Saussure au XXᵉ siècle sert de référence pour le structuralisme en anthropologie développé par Claude Lévi-Strauss. Pour le grand anthropologue, il n'existe pas de hiérarchie entre les langues ni entre les cultures. Il y a des universaux, ce n'est donc pas du relativisme. Il s'agit de retrouver le fonds commun de l'humanité et d'en décrire les arborescences.

Observer, comparer, classer, tels sont les premiers temps de toute science et on pourrait citer l'émergence de la chimie moderne avec la table classificatoire des éléments de Mendeleïev. Le deuxième temps de l'analyse est tout autre puisque les mêmes classifications des espèces peuvent se comprendre très différemment : un monde fixe car créé comme tel ; une évolution dirigée et hiérarchique ou encore une évolution non dirigée et non hiérarchique. Ces différentes interprétations font autant appel à des conceptions des origines : pour les fixistes, tout a été créé ainsi par Dieu, des dieux ou des démiurges ; pour les évolutionnistes hiérarchiques, le monde a été créé dans un autre état mais avec des lois qui gouvernent son évolution, une téléologie, au mieux une téléonomie ; pour les évolutionnistes depuis Darwin, tout au moins pour ceux qui l'ont compris, il a une origine puis une pluralité d'évolutions probables, fruit du jeu des hasards et des nécessités. Toujours ce débat vieux comme le monde des causes efficientes et des causes finales.

La question des origines reste la plus embarrassante de toutes. Les premières recherches en linguistique comparée puis en linguistique historique sont minées par le mythe raciste et aryen. D'ailleurs, c'est bien à cause de ces questions empoisonnées des origines avec leurs travers métaphysiques ou racistes que la Société de linguistique de Paris décide d'interdire toute recherche sur les origines des langues en 1866. Observer, comparer et classer devrait être une démarche « objective » dénuée d'*a priori*, de postulats, d'idéologies. Mais comme l'Homme ne fait jamais rien sans avoir une idée en tête, celle-ci ne manque jamais d'infléchir l'issue de l'analyse structurale.

On ignore depuis combien de temps *Homo sapiens* a la tête remplie de cosmogonies. Le fait que ce soit universel plaide pour une origine très ancienne, bien que cette idée aussi simple que logique reste très controversée. Une vertu de l'approche relativiste, c'est de considérer que toutes les cosmogonies sont aussi complexes les unes que les autres, tout comme les langues, car toutes livrent un récit cohérent de l'univers. C'est là aussi le postulat de toute analyse structurale. Il apparaît alors que toutes ces cosmogonies partagent une même caractéristique : elles sont anthropocentriques, autrement dit centrées sur l'homme et sa réalité biologique. L'homme pense le cosmos à sa dimension, étant le « microcosme qui résume le macrocosme », comme on l'imaginait au Moyen Age. Toutes développent le récit d'un univers rapporté à notre vie. D'abord un état initial chaotique et sombre dans le lequel tout ce qui nous entoure se mélange dans la confusion des éléments – les végétaux, les animaux, les minéraux, les étoiles, etc. Puis intervient un événement fort, souvent douloureux, violent, à partir duquel le cosmos prend sa cohérence. On entre dans le mythe qui structure notre relation à l'univers en lui donnant du sens. Une analogie sans doute simpliste et universelle se décalque sur notre ontogenèse, ontogenèse du corps et de l'être. De la vie, l'enfant *in utero* en perçoit les bruits et les secousses – premier temps de l'ontogenèse cosmogonique ; puis arrive, la naissance, la venue au monde, une rupture violente tranchée avec le cordon ombilical. Enfin vient le long temps de l'enfance et du mythe. Le cosmos et l'existence se mêlent dans une même nécessité ontogénétique et ontologique.

## Galilée et la grâce du ciel

Galilée marque une rupture avec la communion séculaire entre les cosmologies et l'anthropocentrisme. L'histoire des sciences et son hagiographie décrivent la figure emblématique d'un Galilée contraint de plier devant l'Inquisition, héros tout de même chanceux du combat de la science naissante contre l'obscurantisme religieux quand on pense au sort final d'un Giordano Bruno. Bruno, philosophe, critique la cosmologie d'Aristote et soutient la conception copernicienne de l'univers. Il suppose aussi que l'univers est infini et en suppute une pluralité des mondes. Que peut être l'homme dans une telle vision du cosmos ? Son unicité se fragmente. Les tenants du dogme n'apprécient pas, d'autant que les idées de Bruno renouent avec le matérialisme, le pire péché aux yeux de la théologie et de la transcendance.

Galilée échappe au bûcher car il évite l'erreur matérialiste. Les livres consacrés à Galilée et au célèbre procès dénoncent l'attitude inquisitoriale et rigide d'une partie de l'Eglise représentée par quelques juges dominicains,

en rappelant que d'autres personnages de l'Eglise soute-
naient Galilée, d'abord officiellement puis plus discrète-
ment. Quant à Galilée lui-même, qui bénéficia du soutien
du pape Benoît VII, il se montra fort peu diplomate dans
bien des circonstances, allant jusqu'à donner le sobriquet
de Simplicio à son ancien ami Maffeo Barberini devenu
le pape Urbain VIII. C'est là toute l'ambiguïté de ce procès
de la pseudo-abjuration d'un Galilée qui lâche : « ... et
pourtant, elle tourne. »

L'Eglise s'accommode cependant fort bien des choses
du ciel. Après le siècle de Galilée et de Kepler s'annonce
le siècle des mécanistes. Francis Bacon et René Descartes
donnent à l'homme le projet utopiste de dominer et de
commander à la nature par la puissance des sciences et
de la connaissance. La mécanique céleste de Newton livre
des équations qui décrivent un univers parfait. Le Créateur se mue en Grand Horloger. Une autre conception du
cosmos se met en place. Si la Terre n'est plus au centre
de l'univers, celui-ci est régi par des lois qui gouvernent
à la perfection la mécanique céleste. L'homme se voit
investi d'une nouvelle quête toute à la dévotion de son
Créateur : découvrir les lois non écrites dans les textes
sacrés. L'intelligence donnée aux hommes par Dieu
devient « l'œil de la Providence » qui éclaire le monde. Le
regard de l'Homme sur la nature est une fenêtre par
laquelle s'ouvre la splendeur divine.

La mécanique newtonienne pose les éléments du paradigme divin de la perfection encore présent dans les
sciences. Mettre en équation, c'est traduire dans le langage parfait des mathématiques et toucher au céleste. Les
équations de Newton sont d'autant plus parfaites qu'elles
ne font pas intervenir le temps. Stabilité inébranlable
d'une mécanique céleste pour l'éternité.

*« Dieu ne joue pas aux dés »*

Les cosmologies modernes se dégagent à peine de cette vision du ciel. En cette année internationale de la physique qui honore les quatre articles fondateurs de la physique moderne publiés par Albert Einstein en 1905, on constate la persistance de telles idées. Newton comme Einstein et bien d'autres ont inventé, développé ou appliqué de nouveaux concepts mathématiques qui leur ont permis de traduire des phénomènes physiques. Le plus intéressant réside dans ces inventions considérables issues de l'intelligence de la pensée mathématique, presque abstraite de la contingence du monde physique. Une approche on ne peut plus platonicienne qui va bien plus loin que la Lune pour embrasser tout le cosmos.

Les prédictions faites à partir des équations de Maxwell comme de celles d'Einstein – respectivement les ondes électromagnétiques et l'effet photoélectrique, pour ne citer que ces deux exemples ayant tant d'applications dans nos vies modernes – suffisent à nous émerveiller. Aujourd'hui, les recherches sur la théorie des cordes soustendent une approche qui a fait ses preuves, à telle enseigne que cela justifie des programmes de recherche mobilisant des moyens techniques et financiers considérables, comme pour la mise en évidence du boson de Higgs ou d'autres particules aussi éphémères que fondamentales gravitant dans les théories fabuleuses des physiciens.

La physique occupe une place bien particulière dans le monde des sciences. Son formalisme mathématique comme son sujet, la matière, touchent à l'universel et à l'éternité. Les lois de la physique peuvent être vérifiées en tout temps et en tout lieu de l'univers. Les mêmes lois s'appliquent de la matière la plus fragmentée aux amas de galaxies les plus gigantesques. De l'infiniment petit à l'infiniment grand se tisse une toile universelle dans laquelle il est bien difficile d'admettre toute l'incertitude de la vie. Einstein n'accepta pas certaines implications de ses équations – sa polémique avec Niels Bohr – et passa même à côté de prédictions considérables, comme celle de l'expansion de l'univers mise en évidence par Hubbles. Pour lui, « Dieu ne joue pas aux dés ». De Bruno à Einstein, les plus grands esprits ne sont jamais purs esprits de science, sinon auraient-ils été aussi géniaux, aussi humains ?

## Cosmologies modernes et mythes anciens

Pascal, confronté aux découvertes des sciences de son époque, entre l'ouverture sur l'infiniment petit et l'infiniment grand se déployant par le jeu des lentilles de verre, s'interroge sur la place de l'homme dans un univers dont les dimensions dépassent l'homme. De nos jours, des scientifiques enchanteurs comme Hubert Reeves et Trin Huan Xhan nous offrent leurs réflexions pascaliennes à la lumière des fantastiques avancées des connaissances sur la matière et l'univers.

Depuis quelques décennies se multiplient la parution d'articles et l'édition de livres sur le retour du « principe anthropique » ou, plus objectivement, des principes anthropiques. Le principe anthropique dit faible s'intéresse aux conditions initiales de l'univers, notamment les valeurs des constantes universelles, qui ont permis l'apparition de la vie et de l'Homme. Le principe anthropique fort suppose que, depuis le big bang, l'évolution de l'univers tend vers l'apparition de l'Homme et sa conscience cosmique.

Le principe faible s'interroge sur les conditions qui ont rendu la vie possible. Il s'agit d'une démarche heuristique et scientifique tant qu'elle ne se laisse pas séduire par la tentation du finalisme. Les recherches sur les origines de la vie reposent sur cette interrogation. Seulement cela donne des conclusions agréablement tautologiques. Ainsi quand on lit (souvent) que la Terre se situe à une distance « idéale » du soleil, ce qui a permis l'émergence de la vie. Comme si la vie reposait sur un principe vital de la matière inerte qui attendait une opportunité « idéale ». Se tenir à de tels raisonnements n'incite pas à rechercher d'autres formes de vie, en admettant que l'on s'entende sur ce qu'est la vie.

La vie telle que nous la connaissons et en jouissons se construit sur la chimie du carbone. Quelques chercheurs imaginent d'autres formes de vie basées sur la chimie du silicium, hypothèse fort contestée. Ce qui nous interpelle ici, c'est la façon dont est appréhendé le principe anthropique faible. Va pour son élan heuristique, mais le spectre de l'anthropocentrisme ne manque pas de s'agiter sous la structure de l'univers. A proprement parler, le principe anthropique n'a rien d'un « principe ». Un principe est une proposition qui contient une capacité de prédiction dont la pertinence apparaît *a posteriori*. Les principes valent par leurs effets ou leurs applications. Il en va autrement du principe anthropique qui, quant à lui, repose sur le constat de l'existence de l'espèce humaine et va en quête des conditions initiales. CQFD. Le principe du principe est inversé. Si le cheval se posait la même question que l'homme, il pourrait évoquer un « principe d'équination », et notre cheval savant retrouverait les mêmes conditions initiales de la vie que « l'homme, la souris et la mouche », pour rappeler le titre d'un livre de François Jacob.

Le principe anthropique fort fait encore plus fort dans l'anthropocentrisme classique et son réductionnisme cosmique. Il s'agit d'un postulat qui repose sur une affirmation tautologique : puisque l'homme existe, c'est que, depuis les origines de l'univers, il existe un principe qui

tend vers l'affirmation cosmique de l'Homme. Si c'est
arrivé, c'est que cela devait arriver. « C'est bien fait »,
comme on dit dans les cours de récréation. Les
recherches qui en découlent se comparent à la quête de
tout ce qui conforte cette croyance selon les modalités
épistémologiques de l'empirisme archaïque. Ainsi, si les
constantes universelles de l'univers ont de telles valeurs,
c'est pour permettre l'apparition de l'Homme. D'après
certaines hypothèses récentes, certaines constantes pourraient connaître quelques ajustements. Qu'on se rassure,
même si les constantes changent, l'Homme n'en existe
pas moins pour l'heure. Après tout, c'est lui qui joue de
ces constantes et, même s'il venait à les changer, il ne
disparaîtrait pas par enchantement.

Devant l'affirmation de tels principes, le paléoanthropologue renoue avec les mânes de Teilhard de Chardin,
dont la construction philosophique et théologique
reprend l'idée vitaliste d'un univers tendu entre un *alpha*
et un *omega* avec l'Homme comme aboutissement d'un
processus, l'Homme dont l'esprit entre en harmonie avec
tout le cosmos. On retrouve des éléments des pensées de
Giordano Bruno et de Spinoza : réconcilier la matière et
l'esprit. Cette philosophie radieuse et optimiste s'efforce
de refonder une harmonie entre l'Homme et la nature,
une nature tant méprisée dans la tradition anthropocentrique des religions du Livre. L'originalité de Teilhard,
c'est d'avoir tenté d'établir un chemin entre l'infiniment
petit et l'infiniment grand en passant par l'histoire de la
vie. Il est curieux de constater que ceux qui honorent la
mémoire de ce penseur original et fécond ne retiennent
que cette partie théologico-religieuse de son œuvre. Or
celle-ci contient une contribution scientifique majeure à
l'étude de l'évolution de l'Homme. Teilhard fut un des
très rares paléoanthropologues de son temps qui visitè-
rent les principaux sites d'Europe, d'Asie et d'Afrique
ayant livré des fossiles humains. Ses travaux couvrent

l'évolution des Primates, des singes et des hommes sur l'ensemble de l'ère tertiaire et sont encore cités. Seulement, à l'époque de Teilhard, dominait une conception orientée, finaliste, de l'évolution, abandonnée depuis quelques décennies, mais encore bien présente en paléoanthropologie, notamment dans la tradition française. Car ce qui pose vraiment problème aux principes anthropiques, ce n'est pas les origines de la vie, mais ce qu'est la vie.

*Finalisme cosmique et évolution*

La célèbre citation de Freud évoquée dans l'introduction de cet essai fait référence à la révolution copernicienne et au choc provoqué par les théories de Darwin. Avec le recul de l'histoire, on voit que l'évolution de l'astronomie, de l'astrophysique et des cosmologies modernes ne soulève plus de vives polémiques. Au fil des siècles s'installe un concordat céleste. Soit ! Cela étant dit, les choses vont pour le mieux dans le meilleur des mondes cosmologiques possibles, ainsi la théorie du big bang ou théorie standard des origines de l'univers. Cette théorie découle des équations d'Einstein, qui croyait quant à lui à la stabilité de l'univers, et l'un de ses fondateurs est le chanoine belge Georges Maistre. La démarche de Maistre était rigoureusement scientifique et ne s'inscrivait pas dans une tentative concordataire et encore moins finaliste. Mais les faits – ou la théorie – sont là, alors...

Freud serait tout de même surpris du mauvais sort fait à Darwin. En fait, dès que l'on se cantonne aux choses du ciel, tout va plutôt bien pour le monde éternel des idées ou des idées éternelles. Sur la Terre, c'est une autre histoire qui s'appelle la vie, un accident cosmique en quelque sorte qui, tout de même, touche à l'Homme. En fait, plus on ancre nos réflexions sur notre condition terrestre, plus le miroir aux illusions anthropocentriques se fragmente.

Le principe anthropique se construit comme une flèche métaphysique qui part de la matière pour pointer dans l'univers. Admettons que les conditions initiales de l'univers, et surtout celles régnant sur la Terre il y a 4,5 milliards d'années, aient été « idéales » pour que la vie apparaisse et, plus tard, l'Homme. D'ailleurs, d'après le principe fort, il ne pouvait en être autrement puisque l'Homme est apparu. Voilà bien un raisonnement que n'aurait pas renié le bon docteur Pangloss dans *Candide*, lequel affirmait doctement que notre nez est fait pour porter des lunettes : la preuve, nous portons bien des lunettes. Seulement ce sont des lunettes à focale anthropocentrique. Mais admettons qu'il en ait été ainsi.

Alors, depuis ces conditions initiales dégagées par certains scénarios des origines de la vie, 64 acides aminés différents auraient pu se constituer. Sans que l'on sache pourquoi – sauf les tenants du principe anthropique fort –, seuls une vingtaine d'entre eux formèrent de l'ARN puis de l'ADN, de telle sorte que toutes les formes de vie connues reposent sur les combinaisons de ces seuls 20 acides aminés : bactéries, éponges, fougères, mouches, loups, champignons, hommes, etc. Tout cela se passe dans l'eau des océans primitifs dans lesquels batifole une diversité étourdissante de protéines formées de ces 20 acides aminés fondamentaux, eux-mêmes d'ailleurs variations très restreintes de 4 sucres azotés. Seules 4 lettres moléculaires constituent les bases du code génétique, ce qui autorise beaucoup de savants à affirmer que dès le début, tout était écrit (*sic* !). La preuve, *dixit* le docteur Pangloss, on parle de l'alphabet de la vie. CQFD au lieu de AGCT (Adénine, Guanine, Cytosine et Thymine, les 4 lettres que l'on retrouve dans le titre du film *Bienvenue à Gattaca* d'Andrew Niccol).

Vers 4 milliards d'années, certaines protéines se mettent en boule et forment bientôt des bactéries. Ce n'est que bien plus tard, vers 2 milliards d'années, que des bactéries s'unissent pour donner nos cellules à noyau. Après, cela va très vite, en tout cas beaucoup plus vite. Les cellules à noyau constituent des organismes vers 700 000 millions d'années : plantes, éponges, vers, etc., tout cela dans les océans et les mers. Certains phylums d'animaux acquièrent un axe du corps construit autour d'une chorde puis d'une colonne vertébrale. Ils s'activent dans les eaux vers 550 millions d'années. C'est alors que des plantes puis des arthropodes s'adaptent à la vie hors de l'eau. Voilà le décor planté pour la venue de poissons fatigués de leur condition aquatique. Ils s'aventurent ainsi hors de l'eau vers 360 millions d'années. Certains hésitent à tout abandonner et deviennent amphibiens. D'autres coupent le cordon ombilical avec l'eau et se muent en reptiles. Une lignée devient aussi florissante qu'impressionnante avec les dinosaures et l'est encore avec les oiseaux. L'autre lignée se tapit dans l'ombre : ce sont les petits mammifères qui attendent l'éclipse des dinosaures pour connaître une belle expansion. Parmi eux il y a des singes, puis des grands singes et enfin l'Homme redressé sur ses deux jambes depuis plus de 2 millions d'années. L'évolution arrive à son but. C'est bien ainsi que l'on raconte habituellement l'histoire de la vie, qui se réduit à celle de l'Homme. Une fois de plus, le macrocosme se réduit au microcosme.

L'être humain a tendance à voir les choses avec hauteur, depuis le sommet de l'arbre de la vie taillé à sa prétention. Un autre regard livre cependant une tout autre perspective. Les bactéries dominent encore parmi toutes les formes de vie sur la Terre. Les poissons représentent toujours la très grande majorité des animaux vertébrés. Rescapés des dinosaures, les oiseaux sont deux fois plus nombreux que les mammifères. Parmi ces derniers, les

Primates avec les singes et l'Homme ne comptent que pour une petite partie. Tout cela se révèle parfaitement logique pour les adeptes de l'évolution dirigée et anthropocentrée. S'il y a une seule espèce d'Homme sur la Terre, c'est parce qu'il représente son aboutissement.

Donc la Terre a trouvé une orbite idéale à une distance idoine du Soleil. Les bactéries ont fait tellement bon usage de la photosynthèse que de l'oxygène s'est accumulé dans l'atmosphère. L'ambiance devient respirable pour les cellules à noyau qui en profitent. Voici qu'arrivent les organismes pluricellulaires dont les chordés et les vertébrés, puis les poissons. C'est alors que les continents se réunissent en un ensemble unique appelé Pangée. Quelques lignées de poissons, qui ont l'heur d'avoir des nageoires bâties sur une base squelettique, se dotent de poumons. Ils franchissent le pas, de l'eau vers la terre, sur cette Pangée. C'est à cette époque que frappe l'une des plus grandes extinctions de l'histoire de la vie, avec l'élimination de plus de 95 % des lignées connues. Vient ensuite le temps des dinosaures, qui connaissent aussi une extinction due à une météorite ainsi qu'à un volcanisme intense et, comme si cela ne suffisait pas, une fragmentation des plaques continentales avec un abaissement considérable du niveau des océans. Les plantes à fleurs et à fruits – les angiospermes – en profitent ainsi que les mammifères. Arrive un coup de froid brutal autour de 36 millions d'années. Cette « grande coupure » favorise le déploiement des lignées modernes de mammifères, dont la nôtre, celle des *Hominoïdes* ou des singes qui ressemblent plus à l'Homme qu'aux autres singes. Nous approchons du pinacle.

Il y a 25 millions d'années, les Hominoïdes se déploient en Afrique, terre de nos origines en l'état actuel de nos connaissances. Une Afrique isolée des autres continents – l'Europe et l'Asie – par la mer Thétis. Celle-ci se retire et dégage le Proche et le Moyen-Orient. Des lignées d'Hominoïdes en profitent pour se disperser et se diversifier en Eurasie vers 17 millions d'années. La branche européenne s'éteint vers 6 millions d'années à cause de l'assèchement de la Méditerranée, l'un des derniers vestiges de la grande Théthys. La branche asiatique connaît aussi un beau succès, mais ne survivent désormais que les derniers orangs-outans de Sumatra et de Bornéo dont les années sont d'ores et déjà décomptées. Restent donc l'Afrique et la famille des *Hominidés,* la nôtre, avec, de nos jours, les chimpanzés, les bonobos et les gorilles. On ignore presque tout de nos vieilles histoires de famille avant 7 millions d'années. C'est justement autour de cette époque que la lignée des futurs chimpanzés et celle des hommes (annoncés ?) se séparent. Où ? En Afrique de l'Est avec *Orrorin,* au Kenya ou, en Afrique centrale, avec Toumaï ? C'est la controverse actuelle qui agite le petit monde des paléoanthropologues. Quoi qu'il en soit, nos origines se situent en Afrique et il est probable que les bouleversements géologiques qui modifient la géographie des vallées du Rift aient infléchi, d'une manière ou d'une autre, l'histoire de notre famille.

Plus tard, donc plus près de nous, vers 3 millions d'années, il se trouve que l'Amérique du Sud rejoint l'Amérique du Nord avec l'émersion de l'isthme de Panamá. La rupture de la relation entre les océans Pacifique et Atlantique entraîne des changements climatiques considérables. L'apparition du Gulf Stream et de la circulation thermohaline – ce courant plonge dans l'Atlantique Nord pour ne remonter que dans les océans du Sud – a pour effet de refroidir le pôle Nord avec pour conséquence la formation de la calotte polaire arctique. Ainsi commencent les âges glaciaires. L'immobilisation de grandes quantités d'eau douce dans les calottes et les glaciers entraîne une baisse de la pluviosité mondiale et, en Afrique, un assèchement du climat et le recul du couvert forestier. C'est ainsi que le monde des australopithèques et de Lucy s'évanouit pour céder la place à leurs descendants, dont les premiers hommes. Par la suite, toute l'évolution de la lignée humaine sera soumise au rythme toujours plus soutenu des temps glaciaires imposé par les cycles de Milankovic'.

Les cycles de Milankovic' décrivent les variations de la position de la Terre autour du Soleil. L'un décrit l'excentricité de l'orbite terrestre autour du Soleil. Cette orbite a la forme d'une ellipse plus ou moins proche du cercle. Ces variations suivent un rythme d'environ 100 000 ans et affectent la quantité totale de chaleur reçue par la Terre. Un autre cycle correspond à la variation de l'axe d'inclinaison de la Terre ou l'axe des pôles, selon une période d'environ 21 000 ans. Plus cet axe est incliné, plus les différences de température entre les saisons sont marquées, et ce d'autant plus que les régions se trouvent éloignées de l'équateur. Le troisième cycle s'appelle la précession des équinoxes. La Terre se comporte comme une toupie qui tourne autour de son axe et cet axe lui-même pivote. Selon les périodes de ce cycle de 12 000 ans, c'est l'un ou l'autre hémisphère qui reçoit plus ou moins de chaleur. Les études des sédiments marins et celles plus connues des carottes de glace prélevées dans les glaciers de l'Arctique et de l'Antarctique indiquent avec précision que les fluctuations climatiques depuis 400 000 ans sont fortement influencées par les cycles de Milankovic'.

L'histoire naturelle des derniers hommes de la Préhistoire aurait été tout autre sans les glaciations. Au cours des périodes froides, l'Europe se couvre de glaciers dont les eaux de fonte forment une grande mer qui couvre sa partie orientale. Des populations d'*Homo erectus* confinées dans ses parties occidentale, centrale et méridionale évoluent vers les hommes de Neandertal ou *Homo neanderthalensis*. Ailleurs, c'est la baisse du niveau des eaux qui amène d'autres *Homo erectus* sur les îles de la Sonde,

comme à Java. Lors des stades interglaciaires plus clé-
ments, alors que les Néandertaliens sortent d'Europe
pour aller vers l'est, les hommes de Java deviennent des
hommes de Solo ou *Homo soloensis*. Certains d'entre eux
iront en radeaux sur l'île de Florès et deviennent les
*Homo floresiensis*. Quant à nous, les *Homo sapiens*, nos
origines se trouvent en Afrique et au Proche-Orient. Il y
a encore 40 000 ans, alors que s'affirmait la dernière
grande période glaciaire, quatre espèces d'Hommes habi-
taient la Terre. Aujourd'hui, il n'en reste plus qu'une.
L'évolution pas plus que l'Histoire « ne repasse les plats »
car elle est contingente. A une glaciation près, il y aurait
peut-être plus d'hommes ou encore plusieurs espèces
d'hommes. Il n'en reste qu'une.

### Conquête spatiale ou quête de l'éternel

Nul doute que les partisans du principe anthropique
verront dans cette histoire si brièvement esquissée la
preuve de la finalité anthropocentrique inscrite dans
l'univers. S'il ne reste qu'une seule espèce d'homme, c'est
bien là la preuve ! Pourtant quel scénario ! Il aura fallu
tout de même l'occurrence d'une série à peine croyable
d'événements cosmiques et terrestres – météorites, érup-
tions solaires, tectonique des plaques, volcanisme, fluctuations chaotiques des courants marins, etc. – qui n'ont
rien à voir avec la vie pour que la vie en arrive à
l'Homme. Il faut non pas comprendre mais croire à des
constantes universelles contenant toute la dynamique
contingente de la vie confrontée à des conditions qui lui
sont étrangères. Etrange déraisonnement de la part d'un
*Homo sapiens* que son génie a amené à découvrir ces lois
de la matière et de l'univers. Les cosmogonies se tendent
entre l'infiniment petit et l'infiniment grand, parenthèses

en expansion qui, malgré tout, ne peuvent contenir l'insupportable incertitude de la vie et de l'homme.

Cette insupportable créativité de la vie insupporte. Alors, des scientifiques de renom ont tout fait pour remettre de l'ordre cosmique dans l'histoire de la vie, et avec quel succès ! C'est ainsi que dans les années 1990, Frank Notale, un spécialiste d'astronomie, s'est efforcé de modéliser mathématiquement, grâce aux fractales, l'arbre de la vie. Pour ce faire, Jean Chaline, paléontologue fort connu, lui a fourni les données adéquates et fort pertinentes. Hélas, les espèces fossiles répugnent à s'aligner sur les plus belles modélisations mathématiques. C'est, pour l'heure, le dernier avatar de la quête d'un paradigme parfait de l'histoire de la vie, une histoire qui, décidément, refuse de se soumettre à la perfection cosmologique.

Qu'il en soit ainsi ou autrement, quelle importance ? Cela a une importance considérable, car toutes ces recherches qui touchent au ciel et à l'univers bénéficient d'un soutien inconditionnel des institutions et des médias. Pour beaucoup, ce sont là les sciences dans leur essence la plus pure. Témoin, toute la frénésie autour de l'exploration de la planète Mars. Les Etats-Unis comme l'Europe ont envoyé des sondes capables d'« atterrir » sur Mars et de s'y déplacer. Je me joins à la foule de passionnés car c'est vraiment une aventure fascinante. Un bel exploit technologique dont, à vrai dire, les moissons scientifiques sont bien maigres. Si un des robots de la NASA a bien fonctionné, celui de l'ESA a échoué. Au vu des moyens mis en œuvre, c'est assez maigre. Mais les programmes ne sont pas remis en cause, si ce n'est reportés.

Or, qu'avons-nous vu de cette merveilleuse expédition ? Beaucoup d'images à la télévision mais des images de synthèse. En fait, très peu d'images prises par ces superbes sondes. Voici donc la foule des *Homo sapiens* tellement fascinée qu'elle ne s'aperçoit pas qu'on lui propose des images élaborées sur des ordinateurs très terrestres, tellement plus belles et convaincantes que celles expédiées par les sondes. Le pape Grégoire VI disait que les vitraux des cathédrales étaient la Bible des idiots ; rien de changé sur cette Terre, sinon que les lanceurs de fusées ont remplacé les flèches des cathédrales et que les écrans cathodiques se substituent aux vitraux. Retour dans la caverne de Platon, bien que nous soyons bien au-delà de la Lune. Les *Homo sapiens* contemplent le fond de la caverne cosmologique – bien plus moderne car il s'agit d'écrans cathodiques ou plasma, mais avec toujours les mêmes représentations. Pendant ce temps, hors de la caverne, sur la Terre donc, le climat se réchauffe, les environnements naturels se dégradent, les océans étouffent et la biodiversité s'étiole. De quels moyens a-t-on besoin pour sauver les grands singes africains, leur environnement et surtout l'aide au développement des populations déshéritées qui vivent près d'eux ? Quelques centaines de millions d'euros ; ce n'est rien comparé au budget de la conquête spatiale. Alors rien c'est rien, surtout quand c'est un rien terrestre. Quelques hypothétiques molécules d'eau martienne valent plus que les sécheresses sahéliennes, le saccage de l'Amazonie, les incendies d'Indonésie...

Très clairement, ce ne sont pas ces magnifiques projets qui sont critiqués. Ils montrent combien les hommes sont capables des entreprises les plus fascinantes en mobilisant des intelligences et des moyens. La vraie dénonciation est celle-ci : nos mythes hérités de plusieurs millénaires d'anthropocentrisme occidental – que ce soit à travers des religions monothéistes ou certaines grandes traditions philosophiques – perpétuent à travers les sciences une valorisation de tout ce qui touche au ciel, avec pour corollaire une bien piètre considération pour ce qui touche à la Terre.

Ce sont les très créationnistes Etats-Unis d'Amérique qui soutiennent les programmes les plus ambitieux de la conquête spatiale ; les mêmes Etats-Unis qui nient le réchauffement climatique dont ils sont les principaux responsables ; les mêmes Etats-Unis qui refusent de ratifier les accords de Kyoto. Car s'il y a des enjeux technologiques et économiques considérables autour de la conquête spatiale, il faut aussi prendre conscience que, pour la majorité des Américains, leur pays leur a été donné par Dieu comme une terre promise et que le salut est au ciel.

Cette remarque ne concerne pas tous les Américains, évidemment. Les prises de position clairement affichées de l'administration Bush sont si caricaturales que des réactions s'élèvent de toutes parts. Mais cela marche si l'on en juge au nombre de pages de journaux et de magazines – écrits, parlés ou filmés – consacrés – c'est le terme – à la conquête spatiale au cours de l'année 2004-2005, et ce à l'aune des résultats acquis, il y a de quoi se désenchanter. Critique bien terre à terre, j'en conviens, une Terre qui tourne comme elle peut en dépit de tant d'abandons. Beaucoup de moyens pour une hypothétique molécule organique martienne, alors qu'il en faudrait bien moins pour préserver la vie sur la plus belle des planètes, la nôtre.

Les nations européennes, qui s'affirment plus laïques, se nourrissent cependant des mêmes mythes séculaires mais sous des patines plus philosophiques. Quand des scientifiques européens travaillent à la NASA dans le cadre de ces grands projets qui impliquent des coopérations internationales, ils apprennent vite à taire leurs convictions agnostiques ou simplement leur manque de croyance si c'est là leur pensée.

Il n'est d'ailleurs pas très conseillé de moquer notre arrogance lorsqu'elle touche au ciel. Lors d'un congrès de l'Association des Musées et des Centres de culture scientifique, technique et industrielle (AMCCSTI) à Périgueux en 2000 – en terre de Préhistoire donc –, je m'étais amusé à constater que leur sigle reprenait le célèbre dessin gravé sur une plaque d'or fixée sur la sonde Pioneer X lancée le 2 mars 1972, et destinée à d'éventuels extraterrestres (ou plus certainement un message envoyé à Dieu). Que voit-on sur cette fresque : un *Homo sapiens* occidental dans une attitude très grecque au sens le plus classique, fièrement campé sur sa bipédie au premier plan, et une femme en léger arrière-plan. Des schémas donnent des indications précises de la position de la Terre par rapport aux étoiles. Sinon, rien sur la nature et les animaux. Représentation apurée à l'extrême de nos mythes éternels, alors que Pioneer ne répond plus.

Quant aux extraterrestres éventuels, il suffit de se plonger dans la saga *Star Wars* pour y constater la pauvreté de la science-fiction si on la compare à l'évolution de la vie et sa biodiversité merveilleuse sur notre petite Terre. Nonobstant la médiocrité d'un scénario qui ne fait que reprendre le registre fort classique des bons et des méchants, avec son sauveur tout de blanc vêtu et son diable drapé de noir, inébranlables forces du bien et du mal, ces films ne sont fascinants que pour leurs images de synthèse. Une fois de plus, les mêmes mythes sont déclinés par le génie créationniste des logiciels servis par des cinéastes de talent. Ce qui stupéfie le plus le paléoanthropologue, c'est que tous les extraterrestres aux têtes souvent délirantes ne reprennent que des variations « arcimboldiennes » d'animaux terrestres. Plus stupéfiant encore : ils sont tous bipèdes ! Même les robots ! Je leur préfère la sale bestiole d'*Alien*, bien qu'elle ressemble à une mante religieuse ! C'est à vrai dire le piètre constat d'une science-fiction et d'un délire de liberté interstellaire incapables d'imaginaire. Le Microcosmos des insectes d'un sous-bois scintille de plus de merveilleux que ce macrocosme prétentieux habité de notre seule arrogance anthropocentrique.

## La lunette de Galilée et l'aveuglement anthropocentrique

La Terre a subi tant de saccages depuis un demi-siècle que le taux d'extinction des espèces ne cesse de s'amplifier. De nos jours, si Darwin repartait sur le *Beagle*, il serait dans l'impossibilité de faire les observations qui lui ont permis d'élaborer sa théorie de l'évolution. Triste errance d'un *Beagle* sur la Terre, vaisseau fantôme de la biodiversité qui émeut bien moins qu'un autre *Beagle*, la sonde européenne sur la planète Mars en quête d'un fragment moléculaire de vie.

La révolution copernicienne qui exproprie la Terre du centre de l'univers comme la mise en évidence de l'attraction universelle se révèlent finalement impuissantes devant la domination de la seule force unificatrice, Saint-Graal des physiciens, qui unifie tout le cosmos : l'anthropocentrisme.

Galilée, grâce à sa lunette et à ses observations, ouvre un espace qui ne cesse de décentrer l'Homme. De Galilée à Hubble, les scrutateurs du ciel repoussent vers des infinis encore plus lointains les limbes de l'univers de telle sorte que, comme il n'y a pas de centre, nous pouvons en être un des centres. Les lunettes astronomiques, les télescopes et les multiples instruments inventés par le génie des hommes rappellent que les sciences amènent à percevoir des mondes qui échappent à nos sens, à notre « réalité biologique », selon l'expression de François Jacob. Seulement l'évolution des moyens d'observation est telle que ces instruments, qui amplifiaient la sensibilité de nos sens, utilisent des spectres d'ondes qui échappent désormais à nos sens. Nous sommes dorénavant dans une « phénoméno-technie », pour reprendre un mot du philosophe Gaston Bachelard, une reconstitution qui passe le plus souvent par des images reconstruites par ordinateur. Le débat actuel sur le maintien ou non du télescope orbital Hubble met en exergue cette évolution. Désormais, on nous offre à voir sans pouvoir voir. On ne peut qu'accepter ces restitutions. On peut s'en détourner, comme dans cette scène du *Procès de Galilée* de Bertolt Brecht où l'un des magistrats inquisiteurs refuse de regarder dans la lunette, et revenir au bon sens. Hélas, ce bon sens sombre dans le trou noir d'un anthropocentrisme à la dimension du cosmos.

## La cosmologie face à l'évolution

Le genre *Homo* apparaît en Afrique il y a seulement 2 millions d'années, un instant dans une histoire de l'univers vieille de 15 milliards d'années. Depuis quand l'Homme animé par l'aube de la conscience s'interroge-t-il sur son rapport aux autres organismes, à la vie donc, et aux choses, à l'univers ? Est-ce *Homo ergaster* inventeur d'outils symétriques, premier sculpteur de la matière, capable de lui donner une forme issue de la pensée – celui aussi qui vole le feu à la nature, s'ouvrant ainsi au monde de la nuit et inventant des images dansantes d'ombres et de lumière ? Beaucoup de paléoanthropologues considèrent que le langage, l'art, la pensée symbolique et religieuse, les mythes comme les cosmologies sont propres à notre espèce *Homo sapiens*. Les autres espèces du genre *Homo* ne seraient pas, à leurs yeux, encore humaines. J'ai du mal à accepter un tel ostracisme car il procède plus d'une quête d'unicité de l'Homme, un Homme au sommet de l'évolution et dont la conscience épouse le cosmos, que d'une véritable approche anthropologique, évolutionniste et scientifique. Autrement dit, ce qui devrait être une hypothèse a toujours été affirmé comme une vérité. Etrange *Homo sapiens* qui recherche d'autres intelligences dans l'immensité du ciel tout en méprisant celle d'autres hommes qui ont disparu il y a si peu de temps. Entre *Homo ergaster*, le premier homme au sens strict, et *Homo sapiens*, le dernier homme, se déploie une diversité magnifique d'humanités. Il y a seulement 40 000 ans la Terre était habitée par des hommes de Neandertal, de Solo, de Florès et de Cro-Magnon. Depuis il ne reste que nous ; c'est peut-être cette solitude aussi brutale que récente qui nous fait perdre la tête. Qu'en serait-il de nos cosmologies en présence d'autres hommes ? Laissons-nous divaguer et imaginons que le biface lancéolé d'*Homo ergaster* préfigure la fusée Ariane ; que le feu appelle la puissance des réacteurs et que pénétrer dans l'ambiance de la nuit invite à l'exploration spatiale. Les hommes pensent au ciel depuis très longtemps, qu'ils en soient le centre en est une histoire.

Ces quelques réflexions paléoanthropologiques face aux cosmologies vont certainement irriter nombre de mes collègues. Telle n'est pas mon intention. On pourra dénoncer une attitude prétentieuse, voire arrogante, d'un spécialiste des fossiles qui se mêle des étoiles. Admettons. C'est bien la première fois qu'un paléoanthropologue s'aventure sur ce terrain. Pourtant, des cosmologistes n'hésitent pas à revoir couramment l'évolution de l'Homme selon leurs conceptions, pour ne pas dire leurs croyances. Alors je n'ai cure de ces vérités tombant du ciel sur les fossiles. Ce qui me donne l'opportunité de dénoncer une perversité épistémologique – qui m'irrite de plus en plus – entre sciences dures et sciences molles. Selon une hiérarchie séculaire qui place les choses du ciel au-dessus de celles de la Terre, la science mobilisée par les cosmologistes – la physique – se targue d'une épistémologie bien plus solide que celle des anthropologues. On l'a dit, depuis Galilée la physique repose sur l'observation, l'expérimentation et la modélisation mathématique.

Surtout, la reproductibilité des expériences représente une assise épistémologique considérable. Rien de tel dans l'évolution à cause de son caractère contingent. C'est là le cœur du débat : la contingence, ce qui signifie que l'état de la nature à un moment donné de son histoire contraint son évolution possible, sans que l'on soit capable de prédire comment se fera cette évolution. Ainsi donc, si le film de vie se rejouait dans les mêmes conditions initiales, l'histoire serait différente. Aporie insupportable pour les sciences expérimentales. Les apôtres du principe anthropique fort ne supportent pas la contingence ; comme on les comprend. Le fait que l'on puisse seulement observer l'évolution et en élucider les mécanismes et non pas la reproduire ne signifie pas que ce ne soit pas une théorie scientifique. Karl Popper dénonça dans un premier temps cet aspect non testable de l'évolution, laquelle devient alors un récit tautologique, ce qui n'a pas manqué d'être le cas, hier comme aujourd'hui, et plus particulièrement en paléoanthropologie. Plus tard Popper admit que le critère de réfutabilité ne constituait pas le seul dogme de la scientificité. Or, la théorie de l'évolution est la seule qui rende intelligible tout ce qui appartient au vaste domaine de la biologie, y compris la médecine – d'aucuns rétorqueront qu'il en est de même des mythes et des cosmologies –, et on souligne rarement sa capacité de prédiction, à faire des hypothèses et à les vérifier. Charles Darwin considérait que la théorie de l'évolution apporterait les preuves de l'unité du vivant. C'est bien ce qu'ont montré la génétique, l'anatomie comparée et la paléontologie. Tous les organismes vivants présentent la même unité d'organisation, de reproduction et de régulation, les preuves vivantes de notre évolution, alors que les fossiles, toujours plus nombreux, complètent l'arbre de l'histoire de la vie en décrivant ses multiples embranchements. Seule la théorie de l'évolution a conduit à toutes ces découvertes, pas les mythes, et encore moins les cosmologies. Alors on peut continuer à railler les paléoanthropologues et leur « chaînon manquant » du haut des équations célestes. Mais on les trouve, ces fossiles, ils comblent progressivement les trous noirs de nos arbres phylogénétiques, ils réfutent nombre de nos hypothèses... Quels progrès accomplis en un siècle ! Une bonne théorie scientifique bien terre à terre qui ne s'emmêle pas dans une multitude multidimensionnelle de cordes cosmologiques et l'envahissement des trous noirs, de la matière noire et de l'énergie noire. Si la lunette de Galilée a permis de voir plus loin, elle ne peut rien contre ceux qui stigmatisent la paille dans l'œil des paléoanthropologues à cause de la poutre qui soutient leur aveuglement cosmique. Alors quand les cosmologistes postulent leurs principes anthropiques, ils ne sont plus dans les sciences dures, mais dans le mythe, la pensée sauvage si vitale pour *Homo sapiens*. Dire que l'on a brûlé Giordano Bruno pour cela !

De Galilée à Einstein, de l'héliocentrisme à la relativité, se dessinent les avancées les plus remarquables du génie humain (pour les connaissances, il y a aussi les poésies, les littératures, les danses, les chants, les arts...). La physique embrasse l'univers depuis la matière, tend un fil d'Ariane entre l'infiniment petit et l'infiniment grand, parenthèses cosmiques dont les limites ne cessent de s'écarter. Cela commence par la lentille qui, tournée d'un côté ou de l'autre, concavités/parenthèses, ouvre l'infini domaine des savoirs. Entre ces lentilles, un point focal, l'Homme sur la Terre, rattrapé par l'évolution et la paléoanthropologie qui induisent tant de distorsions cosmologiques.

La physique entame son œuvre à partir de la dimension macroscopique de l'Homme pour s'engager dans les méandres les plus infimes, les plus originels de la matière. En partant de l'Homme et en descendant l'échelle subatomique on arrive à l'unité du cosmos. Le lecteur qui tient ce livre n'est pas un livre, différence mascroscopique évidente. Maintenant, qu'il change de lunettes et, découvrant le cœur de la matière, il ne voit plus aucune différence entre ce qui constitue son corps et le livre, identité nanoscopique corpusculaire. Retournons les lunettes une fois de plus et, partant de l'uniformité cosmique de la matière, retrouvons l'Homme. Faillite macroscopique du réductionnisme. La physique, les sciences ont emprunté une voie, vers l'infiniment petit ; parvenues là, comment revenir à l'Homme ? Il n'y a que la quête de sens... ou l'évolution, dénuée de sens. Déception ontologique plus écrasante que la gravitation universelle.

Pas évident d'accepter la contingence et la non-finalité de l'évolution. Depuis les Galilée, les Newton, les Descartes, les Bacon... les sciences ont décrit un corpus magnifique de lois, pour beaucoup comme autant de preuves d'un univers créé par un Dieu bienveillant. La mission des hommes est de découvrir ces lois instituées dans la nature par la Providence divine. Même si la conception mécaniste d'un Descartes, qui privilégie les causes efficientes, heurte la vision finaliste d'un Newton, l'univers est régi par des lois immuables. Le débat continue de nos jours avec les concepts de réductionnisme, d'holisme, de contingence, d'émergence, de survivance, etc. Reste que la quête de lois aussi immuables qu'universelles persiste. L'évolution résiste presque obstinément, mais c'est ça la vie, survivre. A l'époque de Darwin, et comme Darwin lui-même, des théoriciens tentent de « mesurer » l'évolution ; l'unité du taux de changement évolutif s'appelle d'ailleurs le *darwin*. Un grand contemporain de Darwin, Asa Gray, l'incite à faire de la sélection naturelle une loi (orientée vers l'apparition de l'Homme). Darwin perçoit combien cela s'oppose, non pas à l'essence, mais aux faits de l'évolution. Hélas, Darwin termine sa vie alors que domine une vision finaliste et anthropique de l'évolution, le principe d'hominisation. De grands esprits comme Bergson et Teilhard de Chardin se préoccuperont de redonner une dimension cosmique à l'évolution de l'Homme. Teilhard donne l'une des constructions philosophiques les plus abouties en ce sens, partant de la matière inanimée pour arriver à la matière pensante, l'Homme. Nommé professeur au Collège de France comme successeur à l'abbé Breuil, le savant jésuite devra renoncer sur directive de son ordre, sa pensée étant considérée comme trop panthéiste. Aujourd'hui, sa vision de l'évolution semble bien téléologique eu égard aux connaissances actuelles.

Le fait que la vie soit une succession de contingences ne laisse aucun espoir à toute conception ontologique de l'univers. Cela rend aussi vaine que ridicule toute recherche d'intelligence extraterrestre. Attention, je ne nie pas que la vie ait pu apparaître sur d'autres planètes dans d'autres systèmes solaires, ou même sur une autre planète du système solaire. Cependant, quelles que soient ces formes de vie, leurs contingences locales font que leur évolution – peu importe la définition de la vie retenue, la vie et l'évolution sont consubstantielles – a été, est ou sera unique. Une pluralité des vies comme cette pluralité des mondes chère à Giordano Bruno. Autrement dit, l'Homme est une prise de conscience apparue dans un coin de l'univers, dans une cosmogonie – et non pas cosmologie – dépourvue de toute finalité, de sens. C'est là l'essence de la condition humaine : une espèce qui ne peut exister sans donner de sens à sa vie, une ontologie, dans un cosmos vide de sens.

Mon amour pour la Terre, la Terre porteuse de vie, est plus grand que l'univers. Comment imaginer plus belle histoire que celle de l'évolution ? Beaucoup de paléoanthropologues ne partagent pas ma conception contingente de l'évolution. Pourtant, sans remonter le fil de l'histoire de la vie, il faut rappeler que, depuis qu'il y a des hommes sur la Terre, il a toujours existé plusieurs espèces contemporaines. Pas moins de trois espèces d'hommes, toutes conscientes, parlantes et préoccupées par leur devenir après la mort, il y a seulement 40 000 ans. Puis *Homo sapiens* tout seul sur une Terre devenue trop petite pour son esprit. Beaucoup pensent que c'est parce qu'il devait en être ainsi. D'un point de vue évolutionniste, ou à une glaciation près, plusieurs espèces d'hommes pourraient encore occuper la planète, mais aussi aucune. Seulement l'évolution est contingente. Il ne reste qu'*Homo sapiens*. Ce n'est pas parce que c'est arrivé que cela devait arriver !

Toutes ces réflexions ne visent pas mes collègues astrophysiciens ou cosmologistes, encore moins leurs disciplines scientifiques. Il y a autant à dénoncer en paléoanthropologie. C'est grâce à mes études en physique qu'il m'a été permis d'avoir un autre regard sur ma discipline d'adoption, après que la gracile Lucy m'eut défroqué de la cosmologie naïve. Ce qui importe avant tout, c'est le devenir de l'Homme et de la planète. Alors ceux qui se réfugient dans la quête égoïste de leur propre salut en méprisant la Terre et la vie me révulsent, quelles que soient leurs disciplines scientifiques, humaines ou littéraires. J'admire Hubert Reeves qui nous transporte dans la beauté éthérée des étoiles, et nous rappelle que nous sommes des poussières d'étoiles tout en s'engageant dans la sauvegarde de la Terre. Lucy est au ciel[1], resplendissante dans la constellation des connaissances apportées par les sciences alors que ses fragiles ossements sont sur la Terre. Sans l'évolution nous ne pourrions restituer sa vie, magnifique poésie luciférienne. Qui oserait encore

---

1. En hommage à *Lucy in the Sky with Diamonds*, la célèbre chanson des Beatles qui inspira, en 1974, au cœur du désert de Hadar, en Ethiopie, le nom d'un fossile trouvé par quatre amis paléoanthropologues : Yves Coppens, Tom Gray, Donald Johanson et Maurice Taïeb.

parler de désenchantement du monde ? Pour nous, tout a commencé là, sur la Terre, fragile Gaïa. Entre ciel et Terre il y a l'Homme, mais aussi la mer, mère de la vie. Si vous en doutez encore, fermez ce livre et écoutez *La Mer* de Charles Trenet.

2

# L'Homme et l'animal

## Gulio Cesare Vanini sur le bûcher

Les cendres de Giulio Cesare Lucilio Vanini sont dispersées dans le vent de Toulouse le 9 février 1619. L'Inquisition l'a condamné à avoir la langue coupée puis à être étranglé avant qu'il soit brûlé vif, sentence exécutée au moment même où Galilée observe le ciel avec sa lunette. De quels crimes abominables s'est-il rendu coupable pour mériter un tel châtiment ?

Lucilio Vanini naît au sein d'une famille influente à Torazino dans les environs de Lecce en 1585. Il poursuit des études de philosophie et de théologie à Rome. Il revient à Naples et se tourne cette fois vers la médecine, très en vogue à la Renaissance, et le droit. Il obtient un doctorat en droit canon et en droit civil en 1606. Son père est décédé trois ans plus tôt, infortune qui l'incite à entrer dans les ordres. Il se retrouve ensuite à l'université de Padoue entre 1608 et 1612. Il poursuit ses études de philosophie sous l'influence de Pietro Pomponazzi, philosophe humaniste de tradition aristotélicienne qui pense que l'âme est liée au corps – mortelle –, et nie le caractère surnaturel des miracles et des prodiges.

Il prend parti pour Venise dans une dispute avec le Vatican, ce qui lui vaut un blâme de son ordre. Sommé de se rendre à Naples, il préfère voyager en Bohème, en Suisse et aux Pays-Bas. De retour en Italie, il essaie d'enseigner à Gènes, puis on le retrouve parmi les courtisans de Marie de Médicis. Il publie un ouvrage qui réfute les écrits des libertins et des hérétiques. Il connaît une gloire éphémère car une histoire de mœurs et d'assassinat l'oblige à fuir en Angleterre. Il renie le catholicisme, épouse l'anglicanisme et se place sous la protection de l'évêque de Canterbury, ce qui ne l'empêche pas de renouer des liens avec le pape. Il ne tarde pas à se retrouver en prison. Il s'enfuit à nouveau, retrouve la foi de ses pères, ce qui lui vaut la protection des jésuites. Il s'en acquitte en publiant un ouvrage étalant sa soumission à la foi en 1615, réfutant sans trop de zèle les doctrines athées, livre suffisamment orthodoxe mais non dénué d'ironie. Cela ne l'empêche pas de tenir en privé des propos hostiles à l'église tout préconisant de vivre selon la loi naturelle.

Arrivé à Paris, il se fait des disciples et devient aumônier du maréchal de Brassompierre. Là, il a pour projet d'écrire une autre réfutation des écrits athées et libertins confisqués par l'Eglise. Les prélats ne tardent pas à comprendre le risque inhérent à une telle entreprise qui, bien au contraire, ferait connaître des ouvrages mis à l'index. Il publie un second livre en 1616. Il s'agit de dialogues entre deux personnages, Alexandre et Jules-César, dont il a expurgé les propos les plus provocateurs, obtenant l'accréditation de deux docteurs de la Sorbonne. Le livre expose habilement des thèses épicuriennes et matérialistes, véritable provocation qui soulève un vif scandale lorsque les docteurs de la Sorbonne réalisent qu'ils ont été dupés. Le livre est condamné à être brûlé. Vanini s'enfuit à nouveau, prend le nom de Pompeio Usiglio et finit par se retrouver à Toulouse pour enseigner la médecine.

Ses propos peu orthodoxes, ses railleries, ses attaques contre la religion et ses comportements lui valent un certain succès dans les milieux les plus libertins. Il en fait tant qu'il finira par scandaliser un gentilhomme qui le dénonce. Emprisonné, l'Inquisition le rattrape et le condamne à un terrible châtiment.

Outre les diverses accusations de matérialisme, de libertinage, etc. s'ajoute celle d'athéisme. Dans ses *Dialogues*, Giulio Cesare campe un personnage qui, fort habilement, évoque les thèses les plus combattues par l'orthodoxie religieuse tout en feignant de ne pas trop y croire. Le nom de plume de Lucilio Vanini n'est-il pas Giulio Cesare Vanini ? Par ce genre littéraire, Vanini évoque les divers systèmes de pensée condamnés et occultés par l'Eglise, surtout l'athéisme. Dans un passage des dialogues, Giulio Cesare évoque l'apparition des animaux d'après Lucrèce, tous sortis des limons de la terre. S'il en est ainsi des poissons, des souris, des rats et des autres bêtes, alors ne peut-il en être ainsi de l'Homme ? s'étonne Alexandre. Certainement, répond Giulio Cesare, car il y a de grandes ressemblances entre la chair et les mœurs des animaux et de l'Homme. Ainsi l'Homme pourrait être issu de la pourriture de cadavres de porcs, de grenouilles et de singes. Et de préciser que cela est quelque peu exagéré et que les athées les plus raisonnables se limitent à faire sortir les Ethiopiens des singes en raison d'une même couleur de peau. Et de poursuivre en évoquant ces athées pour qui les premiers hommes vivaient à quatre pattes comme des brutes : ce n'est que par des efforts constants qu'on serait parvenu à changer cette manière d'être, la nature reprenant ses droits à la vieillesse. Il se demande alors comment se déplaceraient des nouveau-nés humains abandonnés dès leur plus jeune âge dans une forêt. Vanini termine par convention cette partie des *Dialogues* en disant qu'il vaut mieux repousser ces délires athées et revenir aux règles de la foi.

On comprend que les docteurs de la Sorbonne n'aient guère apprécié le texte. Vanini évoque tout simplement l'idée d'une apparition de l'Homme depuis la matière : la « génération spontanée » contre la création divine. Même

si l'étymologie d'Adam » signifie « ce qui vient de la terre
ou du limon », la Bible suppose une intervention divine.
Plus gênant encore, admettre que les animaux sortent du
limon et que, par la logique des ressemblances anatomiques et comportementales entre l'homme et les animaux, et plus particulièrement les singes, il en est de
même pour l'Homme. Quant à la quadrupédie originelle
opposée à la bipédie qui assure à l'Homme sa domination
sur les autres animaux, c'est une grande thèse défendue
par les libertins et farouchement combattue par l'orthodoxie religieuse et les philosophes. Vanini sent le soufre
et, qu'on ne s'y trompe pas, ces idées audacieuses pour
l'époque, dont beaucoup s'appuient sur des textes très
anciens, heurtent encore certaines orthodoxies religieuses, philosophiques et même scientifiques actuelles.
Comparer l'Homme aux animaux et plus particulièrement
aux singes reste le plus sûr moyen d'être frappé par l'inquisition moderne de l'accusation diabolique d'*anthropomorphisme*.

### L'homme est un bipède sans poils

L'histoire de la philosophie rapporte une controverse
entre Platon et Diogène à propos d'une définition de
l'Homme. Platon scande : « L'homme est un bipède sans
poils. » Diogène quitte l'enceinte des débats et revient
quelque temps plus tard avec un poulet déplumé. Il le
lâche au milieu de l'assemblée et dit : « Voici l'homme
de Platon ! »

On imagine mal une telle scène parmi les animaux,
dénués d'ironie, bien incapables de rire et surtout étran-
gers à cette interrogation fondamentale : Qu'est-ce que
l'Homme ? La philosophie occidentale invente deux
concepts, repères tout aussi inaccessibles, l'animalité et
la divinité, comme parenthèses à sa condition désormais

humaine. Ce qui est du domaine des dieux ou du divin gravite dans le monde des idées ou des idées que les hommes peuvent se faire des dieux ou de Dieu. Les animaux, quant à eux, ont l'énorme défaut d'exister et d'avoir des corps et des comportements observables. Ils rappellent obstinément aux hommes leur condition terrestre. Comment s'en libérer ? Depuis plus de 2 millénaires, un courant dominant de la philosophie occidentale déploie des efforts considérables pour séparer l'Homme et l'animal, avec des conséquences terribles pour les animaux, mais aussi pour les hommes. Cette quête obstinée éprouvant tant de difficultés à faire de l'Homme un dieu se tourne vers l'animal qui, en fait, est un non-Homme. L'Homme se construit sur une vaste entreprise de dénégation. Cela se peut si on reste dans le monde des idées, celui de Platon. Cela devient plus difficile si on tourne le regard vers les animaux, comme chez Aristote. L'Homme, seul animal doué de raison, se retrouve dans la situation de Sisyphe, élevant la condition humaine au prix d'efforts considérables mais toujours rattrapé par l'animal. Alors, à défaut de pouvoir rejoindre les dieux, la déesse Raison écarte l'animal, illusoire impression d'élévation. L'animalité est donc un sacrifice de la raison dédié à l'Humanité. Les animaux en seront les victimes expiatoires, de plus en plus expiatoires alors que s'affirmera ce qu'on appelle la modernité.

Les penseurs présocratiques ne distinguent pas l'Homme de l'animal. Selon eux, ce qui est de la sphère de l'humain se retrouve dans les formes vivantes de la nature et même dans ses parties inanimées, bien que la distinction entre le vivant et le non-vivant soit posée. Les animaux ont une âme qui les anime, une âme présente aussi chez l'homme doté, quant à lui, d'un supplément d'âme appelé raison. Il y a continuité, mais sans hiérarchie et, d'une certaine façon, sans passion, en tout cas sans vision péjorative de l'animal.

Cette relation consubstantielle entre l'Homme et la nature se retrouve dans la plupart des cultures dites animistes. D'aucuns fustigent des croyances « primitives » alors que de tels systèmes de croyances, avec leurs grandes diversités, se rencontrent tant auprès des chasseurs-collecteurs que dans de grandes civilisations orientales (shintoïsme, hindouisme, etc.).

## L'animal dans l'Antiquité

Platon reprend l'idée de Socrate tout en postulant une continuité. L'Homme forme l'entité la plus complète du cosmos et, ce qui place le questionnement de l'Homme dans une dimension cosmologique. Il est le centre de l'Univers. Quant aux animaux, ils représentent des formes dégradées de l'Homme, selon le mythe de Timée. Ainsi, par exemple, les griffes des animaux seraient des formes dégradées des ongles. L'idée que les animaux puissent représenter des formes dégradées de l'Homme va, d'une certaine manière, à l'encontre de l'idée même de l'éternité de son essence. Platon énonce là la situation terrestre de l'Homme entre la Terre et la Lune. L'Homme se doit d'atteindre le monde des idées et se dégager de la nature par la pensée, bien qu'il n'y ait pas dichotomie radicale avec l'animal.

La philosophie d'Aristote privilégie l'observation et la comparaison, une approche qui préfigure la biologie. Aristote lie la philosophie à une pensée naturaliste s'appuyant sur l'observation des fonctions – nutrition, reproduction, respiration, locomotion, ect. – et sur ce qu'on appellera plus tard l'anatomie comparée, ou l'étude des structures. Il établit une continuité entre les animaux et les hommes qui se traduit par l'échelle naturelle des espèces, la *scala natura* des penseurs du Moyen Age. La philosophie et la biologie restent indissociables jusqu'au début du xix$^e$ siècle. Jean-Baptiste de Lamarck, l'inventeur du terme « biologie » en 1802, publie sa *Philosophie zoologique* en 1809. On y retrouve le schéma séculaire de l'échelle naturelle des espèces hérité d'Aristote, inscrit dorénavant dans une dynamique transformiste. Si Lamarck est présenté comme le premier biologiste évolutionniste, c'est qu'il établit la rupture non pas entre la philosophie grecque et la biologie naissante, mais avec la longue tradition fixiste de la pensée chrétienne. Le début du xix$^e$ siècle connaît un second retour de la biologie aristotélicienne – après celle de la fin du Moyen Age – dans la pensée occidentale. Elle façonne encore les principales conceptions de l'Hominisation.

Aristote conçoit l'Homme comme un animal politique, un acteur de la Cité. L'Homme est un animal doté d'une faculté en plus, la raison, et tout ce que cela implique. L'Homme est un *animal-plus*. L'animal n'est pas inférieur bien qu'il ne possède pas la raison, c'est tout. L'*animal-moins*, l'animalité et son cortège de dénégations aveugles, se construit néanmoins au cours des siècles qui suivent.

*L'animal dans la chrétienté*

La quête d'intériorité de la pensée chrétienne devient une pensée d'exclusion qui se replie sur elle-même. Les apologistes ne conçoivent l'Homme que dans la chrétienté. Les animaux composent une cohorte d'exclus et de maudits rejoints par tous les hommes qui ne sont pas chrétiens, les non-chrétiens, et toutes les femmes. L'animal se perd dans l'animalité.

Saint Augustin adopte une position moins exclusive. Mais sa *Cité de Dieu* n'accepte en son sein que des hommes dans la foi du Christ. S'ensuit la longue période du Moyen Age qui se renferme sur l'idée de l'Homme conçu comme le microcosme représentant le macro-

cosme. Tous les éléments ou toutes les parties consti-
tuantes de l'univers se concentrent dans les différentes
parties de son corps.

La question de l'animal ne se pose même plus en cette
période de renfermement sur la foi et le salut, secouée
par des soubresauts d'angoisses millénaristes et apocalyp-
tiques. Période néanmoins étonnante avec des procès
intentés à des animaux de ferme accusés de meurtre et
parfois exécutés en place publique après un procès dans
les règles, avec des accusateurs et des défenseurs. Ainsi
des rats excommuniés parce qu'ils diffusent la peste, des
rats ayant trouvé malgré tout un défenseur pour leur éviter une telle damnation. Car les animaux sont tout de
même des créatures du Seigneur.

La redécouverte de la philosophie aristotélicienne
grâce aux savants arabes annonce la Renaissance et donc
la résurgence de la question de l'Homme et de l'animal.
Saint Thomas d'Aquin reprend le schéma aristotélicien
avec l'Homme à l'apogée de la *scala natura* le regard
tourné vers Dieu et les cieux. Une échelle dont les barreaux sont autant de marches qui mènent au salut. Les
animaux ne sont pas déconsidérés. Un saint François
d'Assise éprouve de la compassion pour ces animaux qui,
à leur façon, honorent leur Créateur. N'ayant pas commis
le péché originel, leur seule condition est celle de la vie
terrestre. Cette distinction fondamentale se retrouve dans
les descriptions respectives du paradis perdu, le jardin
d'Eden, et du paradis céleste. Dans le premier paradis,
l'Homme vit en harmonie avec les animaux ; dans l'autre
paradis, on ne trouve que l'Homme près de son Créateur.

*La Renaissance de l'animal et la beauté de la création*

L'animal réapparaît à la Renaissance. C'est même une
sorte de réaction avec la réapparition de pensées qui fri-

sent le panthéisme. Lucilio Vanini n'hésite pas, pour la première fois, à rapprocher l'Homme du singe. Dans ses *Dialogues*, il cite ces « athées » qui défendent de telles idées, annonçant les libertins et le siècle des Lumières.

La pensée des libertins français reprend une partie de l'héritage aristotélicien débarrassé de sa gangue scolastique, notamment l'idée d'un monde conçu comme un gigantesque animal. Le cosmos et tout ce qui l'habite tendent vers des formes de plus en plus parfaites dans l'infini du temps et de l'espace. L'âme devient une errance dont la spiritualité et l'immortalité sont sévèrement altérées. Le foyer de cette pensée se trouve à l'université de Padoue avec Pomponazzi qui affirme la mortalité de l'âme, et l'un de ses élèves, Lucilio Vanini.

Le courant des libertins matérialistes français se nourrit de ces pensées déistes et athées – les deux termes se confondent à l'époque – au travers des textes de Théophile de Viau qui soutient que l'Homme de nature est un quadrupède. Pierre Gassendi, anticartésien notoire, soutient aussi que l'Homme est avant tout un quadrupède contrarié par les mœurs de la société. C'est chez son ami Cyrano de Bergerac que l'on trouve une belle synthèse de cette pensée des libertins.

Cyrano de Bergerac fréquente Gassendi et se passionne pour ses travaux, comme la première cartographie de la Lune. Au travers de ses divers lettres et écrits, il fait preuve d'un grand talent de « vulgarisateur » des avancées scientifiques de son époque à la suite des travaux de Galilée. Dans l'*Histoire comique des états et empires de la Lune*, le protagoniste se retrouve chez ses habitants, les Sélénites. Bien plus grands que les hommes, ils se déplacent à quatre pattes, estimant que, la nature leur ayant donné quatre membres, ils devaient s'en servir comme tous les autres animaux. L'Homme bipède serait une sorte de quadrupède dégénéré, pas par la société comme le dira Rousseau, mais, dans cette métaphore, par ses prétentions de réduire le monde à sa pensée. Une attaque directe contre le *cogito* de Descartes, bien que Cyrano adhère à sa physique.

Cyrano pense qu'il y a une continuité au sein de la nature et que l'Homme est un animal comme les autres. L'étrange habitude bipède de l'Homme se retrouve dans son dernier livre publié après sa mort, les *Etats et Empires du Soleil*, où cette fois le protagoniste se trouve devant le tribunal des oiseaux, des bipèdes naturels. Il se défend en arguant que sa nature a été déformée par la mauvaise éducation donnée par les hommes. Il n'y a qu'un soupçon de « matière » entre le singe et l'Homme. La conception de Cyrano d'une nature composée d'une chaîne de mutations préfigure, selon certains historiens, l'idée de transformation et donc d'évolution.

Cyrano est né l'année où Vanini meurt sur le bûcher. A cette époque dite « préclassique », on ne brûle plus les auteurs, on les censure, on organise leur oubli, on en fait par la suite des pitres et des bretteurs. Un philosophe comme Spinoza (1622-1677) construit un système philosophique cohérent à partir des grandes idées avancées par les libertins, œuvre immédiatement mise à l'index par l'Eglise. Tout rentre bientôt dans l'ordre avec le triomphe de la pensée mécaniste.

Alors que s'annonce le siècle des naturalistes qui considèrent la nature comme un temple divin créé et édifié par le Créateur, une nature placée sous l'œil de la Providence, l'esprit du temps n'est pas à ce type de digression. Si les affaires s'arrangent dans le ciel entre la science et l'Eglise, l'Inquisition veille sur les affaires terrestres. Chaque espèce est à sa place, celle que lui a octroyée son Créateur. L'Homme a pour tâche d'honorer la beauté de la Création, ce spectacle de la nature révélé par l'œil de la Providence.

*Des machines vers les Temps modernes*

Descartes rapproche les animaux des machines, bien qu'ils ne se réduisent pas à de simples machines. La pensée de Descartes se révèle tout de même moins tranchée que l'histoire n'a coutume de la présenter. Il s'agit d'une analogie fort heuristique qui comporte le grand inconvénient d'éliminer les instincts. En séparant l'âme du corps, il rend celui-ci disponible pour la science.

On doit aux successeurs de Descartes, tel un Mallebranche, une conception complètement réifiée de l'animal réduit à des leviers et des rouages. Aucun affect, aucune sensation, aucune sensibilité : les messieurs de Port-Royal peuvent se livrer à leurs dissections et à leurs études sur des corps de chiens éventrés et cloués sur des planches de bois ou des portes. Les progrès de l'anatomie et de la physiologie devaient-ils se faire au prix de telles souffrances ? Si l'Europe s'engage dans cette voie, la France se montre particulièrement zélée. Deux siècles après Descartes, la société anglaise pour la protection des animaux demandera à la reine Victoria, qui se prépare pour une visite officielle en France, de plaider la cause de ces bêtes martyrisées dans les laboratoires français. Claude Bernard s'inscrit dans cette tradition à peine ébranlée jusqu'à la fin du xxᵉ siècle. Les conditions d'élevage des animaux dans les batteries industrielles de production sont les dignes héritières de cette conception. Se défausser sur Descartes semble bien facile pour se donner bonne conscience. Au fait, quelle conscience ? Une conscience humaine ?

L'époque de Descartes et de Francis Bacon fonde le projet de la domination de l'Homme sur la nature par la connaissance et les techniques. Les utopies préfigurent les Temps modernes avec des cités animées par des agents et non plus des hommes. L'iconographie des cités

utopiques montre des bâtiments aux architectures aussi
écrasantes que géométriques. La nature en est expro-
priée : point d'arbres, point d'animaux. C'est bien cela,
l'utopie. Ce terme évoque de nos jours comme un monde
imaginaire et idéalisé et, parfois, quelque peu paradi-
siaque. Rien à voir avec le paradis. L'invention de *L'Utopie*
par Thomas More fait résonance à *La Nouvelle Atlantide*
de Francis Bacon : des cités inspirées de *La Cité de Dieu*
de saint Augustin. L'iconographie utopiste gomme toute
manifestation de la nature. Quelle conséquence pour
l'Homme ? Bientôt le *panopticon* de Bentham si bien
décrit par Michel Foucault. Quel rapport avec la condition de l'animal ? Exactement le même pour des hommes
réduits à de simples agents ayant à exécuter des fonctions, des machines eux aussi. L'histoire récente offre tant
de témoignages et d'expériences utopistes : les salines
d'Arc-et-Senans et l'architecture de Ledoux ; les usines
sordides de la révolution industrielle ; le taylorisme et les
camps sinistres du xxe siècle... Modernité avec *Les Temps
modernes* de Charlie Chaplin qui ne fait plus le Charlot.
Dénier toute âme à l'animal, c'est avant tout s'autoriser à
animaliser les autres hommes.

Au siècle de Descartes quelques esprits cultivent un
autre regard sur l'animal. On pense à La Fontaine, précurseur fabuleux d'une éthologie imagée et pleine de
mythes aussi anciens qu'Esope. Même Bossuet, pourtant
l'un des chantres de ce siècle mécaniste qui couve l'idée
de progrès, voit plus que des machines dans l'animal.
Seulement la machine à broyer les âmes est en marche
et remonte vers la tête.

*La psychologie sans âme et l'éthologie*

Les premières recherches en psychologie animale se
réalisent dans cette tradition mécaniste au début du

xxᵉ siècle, même si on note de grands précurseurs comme La Mettrie. On pense aux célèbres expériences du chien de Pavlov. C'est dans cet esprit, si on peut dire, qu'émerge le courant béhavioriste dont l'un des grands pionniers est John B. Watson. La psychologie du xxᵉ siècle est dominée par cette approche qui ne prend en compte que ce qui est observable. Cette « psychologie sans âme », une psychologie du comportement et non une psychologie de la conscience, développe les concepts d'apprentissage, de conditionnement, etc. Le béhaviorisme passe sans état d'âme de l'animal à l'Homme, les rats, les pigeons et les sujets humains étant soumis à des tests similaires. Le cerveau n'est qu'une boîte noire qui reçoit des stimuli et qui réagit. Ce qui se passe entre la sollicitation et la réponse est hors sujet. La psychologie animale du xxᵉ siècle est dominée par cette approche qui a pour projet, autour de la notion d'apprentissage, d'investir la psychologie humaine. Le projet utopiste des animaux-machines avec ses conséquences dénoncées plus haut rejoint le projet de Burrhus Skinner, le pape de cette école béhavioriste, laquelle voudrait contrôler la psychologie humaine. Rappelons que quelques écoles actuelles de psychologie entretiennent cette vision mécaniste, tout comme persiste l'idée de l'animal-machine. Une fois de plus, derrière la conception construite de l'animal se dissimule un projet à peine voilé d'animalisation de l'homme, d'asservissement.

A côté du béhaviorisme se développe un autre regard sur les animaux : l'éthologie. Un triple prix Nobel de médecine et de physiologie, attribué en 1973, consacre les travaux de Karl von Frisch qui a décrit la danse des abeilles ; Nikko Tinbergen et ses travaux sur les goélands et l'épinoche ; Konrad Lorenz célèbre pour sa théorie de l'empreinte et des oies cendrées. Les comportements sont décrits comme des mécanismes reposant sur des instincts propres à chaque espèce, s'appliquant néanmoins à toutes les espèces. C'est une éthologie fonctionnaliste qui est à la psychologie ce que la physiologie est à l'organisme. Elle s'intéresse à l'élaboration des comportements et à leur mise en œuvre. Inévitablement, hélas, Lorenz, tout comme Skinner, se laissera séduire par ceux qui ne pensent qu'à manipuler les hommes. Nikko Tinbergen refusera de parler allemand pendant des années à cause des anciennes sympathies de son ami Lorenz pour les thèses nazies.

Après tout, est-ce que nous sommes capables d'appréhender ce qui se passe dans la tête des animaux ? Descartes ne dénie pas d'âme ou de forme de pensée à son animal-machine, mais laisse la question en suspens, se demandant si nous serions capables de percevoir, à défaut de comprendre, ce qu'il appelle « le cœur des animaux ». Voilà qui rappelle la célèbre phrase de Ludwig Wittgenstein : « Si les lions pouvait parler... » Les progrès des sciences et des techniques ont permis d'ouvrir la boîte noire grâce aux sciences cognitives. Les machines, qui occupent l'espace entre l'Homme et le vivant, offrent de nouveaux moyens d'étudier les animaux. L'approche cognitiviste se fait à la confluence des progrès de l'informatique, de l'intelligence artificielle et de la cybernétique. Les compétences et les capacités des animaux se mesurent donc à l'aune des progrès techniques des hommes. Les animaux en sont les bénéficiaires passifs.

La redécouverte de l'animal, la psychologie animale, les études sur les comportements ne passent pas que par les laboratoires, les batteries de tests et autres labyrinthes. Une autre éthologie de terrain, qui ne nécessite que l'observation, s'est développée tardivement dans la seconde moitié du xxe siècle. Une approche fort simple et peu coûteuse. Ce qui m'amène à évoquer un grand nom de l'éthologie, Jakob von Uexküll dont les thèses inspirent nombre des philosophes contemporains. Selon Uexküll, les animaux vivent dans un environnement propre auquel ils sont adaptés. Leurs caractéristiques comportementales répondent à leur monde. Il en est de même pour l'Homme qui possède la capacité de construire des mondes, de faire le monde. Seul l'Homme jouit de la faculté de donner du sens au monde au-delà du milieu de vie. Heidegger traduit cela en affirmant que « l'animal est pauvre en monde, alors que l'homme est configurateur de mondes ». En France, Georges Simondon, philosophe de la technique et interpellé par la question de l'Homme et de l'animal, reprend cette idée pour situer la machine entre l'Homme et l'animal. Nous ignorons si les animaux sont capables de représentations du monde autre que leur monde habituel, même s'ils rêvent. En fait, nous sommes bien incapable de tester cette hypothèse car cela n'est pas observable au sens béhavioriste de ce terme. Indéniablement, l'Homme construit le monde, cette affirmation laissant entendre qu'il peut s'affranchir de ses contraintes naturelles. Mais alors pourquoi se montre-t-il si incapable de concevoir l'animal autrement que dans des mondes aussi uniformes et restreints ? Avec les machines de nos laboratoires on peut espérer pénétrer « le cœur des animaux », seulement il faut en avoir l'idée et la mettre en œuvre, inventer d'autres mondes pour les animaux. Projet insensé ? Il existe bien des expériences mobilisant les technologies les plus avancées de l'imagerie cérébrale pour trouver le module du cerveau humain où se loge la croyance en Dieu. Il suffit d'y penser.

Les sciences cognitives et l'éthologie accumulent les observations qui montrent que les animaux possèdent des compétences cognitives que l'on retrouve chez l'homme. En fait, est-ce que l'homme est capable de déceler des compétences cognitives qu'il ne possède pas ? Il est à craindre que la remarque de Descartes prenne toute sa pertinence. Que pensent des animaux fort intelligents et fort sociaux – les deux vont ensemble – comme les cétacés – et quelles sont leurs représentations ? Nous le verrons, c'est bien plus facile à mettre en évidence chez les singes et les grands singes si proches de nous (voir le chapitre suivant).

## Les inconstances de l'animalité

Il n'existe pas une vision de l'animal correspondant à une période : Antiquité, chrétienté, Moyen Age, Renaissance, période moderne, etc. La comparaison entre l'Homme et l'animal ou la question de l'animal – toujours indissociable de celle de l'Homme qui désire s'en détacher – connaît des variations entre une conception dite archaïque ou païenne qui unit l'Homme au monde du vivant – et plus largement au cosmos – et un postulat aussi radical que « moderne » de l'animal-machine. Chaque époque de l'Histoire et de cette histoire de l'animal livre des positions antagonistes. D'où un constat tragique : l'affirmation au cours de l'Histoire d'une pensée s'acharnant à décrire un animal-machine d'autant plus radicale que s'affirme le progrès des sciences, avec en filigrane une tradition philosophique obnubilée par la domination de l'Homme sur la nature. L'animal, victime muette et toujours plus expiatoire de l'affirmation de l'éminente dignité de l'Homme. L'animal, dont on chercherait en vain une définition propre. Car c'est là la conséquence de la question posée par Socrate : une logique d'exclusion qui se construit au cours des siècles et qui n'aboutit qu'à cette aporie vertigineuse : « Aucune définition de l'animal. » Qu'en penserait Socrate ? Autant de livres pour en arriver là ! L'animal, c'est tout ce que l'homme ne croit ou ne pense pas être, ce qu'on appelle une définition apophatique. Tous les critères énoncés se présentent ainsi : « L'animal n'est pas... » Comment peut-on prétendre servir la dignité de l'Homme face au néant de l'indéfini, devant un abîme de négations ? Comment dire l'Homme après avoir expulsé loin de l'*omphalos* tout ce qui le touche ?

Dans une perspective plus matérialiste, on constate aussi qu'il n'existe pas de corrélation entre l'évolution des moyens de production comme des systèmes économiques au cours de l'histoire et le statut de l'animal. Les peuples traditionnels survivant avec une économie de cueillette et de chasse maintiennent une vision harmonique entre l'Homme et les composants de la nature avec un respect de l'animal et de la vie. Il ne s'agit pas de faire vibrer l'idée d'un monde rousseauiste qui n'a jamais existé. Même parmi les chasseurs-collecteurs les hommes se pensent dans leur humanité justement comme êtres pensants, faiseurs de mondes et de cosmologies, conscients de leur position dominante et anthropocentrée, sinon anthropocentrique. Les croyances en la réincarnation et les avatars de la métempsycose se déploient dans un large éventail de cultures du passé comme du présent, dans des sociétés pratiquant l'agriculture, le commerce et des industries. Elles se retrouvent encore dans des sociétés modernes qui, par leur dynamisme économique et industriel, concurrencent les sociétés occidentales.

Alors nos beaux esprits occidentaux ont beau jeu de fustiger des croyances archaïques (*sic*) des païens ! En fait, cette question de l'Homme et de l'animal émerge dans le Bassin méditerranéen et sombre dans une dérive de plus en plus insensée dans le cadre des différents monothéismes. Dans le monde occidental, l'ambition dominatrice de l'Homme sur la nature par la science et la technique devient un projet qui prend corps à la Renaissance avec Francis Bacon et René Descartes. Dans ce dessein faustien, c'est l'animal qui perd toute âme. On est en droit de se demander ce que l'Homme y a gagné. Car au cours de l'expansion économique et culturelle de la pensée occidentale au travers du commerce et de l'évangélisation s'est répandue la conception radicale et dichotomique du rapport homme/animal. Les désastres désormais irréparables causés à la biodiversité, notamment dans des régions du monde habituées à des équilibres séculaires ou en tout cas moins précaires, sont à mettre au rang des conséquences de cette vision toute dédiée à l'homme libre et soi-disant responsable. Cette conception dichotomique et radicale est l'une des facettes de la volonté de domination de l'homme sur la nature, une idéologie qui ignore et récuse tout ce que disent les sciences modernes du vivant et les autres cultures.

Comment une pensée aussi minoritaire – ne correspondant qu'à une pensée centrée sur le Bassin méditerranéen et l'Occident –, tout en ayant connu de tout temps des controverses sur cette question, a-t-elle pu s'imposer jusqu'à encore susciter les débats les plus vifs ? Bien plus qu'une idée, il s'agit d'une idéologie, d'une idéologie de la puissance qui a réussi. Pourquoi ? Parce qu'elle reconstruit une cosmologie qui replace l'Homme au centre de l'univers. En moins de trois millénaires, la philosophie – un courant dominant de la philosophie obnubilé par l'*omphalos* anthropocentrique et phallocratique – appuyée par la science puis renforcée par la technique a réaffirmé la prééminence de l'Homme selon des mythes hérités de la Grèce antique. L'Homme, borné entre l'animal et Dieu, s'est d'autant plus rapproché de Dieu qu'il repoussait l'animal, alors que le divin demeure hors d'atteinte. Comment s'élever si ne n'est en abaissant l'autre ? La paléoanthropologie et son principe d'hominisation résument toutes ces conceptions, faisant sortir l'Homme de l'animalité grâce à l'outil, comme dans la scène d'ouverture fulgurante du film *2001 : l'Odyssée de l'espace* de Stanley Kubrick.

*Le débat retrouvé*

La question de l'homme et de l'animal redevient d'actualité en France depuis une décennie, notamment grâce à des philosophes attentifs à l'évolution des connaissances scientifiques en psychologie animale et en éthologie. Elle se retrouve dans les programmes de l'enseignement supérieur, dans les classes préparatoires et celles de terminale. Le pays de Descartes se réveille de son exception séculaire, mais difficilement. Réveil douloureux en raison d'une erreur vraiment humaine.

Cette question reste profondément marquée par ses divers fondements éthiques, métaphysiques, religieux et anthropologiques. Reposer et repenser cette question, c'est affronter divers modes d'interrogation du monde et leurs épistémologies propres. Cela rejaillit dans les débats actuels, avec bien des confusions. Les philosophes se montrent les plus actifs et aussi les mieux préparés, ce qui pose de réelles difficultés aux scientifiques qui s'aventurent sur ce terrain, à moins qu'ils n'aient eux aussi une bonne formation en philosophie.

Si de nouvelles lumières réaniment des courants philosophiques tenus en marge – Aristote, saint Thomas d'Aquin, Montaigne, Condillac, Merleau-Ponty, Derrida, Deleuze, Elisabeth de Fontenay –, les mauvaises habitudes persistent, comme l'anathème inquisitorial. Car le courant dominant de la philosophie de l'être ne fait que reprendre, sur le registre de la raison, l'antique schéma séculaire. Il suffit de remplacer Dieu par l'Homme ; le diable par l'animal. Autrement dit, la dichotomie du bien et du mal. Quant au mode inquisitorial, les défenseurs de la dignité de l'Homme, de son éminente dignité, accusent ceux qui osent interroger ce paradigme de nier l'Homme, de ne pas croire en l'Homme, bref, de diffamer. Est-ce calomnier, non pas de dire, mais de montrer ce que nous sommes, depuis nos gènes en passant par l'anatomie, la physiologie et même nos capacités cognitives ? Est-ce blasphémer que de reconstituer comment toutes les caractéristiques se retrouvent aux différents nœuds du grand arbre du vivant, sans nier pour autant ce qui fait la spécificité de l'Homme ? En quoi est-ce faire acte de lèse-anthropocentrisme que de démontrer que, chez des espèces très proches de nous, il y a des fondements de comportements moraux comme des aptitudes à la réconciliation ? D'un côté, les détenteurs du pouvoir de passer les autres à la question, écartant l'animal-objet de tout exercice de la connaissance, et qui s'arrogent le droit de demander aux autres de s'expliquer, assis sur leurs certitudes pétries d'ignorances entretenues, excommunient en lâchant l'accusation infamante d'anthropomorphisme. Et les mêmes – ceux qui dissocient l'Homme de l'animal – convoquent l'animal en l'Homme quand celui-ci se livre aux pires exactions sur d'autres hommes, d'autres hommes d'ailleurs que l'on a animalisés pour mieux les exclure ou les exterminer. On voit bien à quoi sert cet animal-machine. Si l'Homme est libre et responsable, donc pas un animal, pourquoi convier l'animal comme le diable pour expliquer ses errements les plus inhumains, jusqu'à l'horreur ?

Emerge une autre question : comment une attitude aussi archaïque peut-elle perdurer dans le monde des penseurs plus de deux cents ans après le siècle des Lumières ? Grâce aux fils inusables de la scolastique. On cite les auteurs de références, on les commente. Textes, commentaires de textes, interprétations, réinterprétations, etc., aucune considération des avancées des connaissances, des observations, etc., enfermement dans la caverne des écritures sélectives. Ce n'est pas de la sélection naturelle, mais de la sélection scolastique. On peut lire dans un livre récent sur le principe d'humanité la récusation de toutes les avancées des connaissances en éthologie et en psychologie animale, démonstration qui s'accompagne de l'omission volontaire des philosophes hors du cercle étroit de la pensée anthropocentrique. L'auteur évoque les nouvelles connaissances acquises au cours des dernières décennies – comment faire autrement ? – mais termine sa démonstration en affirmant que les sciences ne sont guère pertinentes pour s'occuper de l'humain, en l'occurrence la génétique, l'éthologie et la primatologie. C'est ce qui s'appelle faire place nette. Il invoque Buffon et Schopenhauer pour contredire des acquis récents des sciences, considérés comme d'un intérêt tout juste exotique, pourtant publiés dans des revues internationales. D'autres auteurs citent à l'occasion des scientifiques dont les conclusions des travaux soutiennent leur conviction de vérité. On cite ces scientifiques en faisant référence à leur haute position académique, à leurs titres honorifiques et sans omettre des superlatifs de circonstance. On cherche la démonstration, on trouve des arguments d'autorité. C'est ce qu'on appelle en épistémologie de l'empirisme archaïque. Pour s'en convaincre, il suffit de vérifier la liste des auteurs des programmes d'enseignement consacrés à la question de l'animal. On trouve fort heureusement Montaigne, mais rarement Merleau-Ponty ou Gilbert Simondon. Quant à Darwin et ses suppôts du diable éthologiques, on les chercherait en vain.

Mais les choses évoluent. Sans évoquer la philosophie analytique, on voit s'élaborer de nouveaux courants philosophiques, avec des débats et des controverses, autour d'une nouvelle philosophie dite de la nature. Réinterroger l'Homme et le monde, c'est bien cela le propre de l'Homme. La philosophie se fonde sur l'art de poser des questions, moins sur les réponses. Sa pensée féconde se fige dans la froideur de vérités gravées dans le marbre.

*Nouveaux fossiles et vieilles idées*

Les questions de l'Homme et de l'animal telles qu'elles ont été évoquées plus haut se retrouvent dans les conceptions les plus classiques et les plus reconnues de l'hominisation. Le tuteur rigide du schéma de l'hominisation vient d'Aristote. On y retrouve l'échelle naturelle des espèces ; l'élévation du corps grâce à la bipédie, la libération de la main ; la domination de l'esprit sur le corps ; l'outil.

D'Aristote on retient l'approche qui s'intéresse aux fonctions et, plus particulièrement, aux structures. Il y a continuité dans le monde du vivant et l'Homme en occupe la place éminente, la plus achevée. Il y a continuité aussi des âmes – âme vitale, âme sensorielle – mais seul l'Homme possède la raison qui lui permet de se penser au monde et d'agir sur le monde. Le mythe de Protagoras tel que le rapporte Platon vient renforcer cette conception en y ajoutant l'outil et la technique. Selon ce mythe, les dieux chargent Epiméthée de créer les êtres vivants. Il les dote les uns et les autres d'attributs : des canines et des griffes pour les carnivores ; des sabots et des cornes pour les herbivores, etc. Il crée l'Homme en dernier mais se trouve pris au dépourvu pour lui donner quelque avantage. C'est alors que Prométhée vole le feu aux dieux et le donne aux hommes. On connaît la suite. On retrouve là le mythe de l'Homme arrivé au monde nu et fragile. (A cet égard, le point de vue des animaux doit être différent de celui des philosophes.)

Dans la fable philosophique de l'hominisation, on décrit un grand singe se retrouvant dépourvu de défense dans un monde ouvert à tous les dangers, la savane. Voilà le singe nu qui se redresse ; acquisition de la bipédie et de son avalanche de conséquences humanisantes. La savane représente la nature et ses dangers ; il faut la dominer. Alors les premiers hommes se saisissent de branches, d'os

et de pierres pour se défendre contre les terribles prédateurs. Les premiers hommes se procurent des armes
défensives qui se retournent vite pour devenir offensives.
Ils comprennent leur pouvoir et leur puissance à travers
la technique. Les hommes se libèrent des contraintes
naturelles en devenant de plus en plus culturels, en agis-
sant sur leur monde et en accomplissant ce qu'aucune
autre espèce n'a jamais réussi : vivre dans tous les
milieux, sans oublier l'exploration des abysses marins et
les stations orbitales.

La parabole de la clairière marquera durablement toute
interprétation des origines de l'Homme ou de la lignée
humaine. Comme dans les cosmologies, il y a un monde
obscur et chaotique, celui des forêts ; puis une rupture,
une expulsion dramatique, comme une naissance et l'entrée dans le monde réel. Ce n'est qu'une fois dans ce
monde réel que l'humain se révèle, se redresse pour
dominer son corps et la nature à l'aide de la technique.

Mais la paléoanthropologie et ses fossiles foisonnants
piétinent ces mythes. L'Homme, le genre *Homo*, n'est pas
le seul à être doué de bipédie. Au contraire, nos ancêtres
australopithèques ou autres déambulaient avec une
diversité déconcertante de bipédies dans le monde des
forêts. Quant à l'outil, il se disperse entre les mains de
ses ancêtres comme dans d'autres lignées pas encore
éteintes telle celle des chimpanzés. L'Homme, en tout cas
l'Homme des origines, ce n'est pas aussi simple que dans
les mythes.

Depuis l'invention de la Préhistoire à la fin du
xix$^e$ siècle, c'est toujours le même schéma de la *scala
natura* qui guide les pas des hominidés sur le long chemin
de l'évolution. Longue procession qui s'allonge au fil des
découvertes puisqu'il a fallu ajouter des échelons entre
les grands singes et les hommes et voir les corps se
redresser progressivement avec une tête dont le port se
déplace vers une position toujours plus équilibrée au

sommet de la colonne vertébrale. Du grand singe ancestral en passant par les australopithèques et Lucy, le
regard se détache progressivement du sol et des contingences terrestres pour se porter vers le ciel et l'avènement
d'*Homo sapiens*.

Une échelle, c'est fait pour grimper, et les animaux,
surtout les singes, ont fini par gravir bien des échelons.
C'est là tout l'avantage heuristique légué par Aristote. Les
morphologistes, les évolutionnistes, les physiologistes, les
éthologistes et les cognitivistes se sont engagés sur la voie
de la continuité, hissant les animaux au plus près des
hommes alors que l'animal-machine les laissait à côté.
Après avoir rendu hommage à Aristote et à la fécondité
heuristique de l'échelle naturelle des espèces, il faut
abandonner cette parabole et revenir à l'arbre du vivant,
pour réhabiliter l'Homme et l'animal dans le cadre de leur
histoire commune, l'évolution.

## Une échelle contre un arbre

Quelle est la place de l'Homme dans la nature ? L'ennui
avec l'homme, c'est qu'il a toujours une idée en tête. Celle
de la *scala natura* domine la science de la classification
des espèces, la systématique, jusqu'à la fin du xxᵉ siècle.
Charles Linné publie un système de la nature, *Systema
naturae*, en 1758. Cette publication de référence place
l'Homme dans l'ordre des Primates à côté des singes (voir
plus loin). Linné n'a rien d'un Vanini. Profondément
croyant comme tous les savants de son temps, son œuvre
a pour ambition de révéler le génie du Créateur dans la
diversité de la nature. Dans un monde fixiste et
immuable, il ne s'agit que d'une ressemblance de forme
entre le singe et l'Homme. Linné nomme *Homo sapiens*
l'Homme qui, sous le regard de Dieu, veille à la sage
ordonnance de la nature.

Buffon n'aura de cesse de critiquer la systématique de Linné et ce pour deux raisons. La première étant qu'au fil de ses recherches il se convainc que les espèces ne sont pas fixes, elles peuvent se dégrader. La seconde est que Buffon, digne héritier de Descartes, place l'Homme au centre de la nature et qu'il en est le maître. L'organisation éditoriale de la monumentale *Histoire naturelle* commence par le volume *Histoire naturelle de l'Homme et de la Terre*, suivi des volumes consacrés aux animaux domestiques d'Europe pour arriver au dernier volume de l'*Histoire naturelle des quadrupèdes*, avec les singes. L'arrangement des espèces se calque sur leur importance utilitaire pour l'Homme. Buffon installe une tradition appelée à durer qui se traduit par la définition de catégories particulières à l'Homme : *bimania*, *erecta*, etc., le plus souvent en référence à sa bipédie, son « attitude auguste », qui le distingue des animaux.

Un siècle plus tard, Thomas Huxley publie *De la place de l'Homme dans la nature*. Il montre que les grands singes, dont les gorilles et les chimpanzés, sont plus proches de l'Homme que des autres singes. Son petit-fils, Julian Huxley, celui qui invente la « Théorie synthétique de l'évolution » en 1947, pour désigner le renouveau des théories darwiniennes, crée un ordre à part pour l'Homme : les *Psychozoa*. Invariablement, la théorie synthétique ou néodarwinisme renoue avec le credo de la *scala natura* et le mythe de la clairière. Les australopithèques, découverts dans les décennies suivantes, trouveront une place toute faite en ajoutant quelques échelons à la *scala natura* entre les grands singes et l'Homme.

La systématique consiste à comparer les organismes et, sur la base des critères retenus, de proposer des classifications. Ces classifications définissent des catégories, des taxons, qu'il faut nommer. C'est la taxonomie. La systématique évolutionniste, inspirée de la conception gradualiste de l'évolution, pare la *scala natura* d'un vernis évolutionniste. Ainsi l'Homme représente l'espèce *Homo sapiens*, l'espèce étant le premier niveau de la taxonomie. Il appartient au genre *Homo* où il est rejoint par d'autres espèces d'hommes fossiles, comme *Homo erectus* ou *Homo neanderthalensis*. Le genre *Homo* se retrouve dans la famille des Hominidés ou *Hominidae* avec d'autres genres fossiles comme *Australopithecus* et *Paranthropus*. Les Hominidés rejoignent la famille des grands singes, les Pongidés, pour former la superfamille des Hominoïdes ou *Hominoidea*. Notre superfamille s'unit à celle des autres singes, les Cercopithécoïdes, dans le sous-ordre des Anthropoïdes. Il suffit d'ajouter les lémuriens et autres prosimiens pour avoir l'ordre des Primates ou « premiers ». Avec les chauves-souris, les toupaïes et les lémures volants, on se retrouve au niveau des Archonta, les « chefs ». Au-dessus, c'est la classe des Mammifères, etc. Il n'est pas nécessaire d'avoir étudié le grec et le latin pour comprendre ces termes taxonomiques. De l'espèce *Homo sapiens* aux Archonta, les taxons d'un rang de plus en plus élevé s'élargissent comme des cercles concentriques autour de l'Homme. Dans la nature actuelle, on imagine un centre, l'Homme, entouré de taxons de plus en plus larges comprenant de plus en plus d'espèces de moins en moins proches de l'Homme. Si on donne une dimension verticale à cette figure avec l'axe du temps, il suffit de tirer le centre vers le haut, la figure devenant un cône avec l'Homme au sommet de cette « pyramide » idéale. Fondamentalement, on garde le schéma de la *scala natura*.

En paraphrasant Buffon, si l'on n'en juge que par la forme, la morphologie, les grands singes – gorilles, chimpanzés et orangs-outans – se ressemblent plus entre eux qu'ils ne ressemblent à l'Homme et représentent bien le taxon le plus proche. Puis viennent les autres singes, etc. Maintenant, si on décide de comparer et de classer les espèces depuis leurs molécules, leur matériel génétique,

on a des classifications très différentes. C'est la systématique moléculaire. Cette révolution systématique ne passe
pas seulement par un changement de méthode, mais
aussi de paradigme. Au lieu, comme dans la systématique
évolutionniste, de partir d'une conception de l'évolution
et de classer en conséquence, on part des classifications
obtenues par la systématique moléculaire et on s'efforce
ensuite de reconstituer l'évolution qui a livré ces classifications. Autrement dit, dans un premier temps on se
préoccupe d'établir les relations de parenté (c'est la systématique phylogénétique ou cladistique). Dans un second
temps, les classifications obtenues donnent un cadre à la
reconstitution de scénarios évolutifs. Procéder ainsi
requiert d'abandonner toute considération hiérarchique
des relations entre les espèces. Cette révolution systématique, qui montre que les chimpanzés sont plus proches
de nous que des autres grands singes est aussi une révolution philosophique. Toutes les espèces non pas de la
Création mais de l'évolution se situent au même niveau
de l'arbre de la vie.

Comme dans le fixisme, toutes les espèces se révèlent
aussi récentes. Dans la perspective de l'évolution, toutes
les espèces qui nous entourent dans la nature actuelle
sont récentes, aussi modernes que nous, si on veut user
de ce terme. Les hommes d'aujourd'hui ne sont pas
ceux d'hier, comme les chimpanzés d'aujourd'hui, les
babouins, les souris, etc. La *scala natura* et les classifications hiérarchiques cèdent la place à une autre représentation, un arbre dont la couronne se compose de toutes
les espèces actuelles et dont les branches qui les soutiennent représentent les lignées et leurs embranchements.
Alors qu'en est-il de l'Homme et de l'animal ? Aucune
espèce actuelle ne s'avère plus ou moins archaïque ou
évoluée que nous. Aucune espèce n'est restée en panne
d'évolution. Dès lors, reconstituer notre évolution passe
par des études comparées sur les structures des orga-

nismes, des gènes aux parties des squelettes, mais aussi par l'éthologie et la psychologie comparée. En paraphrasant Jean Rostand, remettre les pieds de l'Homme dans la nature au sein de la communauté des animaux n'a rien de péjoratif. Retrouver l'Homme et son évolution exige qu'on réhabilite les animaux pour notre propre dignité. Alors, notre histoire naturelle devient la plus belle des histoires.

Les évolutionnistes et les anthropologues évolutionnistes trouvent l'évolution bien trop belle pour qu'on la salisse. Vanini fit preuve d'une grande violence en faisant émerger les hommes et les animaux de la pourriture de corps en décomposition. Son nihilisme ne se compare en rien à l'esprit des paléoanthropologues. Certes, beaucoup de mes collègues persistent à ignorer les grands singes et tout ce qu'ils peuvent nous apporter sur la reconstitution de nos origines. Réhabiliter les animaux et les singes n'est pas revenir en arrière. Bien au contraire, c'est embrasser nos origines dépouillées de toute honte. Pas de quoi envoyer un paléoanthropologue au bûcher.

## De la condition animale et humaine

La démarche structuraliste de la systématique se détache du tout pour reconstruire l'unité du vivant depuis ses parties, tissant des relations de parenté dégagées de tout *a priori* sur les espèces. Depuis la base de l'arbre du vivant jusqu'à sa couronne, on ne s'intéresse qu'à la répartition des caractères. Dernière étape, on nomme les espèces. L'Homme et l'animal n'existent plus. L'Homme fait partie du règne animal et, parmi les animaux, les singes, et surtout les grands singes, se montrent bien plus proches de lui que des autres animaux.

Mettre de l'ordre dans la nature, définir la place de l'Homme dans l'arbre du vivant devrait suffire à récuser le triste argumentaire scolastique de ces philosophes archaïques qui prétendent dégager l'Homme de l'animalité en logeant à la même enseigne le ver de terre, l'oiseau, le chimpanzé... Fables ridicules. Le béotien évolutionniste que je suis est conscient de la confusion irritante entre la question de l'Homme et de l'animal et celle de l'humanité et de l'animalité. D'un point de vue strictement naturaliste, l'Homme fait partie des animaux et les classifications le situent au plus près des grands singes africains. Tant de ressemblances et pourtant tant de différences : entre elles, toute l'évolution depuis 6 millions d'années. Il n'y a rien de dégradant dans cette situation, même si on a abandonné les classifications gradualistes. C'est la vie !

Mais, paraphrasant Charles Darwin, il est plus difficile de faire décrocher l'Homme de son attitude arrogante que de demander à un singe de contenir sa peur du serpent. Nous avons évoqué la taxonomie anthropocentrique des classifications et les controverses lourdes de sens qui la sous-tendent. L'Homme a seul le privilège de nommer, évoquant en cela l'un des premiers textes de la Genèse où le Créateur dit à Adam qu'il doit commander aux animaux et les nommer. Nommer, c'est créer ! On peut alors lire dans la littérature scientifique de curieux attelages sémantiques dont l'un des plus piquants est l'*animal-humain* ou mieux le *primate-humain*, jamais le *singe-humain* et encore moins le *chimpanzé-humain*. Quelle étrange distorsion et que de lourdeur ! Car il faut alors parler de *primates-non humains*. C'est tout de même compliqué, l'Homme. Un pied chez l'animal par son corps et son évolution, un autre dans l'humanité par son esprit. Seulement on ne sort pas de l'animalité comme cela et ce monstre sémantique se retourne contre l'Homme.

Les sciences humaines comptent de très grandes figures. Claude Lévi-Strauss est incontournable. Il laisse une œuvre immense, authentiquement humaniste. Mais il faut constater que nombre de ceux qui se réclament de lui négligent ses travaux de naturaliste en ethnobotanique et son intérêt pour les animaux dans le cadre de l'anthropologie. Selon ses propres commentaires, il regrette de ne pas avoir eu assez de temps à consacrer à de telles recherches. Fondateur de l'anthropologie structurale, il s'intéressait justement à la cladistique, pour sa méthode, qui ne postule aucune hiérarchisation, que ce soit entre les hommes ou entre les espèces. Claude Lévi-Strauss comme tous les anthropologues, dont je suis, ne confond pas l'Homme avec les autres animaux, ni les animaux entre eux. Pas question de nier l'Homme, ainsi tout va bien du côté des anthropologues. Reste cette question de l'humanité et de l'animalité : « Jamais mieux qu'au terme des quatre derniers siècles de son histoire, l'homme occidental ne put-il comprendre qu'en s'arrogeant le droit de séparer radicalement l'humanité de l'animalité, en accordant à l'une tout ce qu'il retirait à l'autre, il ouvrait un cycle maudit, et que la même frontière constamment reculée servirait à écarter des hommes d'autres hommes, et à revendiquer, au profit de minorités toujours plus restreintes, le privilège d'un humanisme, corrompu aussitôt né pour avoir emprunté à l'amour-propre son principe et sa notion » (Claude Lévi-Strauss, *Anthroplogie structurale, II*). Hors de l'Humanité octroyée à quelques hommes, le chaos né de l'exclusion qui nie la nature et sa diversité...

L'animalité est la pire invention d'une partie de l'humanité. L'animalité justifie deux desseins aux conséquences funestes : le premier nous fait sombrer dans une névrose en donnant l'illusion de s'approcher de Dieu par l'avilissement des animaux ; le second, en créant un concept diabolique au service de toutes les exclusions et de bien trop d'exterminations. Lévi-Strauss sait les souffrances et les génocides subis par les peuples des Amériques, ces Indiens considérés comme des animaux par les conquista-

dors. Il y a aussi cette moitié de l'humanité trop longtemps refoulée dans l'animalité pour mieux la spolier de
ses droits : la femme. Les principes valent par leur application et le principe d'humanité ne sera jamais ce qu'il
prétend être tant qu'il sera affublé de ce terrible fardeau
de l'animalité. Tous les massacres perpétrés contre
d'autres hommes commencent par le principe d'exclusion
de l'animalité : on dénie à l'autre son humanité pour
mieux l'éliminer, des guerres tribales aux camps d'exter-
mination. Déshumaniser pour mieux exterminer. L'industrie de la mort mise en place par les nazis se fonde sur
ces deux caractéristiques fondamentales de la pensée
occidentale : l'animalité et la technique. Malheur aux
femmes et aux hommes pris entre ces deux étaux.

## L'Homme, l'animal et la machine

La tradition philosophique occidentale lie la question
de l'animal à celle de la technique. Elle infléchit l'idée
d'hominisation, faisant sortir l'Homme de l'animalité par
le redressement du corps, la libération de la main et l'invention de l'outil. Au XVIIᵉ siècle, Descartes conceptualise
l'animal-machine alors que l'Europe se passionne pour les
automates. Toute une tradition cartésienne s'engage dans
cette voie au fil des progrès des techniques. D'abord la
mécanique des automates de Vaucanson, puis l'électricité
de *L'Eve future* de Villiers de L'Isle-Adam ; aujourd'hui,
les robots engendrés par l'électronique et la cybernétique ; déjà les créatures virtuelles et les hologrammes. Il
s'agit là d'androïdes, de créatures humanoïdes inventées
par des hommes, longue tradition séculaire qui s'anime
depuis Galatée embrassée par Pygmalion. Cette filiation,
guidée par les techniques, se nourrit de mythes qui passent par le Golem, Frankenstein, Pinocchio..., autant de
créatures mues bien plus par des transferts affectifs que

par des prouesses techniques. Les animaux mécaniques inspirent cependant peu les créateurs inscrits dans la tradition anthropocentrique de l'Occident.

Depuis le xviie siècle, les animaux se comprennent à l'aune des progrès techniques. Après l'animal-machine arrive l'animal électrique avec l'invention de l'électricité au xixe siècle. L'approche béhavioriste du xxe siècle accompagne les techniques de la communication et l'électronique, avec un signal entrant et un signal sortant du cerveau, une boîte aussi noire qu'une boîte électronique. La boîte s'ouvre avec les sciences cognitives nées de la rencontre de l'intelligence artificielle, de l'informatique et des neurosciences, la cybernétique n'est pas loin. Au fil de ces avancées, les animaux se parent de nouvelles qualités. Pourtant, ils n'ont guère changé en si peu de siècles. L'Homme (occidental) démiurgique s'investit du rôle de créateur et juge de ce qui l'entoure à la hauteur de ses propres créations. De nos jours, des médecins et des hommes de science remarquables, capables d'accomplir des prodiges en biomécanique, se trouvent décontenancés lorsqu'ils appréhendent la mécanique sublime des organismes et, devant une si belle complexité, dépassant leur génie, ils en appellent à un Grand Horloger. Tant d'intelligence bouleversée par l'évolution créatrice.

L'Occident devrait regarder du côté de l'Orient d'où, belle ironie de l'évolution technologique, nous viennent de merveilleux robots-animaux, comme le déjà célèbre chien Ibbo, chef de meute d'une surprenante Arche de Noé de robots-animaux, vedettes de l'Exposition internationale qui s'est tenue au Japon en 2005. Etonnant constat : plusieurs millénaires d'une fabuleuse évolution technologique pour... reproduire ce que la nature a accompli depuis des millions d'années. Cela valait vraiment la peine de sortir de l'animalité.

Les progrès des techniques, tout particulièrement dans le domaine de l'imagerie médicale, ouvrent de magnifiques perspectives pour pénétrer le « cœur des animaux ». Mais il n'est pas certain que les animaux en ressortent réhabilités. Deux obstacles persistent : notre anthropocentrisme qui nous empêche de voir ce qui n'a pas été mis en évidence dans notre propre espèce ; l'émergence des vraies machines animales. Les machines animales arrivent ; adieu l'animal-machine, adieu les animaux. L'homme a pris la place du Créateur et remplace toute la Création par ses créations. Et l'homme, dans tout cela ? Asservi par les machines au XXe siècle, bientôt remplacé par des machines qui évitent l'erreur humaine... L'utopie se réalise.

## 3

## L'Homme et les grands singes

### Le procès John Scopes

*Peu importe que l'on
descende du singe,
le tout est de ne
pas y remonter.*

Richard WAGNER

Au cours de l'année scolaire 1925, des hommes pénètrent dans une classe du lycée de Hillsboro, une ville du Tennessee, pour arrêter et conduire en prison le jeune professeur John Scopes. Son crime : enseigner la théorie darwinienne de l'évolution alors que la loi de cet Etat l'interdit. Ainsi commence le film intitulé *Le Procès du singe*. Même si le jeune enseignant ne fut pas emprisonné mais condamné à payer une amende de cent dollars, somme considérable à l'époque, le combat entre le créationnisme fondamentaliste et les sciences de l'évolution connaît plusieurs épisodes et... ce n'est pas fini.

Le procès Scopes, plus connu comme « Le Procès du singe », eut un formidable retentissement et mobilisa toute l'Amérique. L'Amérique des Etats du Sud qui forment la *Bible Belt* (la ceinture biblique) opposée à l'Amérique des Etats du Nord et des grandes villes côtières.

Selon les manchettes de la presse de l'époque, l'Amérique bigote de l'obscurantisme contre l'Amérique des Lumières et du progrès. Des personnages d'envergure nationale vinrent s'affronter dans la petite salle d'audience du tribunal de Dayton, devenue une arène bien trop grande pour le jeune professeur, bien mal préparé à une telle levée de boucliers. Ce procès tourna parfois au cirque médiatique, en ce qu'il fut l'un des premiers procès diffusés à la radio, sans parler des défilés et des manifestations de toutes sortes. Il est intéressant de rappeler que John Scopes enseignait la physique et le sport et c'est en remplaçant un collègue biologiste malade qu'il aborda, selon le programme officiel, l'évolution. Autrement dit, il n'a rien vu venir et sans cette belle vocation pour l'un des plus beaux métiers du monde, enseigner, la situation actuelle serait certainement encore pire.

Scopes est défendu par un penseur libéral et ténor du barreau, Clarence Darrow, soutenu par la puissante Association américaine pour les libertés (ACLU : *American Civil Liberties Union*). Pour l'accusation, le procureur nommé par l'Etat du Tennessee est William J. Bryan, un homme considérable par ses engagements politiques – il soutient le droit de vote des femmes et se mobilise contre la guerre – et trois fois candidat à la présidence des Etats-Unis. Il n'y eut jamais de débat sur les fondements scientifiques de la théorie de l'évolution face au créationnisme, même si le procès connaît un moment d'anthologie lorsque Darrow convoque Bryan à la barre comme témoin de la défense. Le juge de Dayton ne fait qu'appliquer la loi qui stipule que « enseigner que l'Homme descend d'un ordre animal inférieur est un crime ». Scopes est finalement condamné, ce que voulait la défense, de manière à porter l'affaire devant la Cour suprême, son véritable but étant de faire déclarer l'inconstitutionnalité de cette loi. Hélas, une erreur de procédure ne le permit pas. La loi figure toujours dans les textes, bien qu'elle ne soit pas

appliquée. Quant à John Scopes, il reprit ses études universitaires, obtint un doctorat en géologie et partit tra-
vailler dans le secteur privé. Reste à comprendre
pourquoi la loi est si peu appliquée : simplement parce
que les collègues de Scopes évitent d'aborder l'enseignement de la théorie de l'évolution, pas seulement par
crainte d'un procès, mais en raison des multiples pressions des associations fondamentalistes, fort bien organisées outre-Atlantique. Qu'on en juge par la suite des
événements.

L'affaire rejaillit dans l'Arkansas en 1968, lorsqu'une
enseignante, Susan Epperson, attaque devant la Cour
suprême une loi comparable à celle du Tennessee. Cette
loi, ne respectant pas le 1er amendement de la Constitution qui défend la séparation de l'Etat et de l'Eglise, fut
déclarée inconstitutionnelle, presque un demi-siècle
après le procès Scopes. Dès lors, les fondamentalistes
vont changer de stratégie. Ne pouvant plus faire interdire
l'enseignement de l'évolution dans les écoles publiques,
ils exigent un traitement égal : que le temps consacré à
l'enseignement de la biologie de l'évolution soit le même
que celui dédié à la « science de la création ». Les Etats
de l'Arkansas et de la Louisiane promulguèrent de telles
lois à la fin des années 1970. D'autres Etats inclinent en
ce sens comme l'Iowa, la Floride, New York, Washing-
ton... L'ACLU, diverses associations scientifiques et religieuses attaquèrent la loi de l'Arkansas devant le juge
fédéral William R. Overton en décembre 1981, procès
que les journalistes appelèrent « Scopes II ». Le juge
déclara la loi inconstitutionnelle et surtout rendit une
ordonnance d'une superbe clarté, distinguant avec pertinence ce qui est du domaine des sciences et du magistère
de la religion, le principal critère retenu étant celui de la
réfutabilité. Ceux qui attaquaient la loi, dont un groupe
de scientifiques éminents, adoptèrent une stratégie d'une
grande intelligence en plaçant le débat sur le plan épisté-

mologique. En se référant à Karl Popper, philosophe des sciences, ils firent valoir que la prétendue « science créationniste » n'est pas une science, mais un discours de vérité qui récuse toute notion de réfutabilité, de liberté donc. On comprend aussi que diverses associations religieuses d'obédience juive, catholique et méthodiste se soient jointes aux plaignants, car en effet, la réfutabilité n'a rien à faire avec la foi et les croyances. La « science créationniste » fut donc réfutée sur la base de l'un des critères majeurs de la scientificité. Les fondamentalistes ne firent pas appel, le peuple de l'Arkansas ayant élu un gouverneur libéral, Bill Clinton. Le débat fut-il clos ? Un autre juge fédéral annula purement et simplement, par référé, la loi de Louisiane, considérant que la décision du juge Overton réglait définitivement cette trop longue affaire. L'Etat de Louisiane se porta en appel auprès de la Cour suprême. La décision tomba en 1987, déclarant définitivement ces lois inconstitutionnelles par sept voix contre deux, interdisant en substance l'enseignement du créationnisme dans les écoles publiques. *Happy end ?* Le 11 août 1999, la commission des programmes scolaires de l'Etat du Kansas retire du programme de biologie l'enseignement de l'évolution...

*Only in America !* Seulement en Amérique, comme on aime tant à le déclamer de l'autre côté de l'Altantique. Voilà qui semble une affaire d'un autre âge, surtout vu de l'Europe laïque, et encore plus de France depuis la séparation de l'Eglise et de l'Etat, en 1905. Louons la décision de la Cour suprême de 1987. Qu'en sera-t-il avec les nominations attendues des nouveaux juges à la Cour suprême par le président George W. Bush, élu massivement par les Etats de la *Bible Belt* appelée aussi *Jesus Land* ? Rappelons que, parmi les deux voix qui s'opposèrent à cette grande décision, il y a celle du juge Scalia, toujours membre.

L'Europe laïque connaît elle aussi ses réactions religieuses fondamentalistes. Des tentatives non pas d'éradiquer l'enseignement de l'évolution mais d'instituer un enseignement créationniste pointent en Italie et en Norvège, mais ce ne sont là que les parties publiquement exprimées d'une lame de fond réactionnaire ou fondamentaliste à laquelle les enseignants des sciences de la vie et de la Terre sont de plus en plus confrontés. On aurait bien tort de croire que cela ne se passe qu'en Amérique. Le rejet de l'évolutionnisme se focalise sur le personnage diabolisé de Charles Darwin et la figure honnie est celle du singe. Comme le martèle Martin Luther : « L'Homme est à Dieu ce que le singe est au diable. » L'obscurantisme se nourrit de l'ignorance car, en fait, derrière les avatars simiesques du diable, sait-on qui sont ces singes ?

## Les facéties imaginaires du singe

Les singes hantent l'imaginaire des hommes du Bassin méditerranéen depuis les plus anciennes civilisations. Le dieu Thot des Egyptiens s'inspire des magnifiques babouins hamadryas d'Ethiopie, au-delà du pays Kouch. Les hamadryas ont pour habitude, le soir venu, de s'asseoir face au soleil couchant et de porter leur regard vers lui avec la main posée sur le front, juste au-dessus des yeux. Simple geste pour éviter l'éblouissement interprété par les Egyptiens comme une vénération inquiète de la disparition de l'astre divin. Thot se distingue comme le dieu du Savoir et le protecteur des scribes.

Le développement historique des civilisations autour du Bassin méditerranéen s'enferme derrière les enceintes des cités et délaisse les singes. Leurs ressemblances avec l'homme n'échappent pas à quelques philosophes, à commencer par Aristote. Plus tard, le singe sert encore de modèle pour décrire le corps humain, comme chez Galien. Puis, avec l'essor de la pensée et de la civilisation chrétiennes, les singes se diabolisent.

Les seuls singes vraiment connus du monde occidental sont les macaques de l'Atlas, les magots. On en aperçoit sur les chapiteaux des églises romanes ou sur la tapisserie de Bayeux ; dans un cas, proches des forces du mal, dans l'autre, comme des amuseurs facétieux. Ces singes de Barbarie laisseront leur nom aux orgues des rues et quelques belles expressions, comme payer en « monnaie de singe ». La construction du célèbre Pont-Neuf – le neuvième pont de Paris – permet de traverser la Seine à la pointe aval de l'île de la Cité, avec l'hôtel des Monnaies sur la rive gauche. Quelques corporations s'arrangent pour être exemptées des droits de passage, comme les montreurs de singes, d'où l'origine de cette expression.

Au temps de La Fontaine, les singes apparaissent dans des fables où dans des tableaux pour ridiculiser les prétentions et d'autres travers des hommes. Cela devient presque un genre, comme les célèbres peintures du singe antiquaire ou la parodie des singes qui jouent aux cartes ou d'autres tartuffes. La fable « Le singe et le dauphin » raconte comment à la suite d'un naufrage un cétacé, pensant sauver un homme, porte secours à un singe. Voilà nos compères qui discutent de la société des hommes. Le « magot » veut trop en faire, sa fatuité le trahissant. Le dauphin s'en débarrasse et l'abandonne à son sort. Il est amusant de rappeler que les mondains germanopratins aiment à se retrouver au célèbre café des *Deux Magots* en plein cœur de Paris. Si le dauphin avait su....

Les figures du singe évoluent du Moyen Age à l'âge classique : apparenté au Malin avec sa longue queue et ses mœurs lubriques, puis malin et amuseur avant de camper les travers des hommes. Dans des sociétés fixistes, celles qui admettent que le monde a été créé par le Divin et est resté inchangé, les écrivains comme les artistes se livrent à bien des railleries simiesques et filent la métaphore, mais à condition de rester dans la métaphore.

La fable se gâte au cours du siècle des naturalistes. Dans le formidable engouement pour la nature pensée comme un temple divin, des savants se donnent pour tâche de décrire le système de la Création. Observer, comparer et classer – organiser selon les structures – conduit inévitablement à décrire les grandes ressemblances entres les singes et les hommes. Une fois de plus, cette approche matérialiste heurte les zélateurs de l'éminente dignité de l'homme. Même si le temps de l'Inquisition et des bûchers s'est éteint, la braise couve encore sous la cendre.

## Des grands singes rencontrent le siècle des Lumières

Dans un passage de *Candide*, les protagonistes aperçoivent deux jeunes femmes fuir devant deux anthropoïdes. Candide et ses compagnons tirent et abattent les deux créatures croyant sauver les deux jeunes femmes. Celles-ci reviennent en pleurs, car on a tué leurs amants.

On retrouve dans ce récit l'image troublante de ces grands singes capables de se tenir debout. Les premiers grands singes à fouler les terres d'Europe sont les chimpanzés et les orangs-outans. L'étude anatomique effectuée par le chirurgien Edward Tyson en 1698 s'impose d'emblée comme une référence dans le petit monde des naturalistes. Il en ressort que les chimpanzés ressemblent plus aux hommes par les caractères de leur anatomie qu'aux autres singes, notamment l'absence de queue, une cage thoracique peu profonde et large, et l'aptitude à se tenir debout. Même conclusion de la part de Nikolas Tulp, le célèbre chirurgien trônant au centre du célèbre tableau *La Leçon d'anatomie* de Rembrandt, après la dissection d'un orang-outan.

Charles Linné se base sur ces travaux et propose dans son système de la nature – *Systema naturae* – une classification dans laquelle l'homme se trouve au plus près des singes et surtout des grands singes dans l'ordre des Primates. Cette audace fait de Linné le fondateur des sciences naturelles selon une lecture positiviste de l'histoire des sciences, alors que cet homme s'efforce de décrire l'ordre mis dans la nature par le Créateur. Buffon profère alors son célèbre : « Dieu a créé, Linné a classé. » Son œuvre sert encore de référence et son idée géniale d'attribuer des noms latins à tous les organismes vivants s'impose depuis à tous les naturalistes. C'est à lui que nous devons notre nom d'*Homo sapiens* (« l'homme qui sait »), dans son *Systema naturae* de 1758.

L'*Homo sapiens* du siècle des Lumières connaît un trouble de la raison devant autant de ressemblances. Les nombreuses iconographies de l'époque montrent ces grands singes redressés ou assis, dans des attitudes humaines ou humanisées. Cette fois on n'est plus dans la caricature, mais dans l'interrogation des limites du genre humain. D'un auteur l'autre – Voltaire, Diderot, Rousseau, Montesquieu, etc. –, ces grands singes interpellent l'identité de l'Homme. Car en ce siècle qui s'émancipe de toute pensée religieuse par les diverses voies de l'athéisme ou du théisme pour élever la déesse de la Raison, comment cerner les limites du genre humain ?

Les incertitudes taxonomiques de Linné l'expriment fort bien. Il y a l'homme *Homo sapiens* autour duquel se déploient les franges d'une humanité qui hésite avec les grands singes – le chimpanzé se nomme *Homo troglodytes* et l'orang-outan *Homo sylvestris* – et des hommes sauvages comme des enfants sauvages qui fascinent l'époque, sans oublier une cohorte d'*Homo feri* et autres *Homo monstruosus* insolites. Nos grands singes arrivent de plain-pied, et bien malgré eux, au cœur d'une époque dont la pensée pose les fondements du genre humain et de l'anthropologie.

## *Libertins et bipédie*

La *scala natura* d'Aristote et de saint Thomas d'Aquin est avant tout une idée des animaux consolidée par la connaissance. Tous, sauf l'homme, se meuvent à quatre pattes ; seul l'homme se déplace sur deux membres postérieurs qualifiés d'inférieurs. Cela n'avait pas échappé aux Anciens, bien que les oiseaux viennent troubler cette belle ordonnance, ces bipèdes qui, eux, ont réussi à s'approcher du ciel à tire-d'aile.

L'homme est un bipède, mais pas un bipède obligé, comme le rappelle la célèbre énigme du Sphinx posée à Œdipe : « Quel est l'animal qui commence sa vie à quatre pattes ; puis sur deux pattes avant de la terminer sur trois pattes ? » Les athées et les libertins de la fin de l'âge classique et du siècle des Lumières raniment la question de la bipédie humaine, non sans se référer pour certains à Vanini. Fort au fait des travaux d'Edward Tyson, de Nicolas Tulp et de Charles Linné, ils contestent cette position naturellement « auguste » de l'Homme, selon l'expression de Buffon, cette attitude qui exprime sa suprématie sur toutes les autres créatures terrestres.

Le siècle des Lumières, et un peu plus tôt les libertins, ont inventé la pensée anthropologique, l'étude de l'Homme débarrassé de son identité à Dieu, ce qui oblige à repenser ses origines ou, dans une acception plus proche de celle de l'époque, ce que furent les premiers hommes d'avant la civilisation, d'où l'intérêt pour les enfants sauvages et les grands singes qui, d'une certaine manière, se mêlent de ce qui ne les regarde pas.

Les penseurs de la liberté comme les libertins remettent l'Homme des origines à quatre pattes. Ils relèvent aussi que, si les oiseaux sont bipèdes, ils n'ont pas comme l'Homme une colonne vertébrale tendue selon la verticale. Quant aux grands singes, il leur arrive de se déplacer debout mais le plus troublant est de les observer grimper à une échelle : ils mobilisent leurs membres par couple et de façon alternée ainsi que le font les Hommes lorsqu'ils marchent ou courent. Voici donc ces grands singes qui grimpent à l'échelle des espèces pour s'agripper aux derniers barreaux sur lesquels reposent les pieds de l'Homme.

L'anatomie comparée et l'observation des mœurs des grands singes les rapprochent décidément trop de l'Homme. Paradoxalement, alors que des penseurs et des philosophes appréhendent cette question quitte à heurter les traditions les plus affirmées, ce sont des naturalistes tels que Buffon, Daubenton et Camper qui vont s'efforcer de dégager des caractères qui écartent les grands singes du voisinage de l'Homme. Et c'est ainsi que, après tant d'éclairages sur les ressemblances entre l'Homme et les grands singes, ceux-ci sont renvoyés dans le monde obscur des singes. Seul l'Homme reste dans la lumière. Les singes, et surtout les grands singes, entrent dans un purgatoire anthropologique long de deux siècles. La *scala natura* débarrassée de ses échelons encombrants, d'autres interprétations viennent se caler dessus, notamment celle de la transformation des espèces.

## Le temps de l'évolution et du progrès

Un personnage libertin et tout aussi fantasque qu'inventif imagine que les espèces peuvent se modifier. C'est ce que l'on comprend de la lecture de l'étonnant *Zoonomia* d'Erasmus Darwin, le grand-père de Charles. En cette fin de xviiie siècle, crépuscule des Lumières et de la pensée libertine, l'époque ironise sur ce Darwin. Les railleurs inventent le verbe « darwiniser » comme en d'autres circonstances certains « marivaudaient ».

On doit à Jean-Baptiste de Lamarck une conception généalogique et dynamique de la *scala natura*. Pour lui comme chez Aristote, la nature est complète. Si une espèce située à un échelon vient à occuper l'échelon supérieur – le principe de gradation –, alors celle qui suit prend sa place et ainsi de suite. On appelle cela la théorie de l'escalator ou de l'escalier mécanique : quand une marche disparaît en haut, une autre apparaît en bas. Et l'Homme dans tout cela ? Dans sa philosophie zoologique, Lamarck laisse entendre que si un quadrumane – un singe à quatre pattes – venait sous l'effet des circonstances à se retrouver dans un espace plus ouvert, alors il pourrait se redresser et devenir un bimane – un bipède humain.

C'est ainsi que l'image séculaire et fixiste de l'échelle naturelle des espèces, inaltérée dans sa forme comme dans sa composition, surtout après qu'on a fait redescendre les grands singes, sert de fondement à une interprétation dynamique de ce qui devient une histoire naturelle plantée dans le temps profond de la géologie naissante.

On retrouve donc les mêmes concepts, les mêmes schémas, mais basculés puisque la *scala natura* horizontale d'un monde fixiste se retrouve redressée contre le mur du temps d'un monde qui se transforme. La vision de la place de l'Homme dans la nature n'a pas changé, mais ce sont les hommes qui ont changé. Un changement de paradigme considérable à l'image de la rupture entre la société de l'Ancien Régime dont la légitimité est de droit divin et la nouvelle société qui regarde vers l'avenir du genre humain. Selon Buffon, inventeur du temps profond de la géologie et précurseur de la transformation des êtres vivants, les espèces se dégradent depuis des espèces créées parfaites – une idée que l'on trouvait déjà chez Platon – comme si l'âne était une forme dégradée du cheval. Voilà qui pose un problème entre l'Homme et les singes ; seul l'Homme parmi les espèces ne peut se dégrader, d'où les nombreux efforts de Buffon pour éloigner le plus possible ces « masques trompeurs de l'homme », en particulier dans son célèbre article sur la dégradation en préambule de son volume sur les singes. Pour son disciple Lamarck les espèces se transforment en se perfectionnant. Les mêmes schémas, retournés par des paradigmes inversés chez le maître et le disciple. L'un voit l'Ancien Régime et ses privilèges se décomposer, l'autre traverse tous les régimes jusqu'à la Restauration. En dépit des idées transformistes de Lamarck, les grands singes sont écartés des affaires humaines en ce début de XIXᵉ siècle. Les Droits de l'homme et les principes de la liberté sont institués ; le genre humain prend sa destinée en main guidé par la raison. Quant aux grands singes....

## Darwin et la honte des origines

L'Europe du XIXᵉ siècle, dans sa montée en puissance planétaire, trouve les moyens de sa domination grâce à la révolution industrielle. C'est dans ce contexte que Charles Darwin publie *De l'origine des espèces au moyen de la sélection naturelle* en 1859. Les singes reviennent dans les affaires des hommes et cela se sait en dépit des souhaits de lady Worcester qui s'exclame : « Ainsi l'homme descendrait du singe ; pourvu que cela ne soit pas vrai, mais si cela l'était, prions pour que cela ne se sache pas. » En effet, cela prendra tout de même du temps.

Darwin ne lâche pourtant qu'une allusion à propos des origines de l'Homme, espérant que les avancées des connaissances finiront par jeter quelque lumière sur

celles-ci. Les singes et surtout les grands singes reviennent sur la scène de l'évolution avec les travaux de Thomas Huxley qui publie *De la place de l'homme dans la
nature – Evidence as to Man's Place in Nature*, en 1863.
En ce milieu du XIXᵉ siècle les gorilles ont rejoint les chimpanzés et les orangs-outans parmi les grands singes
connus de l'Occident. Leur arrivée dans un contexte évolutionniste qui anime les esprits européens déclenche « la
guerre du gorille » entre Thomas Huxley et Richard
Owen. Ce dernier, immense paléontologue spécialiste
d'anatomie comparée à l'égal d'un Georges Cuvier, reconnaît les grandes ressemblances anatomiques entre les
grands singes, notamment les gorilles, et l'Homme. Mais
pas plus que Cuvier en France, Owen n'admet l'idée
d'évolution des espèces. Pour lui, l'Homme ne saurait
descendre d'une brute ancestrale à l'image du gorille. Car
il y a chez l'Homme, en dépit de toutes ces ressemblances
anatomiques, des différences fondamentales, notamment
dans certaines régions du cerveau. C'est la fameuse quête
de l'hippocampe ou d'un tout autre module cérébral spécifique à l'Homme, évoquant en cela le siège de l'âme
humaine dans la glande pinéale d'après Descartes. Par
ses études précises, Huxley prouve qu'il n'existe pas de
différence fondamentale entre le gorille – et les autres
grands singes – et l'Homme. Voilà donc les grands singes
au niveau de l'échelon scié par les anatomistes de la fin
du XVIIIᵉ siècle. Qu'à cela ne tienne, on invente un échelon
infranchissable : *le chaînon manquant.*

### Progrès, Préhistoire et refoulement du singe

Les théories de Darwin vont rester incomprises pendant un siècle car tout ce qui touche à l'évolution et plus
particulièrement à l'évolution de l'Homme dépend de la
*scala natura* et, de façon consubstantielle, de la vision

lamarckienne encore dominante en paléoanthopologie. Dans le contexte de ce siècle imprégné par l'idée de progrès, l'outil et les industries renforcent la vision verticale et hiérarchique de la domination de l'Homme sur la nature et les autres être vivants. « L'Homme, c'est l'outil » forge une idéologie que l'on retrouve chez Engels – et donc les marxistes – et les chantres d'un libéralisme radical comme Herbert Spencer. Toutes les idéologies qui s'affrontent en cette fin du XIX$^e$ siècle s'accordent au moins sur cette prémisse fondamentale : l'homme se libère grâce à l'outil et à ses industries et se construit un avenir radieux vers autant d'utopies terrestres.

Un avenir forcément meilleur impose un regard de compassion sur le passé. Un retournement de perspective sur le passé de l'Homme, d'abord sur l'Histoire, écrite et réécrite dans le sens du progrès, et aussi la Préhistoire. C'est du haut d'un progrès idéalisé que l'on part à rebours vers les temps obscurs et forcément archaïques des origines.

La Préhistoire est, par définition, l'étude de l'évolution culturelle de l'Homme. Voilà une bien belle lapalissade puisque l'homme, c'est l'outil. Par conséquent, cela ne saurait concerner les grands singes, hors sujet par décret préhistorique en application de la loi du progrès.

Et pourtant ! Charles Darwin publie en 1871 *La Filiation de l'Homme en relation avec la sélection sexuelle.* Il reprend les observations faites par deux explorateurs naturalistes, Savage et Wyman, dans un article publié à Boston en 1844. Ces deux auteurs rapportent avoir vu des chimpanzés d'Afrique occidentale utiliser des outils en pierre pour briser des noix. L'homme ne serait donc pas le seul à faire usage d'outils ! Comment un tel fait a-t-il pu être occulté pendant un siècle ? Certes, Darwin se contente de citer cette observation qui fait l'objet d'une seule phrase. Mais à l'époque où justement naît la Préhis-

100 NOUVELLE HISTOIRE DE L'HOMME

toire avec pour viatique « L'Homme, c'est l'outil », on
s'étonne.

Cela s'avère moins surprenant dans la perspective d'un
matérialisme historique et préhistorique généralisé qui
trace le chemin du passé du genre humain. La Préhistoire
et l'Histoire se moulent dans un schéma linéaire et progressiste centré sur une perspective europocentrée.
Découvrir le passé de l'Homme, c'est aller à rebours sur
le chemin du progrès, vers des époques de plus en plus
pauvres et précaires avec pour point limite les premiers
outils, forcément créés par l'Homme ou l'Homme premier. Les grands singes se situent tout simplement hors
de cette perspective. C'est ainsi que se réalise de façon
durable la prière de lady Worcester.

Si l'Homme descend du singe, il faut pourtant bien
imaginer un commencement à la lignée humaine. C'est là
qu'intervient le « chaînon manquant ». Il s'agit en fait de
cet échelon de la *scala natura* qui sépare l'Homme du
reste des espèces et, dorénavant, du plus ancien représentant hypothétique du genre humain. Comment imaginer
cet intermédiaire entre les grands singes et le premier
homme, autrement dit, faire des hypothèses ?

Rappelons qu'en ce début de XXᵉ siècle, le peu de fossiles humains connus sont très humains, en dépit de
toutes les controverses. Il y a d'abord le Pithécanthrope
de Java découvert par le Hollandais Eugène Dubois en
1891 et dont la reconstitution à l'Exposition universelle
de Paris en 1899 eut autant de succès que... la tour Eiffel ; on ne peut imaginer plus belle parabole des progrès
du genre humain ! D'après les dessins de presse de
l'époque, on voit en premier plan le Pithécanthrope bien
droit sur ses jambes – c'est un *Homo erectus* – reposant
sur des pieds longs avec un gros orteil écarté, mais avec
une main humaine tenant un outil primitif ; en arrière-
plan on voit le défi métallique de l'ingénieur Gustave

Eiffel. Condorcet n'aurait pas rêvé d'un tableau plus parfait des progrès de l'humanité.

Le premier *Homo erectus* européen, ou sa forme proche, sera exhumé en 1907 à Mauer en Allemagne. Il y a aussi l'Homme de Neandertal, découvert en Allemagne dans la vallée de Neander près de Düsseldorf en 1856, le premier homme fossile reconnu comme tel ; on imagine mal de nos jours l'ampleur des polémiques. D'autres Néandertaliens furent mis au jour à Spy en Belgique dès 1831 et un autre à Gibraltar en 1845, mais il faut attendre l'affirmation des théories de l'évolution, elles aussi très controversées, pour que se forge l'idée d'hommes préhistoriques. Il y a bien sûr les hommes de Cro-Magnon, tout aussi *Homo sapiens* que nous, découverts dans des sépultures aux Eyzies-de-Tayac en 1868. La Préhistoire se peuple d'hommes fossiles plus ou moins différents et plus ou moins archaïques mais tous bipèdes et nantis d'outils de pierre. La *scala natura* et le progrès se rejoignent pour guider l'histoire du genre humain et dicter la (bonne) vision des origines.

Le chaînon manquant va prendre deux figures, des formes intermédiaires, des chimères ou des monstres, au sens d'Aristote, entre le grand singe et l'homme. Il s'agit cependant d'hypothèses car il n'était pas possible de faire autrement à une époque où, d'un côté, on connaissait encore si mal les grands singes et, de l'autre, on avait quelques fossiles humains, jugés certes archaïques, mais tout de même humains ; d'une part des grands singes aux mœurs arboricoles qui se déplacent à quatre pattes et à moitié redressés lorsqu'ils sont au sol et, d'autre part, des hommes bipèdes habitués à vivre dans des habitats ouverts.

Un modèle se réfère aux gibbons et est qualifié d'*hylobatien* d'après le nom scientifique, *Hylobates*, à l'instar de ce gracile singe brachiateur du sud de l'Asie. Bien que tous les anthropologues et les spécialistes des singes aient identifié depuis fort longtemps la plus grande ressemblance entre les grands singes et les hommes, l'intérêt pour le gibbon renvoie aux origines arboricoles de la bipédie. C'est le modèle que défend Eugène Dubois pour son *Pithecanthropus erectus*. Selon lui, les origines de la lignée humaine commencent par une bipédie issue directement de leur mode de déplacement dans les arbres. Cette hypothèse sera vite écartée moins à cause d'arguments scientifiques qu'en raison de représentations séculaires de la place de l'Homme dans la nature, la *scala natura*.

L'autre modèle, qui s'inspire des grands singes – chimpanzés, gorilles, orangs-outans –, propose une meilleure cohérence phylogénétique en raison de leur plus grande ressemblance avec l'Homme. Il correspond ainsi parfaitement à l'antique *scala natura* montrant des grands singes à moitié redressés une fois au sol et dans une attitude corporelle intermédiaire entre le singe à quatre pattes et l'Homme. C'est donc le modèle troglodytien – d'après le nom scientifique du chimpanzé *Pan troglodytes* – qui domine avec un chaînon manquant nanti d'un corps de grand singe et affublé d'une tête d'homme. C'est encore celui qui domine dans les représentations schématiques des origines de la lignée humaine présentes dans les manuels obsolètes, la grande presse, les médias de toutes sortes, les publicités, etc. Dans cette vision de l'évolution, le cerveau prend la tête de l'hominisation. Alors le scénario s'impose de lui-même : un grand singe anthropoïde – le chaînon manquant – se retrouve poussé en marge des forêts et des savanes et se redresse par la seule volonté de son esprit... toujours le même schéma.

Les deux modèles sont des hypothèses qui, comme telles, doivent être validées, réfutées ou modifiées en fonction des avancées des connaissances qu'enrichit la découverte de nouvelles formes fossiles. Seulement, questionner le modèle troglodytien est resté longtemps étranger au dogme de l'hominisation. Témoins les reconstitutions des grands singes fossiles d'Asie appelés les ramapithèques. Dans les années 1970, les paléoanthropologues avaient mis au jour une belle collection de mâchoires et de maxillaires fossiles, des ossements du crâne donc. Une école voyait chez ces ramapithèques le groupe ancestral de la famille de l'Homme, à commencer par les australopithèques d'Afrique dont la gracile Lucy. Nantis de ces seuls fragments fossiles de mâchoires, voilà que ces infortunés ramapithèques d'Asie sont représentés dans une attitude corporelle intermédiaire entre celle d'un grand singe africain actuel et d'australopithèques africains d'hier, considérés à cette époque comme parfaitement bipèdes ! Curieuse position, celle du chaînon manquant qui ainsi ne manque plus, et surtout bien inconfortable d'un point de vue biomécanique, un vilain compromis chimérique acceptable parce qu'il se moule si bien sur la *scala natura* bien qu'il n'y ait aucune cohérence de temps et de lieu.

Depuis, les ramapithèques ont rejoint leur lignée, celle des orangs-outans. Adieu, l'Asie et sa lignée des Pongidés ! Retour sur l'Afrique, vers les chimpanzés et les gorilles, les espèces les plus proches de nous dans la nature actuelle. Alors, triomphe du modèle troglodytien ? C'est ce que l'on pourrait croire – *croire* – si l'on persiste à ignorer ces grands singes et à adhérer à la révélation de l'élévation du corps (et de l'esprit). Or, un modèle doit se référer à quelque chose, la question est de savoir si c'est à une idée ou à des observations. Hélas, c'est toujours l'idée qui l'emporte. Allons du côté des connaissances, dans le monde des forêts débarrassé de nos mythes.

*Des origines humaines pour les grands singes*

Les grands singes reviennent auprès de l'Homme par deux chemins qui passent, l'un par les sciences de la vie, l'autre par les sciences de la Terre. Après la découverte de la structure en double hélice de la molécule d'ADN support de l'hérédité, des spécialistes de ce qu'on appelle la biologie moléculaire décident de se lancer dans la comparaison entre les espèces à partir de leurs molécules : groupes sanguins, hémoglobine, systèmes HLA ou de défense immunitaire, comparaison des chromosomes... Aujourd'hui le séquençage de l'ADN. Cette systématique moléculaire livre des classifications basées sur des relations de parenté et il en ressort que les chimpanzés et les gorilles sont bien plus proches de l'Homme que des autres grands singes asiatiques, les Pongidés, désormais représentés par les seuls orangs-outans. Il y a désormais une famille de grands singes africains qui unit les chimpanzés, les gorilles et les hommes, appelée dorénavant Hominidés. La systématique moléculaire réaffirme les ressemblances étroites entre les hommes et les grands singes africains comme l'avait suggéré Thomas Huxley en 1863, ce qui incita Charles Darwin, en 1871, à faire l'hypothèse que les origines de la lignée humaine se situaient certainement quelque part en Afrique !

Il avait fallu attendre presque un siècle pour que ce que certains appellent « la prédiction de Darwin » – il s'agit en fait d'une hypothèse, mais dès qu'on touche à l'homme le vocabulaire change – soit confirmé par celui qui est surnommé le « Darwin africain », Louis Leakey. C'est en effet vers la fin des années 1950 que sa femme Mary Leakey découvrit un crâne d'australopithèque de forme robuste – appelé à l'époque *Zinjanthropus boisei* et nommé aujourd'hui *Paranthropus boisi*, un descendant de Lucy – en présence d'outils en pierre taillée dans les gorges d'Olduvaï, en Tanzanie. L'événement fit l'effet d'une bombe dans le petit monde de la paléoanthropologie. L'association d'une forme fossile, certes proche de l'Homme mais qui n'est pas un homme, percute l'aphorisme : « L'Homme, c'est l'outil. »

Etait-il possible que d'autres espèces que l'Homme aient pu fabriquer de tels outils ? Il était temps d'aller voir ce qui se passait chez les grands singes. C'est ainsi que Louis Leakey incita trois femmes à partir observer les grands singes dans la nature : Jane Goodall l'Anglaise chez les chimpanzés de Gombé en Tanzanie, Diane Fossey la Canadienne chez les gorilles de Karésoké au Rwanda, et Biruté « Brin d'amour » Galdikas la Hollandaise chez les orangs-outans de Bornéo. Ces trois « anges de Leakey » sonnent le glas d'une vision séculaire et dominatrice de l'Homme (lire aussi le chapitre 5 : « L'Homme et la femme »). L'idée pourtant si simple qui consiste à observer les grands singes dans leurs milieux naturels est évidemment bien plus ancienne. Il y eut des précurseurs dès le début du xxe siècle et d'autres paléoanthropologues célèbres comme Raymond Dart initièrent de tels projets, sans oublier les grands chercheurs de l'école japonaise. Mais c'est vraiment à partir des années 1960 que commence la révolution éthologique.

Des chercheurs de différents pays et de différentes cultures, des femmes et des hommes travaillant souvent dans des conditions très difficiles et avec peu de moyens, révèlent alors un pan immense d'une ignorance séculaire de la science occidentale après, tout de même, plus d'un siècle de Préhistoire et de paléoanthropologie. Un *pan de notre humanité*, magnifique expression qui rappelle le nom scientifique des chimpanzés, *Pan*, mais aussi le dieu Pan de la mythologie grecque méprisé par les dieux de l'Olympe, le seul hybride avec Lycaon. Après quatre décennies de recherches internationales à la fois sur le terrain et en captivité, le corpus des connaissances oblige à changer notre regard sur nos origines.

Les origines – que ce soit dans toutes les cosmogonies comme en sciences – procèdent d'un état indéfini, parfois indépassable (comme pour le big bang), le plus souvent chaotique. Aborder les origines, c'est s'approcher dangereusement des tourbillons de la métaphysique. Les grands fondateurs de la paléontologie, tel un Georges Cuvier, écartèrent la question des origines de leurs travaux, une attitude fort intelligente qui leur évita de s'embarrasser de ces questions très polémiques. On décrit les « mondes perdus », selon le titre du célèbre roman d'aventures de Conan Doyle, mais on ne se pose pas la question des origines de ces mondes perdus. On comprend dès lors la force et l'audace du titre du livre de Darwin : *De l'origine des espèces au moyen de la sélection naturelle*. Darwin commet en effet un double blasphème en touchant aux origines et en évoquant des causes naturelles, autrement dit matérialistes, pour comprendre l'émergence du genre humain...

Quant aux éthologues, ils ne sont pas directement intéressés par la question des origines de l'Homme. Ils sont sur l'autre versant de nos origines et dans le dos du chaînon manquant. C'est dans une perspective évolutionniste nouvelle que leurs observations viennent, par la simplicité de la logique, reconstituer une partie de nos origines, des origines bien plus humaines qu'on n'imaginait. La honte des origines, ce n'est pas ce que nous partageons avec les grands singes, mais la honte d'avoir entretenu pendant si longtemps une telle ignorance indigne d'*Homo sapiens*.

*A nouveau des lumières sur les grands singes*

Une des découvertes les plus percutantes est celle de ces chimpanzés d'Afrique de l'Ouest qui emploient des outils en pierre ou des bouts de bois pour briser des noix très dures de coula. Ces chimpanzés des forêts de Taï en Côte-d'Ivoire et de Bossu en Guinée sont les descendants de ceux décrits par Savage et Wyman en 1844. Dans un article désormais canonique publié dans la revue *Nature* en 1999, une magnifique synthèse des observations réalisées par de nombreuses équipes après plusieurs décennies d'observations établit sans nul doute que ces grands singes ont des comportements culturels.

Cependant, la culture ne passe pas seulement par l'outil de pierre. Le réductionnisme forgé par la Préhistoire avec pour devise inaltérable « l'Homme, c'est l'outil de pierre » finit par s'écrouler sur lui-même. Outre les outils, les chimpanzés manifestent des différences comportementales pour la communication, les saluts, les pratiques de la chasse, l'accès à certaines nourritures, les façons de s'épouiller, etc. Les chimpanzés, comme les derniers orangs-outans survivant encore à Sumatra et à Bornéo, partagent avec nous ces aptitudes à innover et à diffuser de nouveaux acquis comportementaux dont certains se transmettent, devenant des traditions et marquant des différences culturelles entre les groupes.

Les chimpanzés vivent dans des groupes sociaux dont les structures et les organisations ressemblent à celles décrites dans les populations humaines. Ce sont des communautés composées de plusieurs mâles et femelles adultes et leurs jeunes. Contrairement à ce qu'on observe chez les autres mammifères et plus particulièrement chez les singes, ce sont les mâles qui restent sur leur territoire de naissance – mâles endogames et virilocaux – et les femelles qui migrent vers la fin de leur adolescence pour se reproduire dans un autre groupe – femelles exogames et allopatriques. Il n'y a donc pas d'inceste. La règle de l'exogamie des femelles n'est pas toujours respectée, comme pour les femelles du clan F de Gombé en Tanzanie, celui-là même étudié par Jane Goodall. Ces femelles forment un clan dominant, avec des mâles et des femelles dominants, et elles n'ont évidemment aucun intérêt à aller ailleurs. Dans ce cas, il importe d'éviter le risque d'inceste, ce qui est observé. Les individus font donc des choix en fonction d'enjeux de pouvoir et de reproduction et ils en assument les conséquences.

Ce sont bien les mœurs, bien plus que l'usage d'outils de pierre, qui troublent notre humanité. Chez les chimpanzés comme chez l'homme, on observe un éventail de comportements qui vont des plus sordides aux plus nobles. Les chimpanzés mâles forment des coalitions dans le seul but d'agresser leurs voisins ; ils se font la guerre. Au sein de chaque communauté, les luttes pour le pouvoir mobilisent toutes les ficelles du politique avec des coalitions, des trahisons, des soumissions, des alliances et parfois des meurtres. Les chimpanzés sont des singes machiavéliques et ces jeux de pouvoir intéressent autant les mâles que les femelles. Les conflits sont bien plus motivés par des enjeux sociaux que pour l'accès à des nourritures ou aux seuls privilèges du sexe. En fait, le partage de la nourriture comme les jeux très complexes entre les deux sexes interviennent dans les relations sociales et politiques. Des vies sociales aussi complexes requièrent les notions de bien et de mal. Aux agressions répondent des réconciliations pour résoudre les conflits, avec parfois des médiations menées par des intermédiaires. Cela passe aussi par une théorie de l'esprit puisqu'ils se montrent doués d'empathie et aussi de sympathie. Le mensonge, la félonie, l'amitié, le rire, la tristesse et la joie façonnent la vie des chimpanzés comme autant de manifestations de la conscience de soi, de l'autre et du groupe.

Il y a en outre les chimpanzés bonobos, aussi proches des chimpanzés que des hommes. Ils affichent les mêmes comportements que leurs frères tout en étant plus pacifiques, plus sexuels et plus dominés dans leurs relations par les femelles. Les bonobos suscitent même un grand engouement, surtout depuis que l'on a découvert que les chimpanzés partagent le même penchant pour la guerre que les hommes, effaçant en cela le mythe du bon grand singe sauvage, et ruinant tout espoir d'origines rousseauistes. On songe à Konrad Lorenz qui avait proposé un scénario des origines de l'agressivité humaine due à l'arrivée de nos ancêtres dans des milieux plus ouverts, censés cacher plus de dangers. Là, harcelés par les prédateurs de tout poil, nos ancêtres auraient appris à se servir de pierres, de bouts de bois, de gros os, de cornes, de défenses et de mâchoire dentées – ce que Raymond Dart appelle un outillage *ostéo-donto-kératique* – pour se défendre, et avec succès puisqu'ils ont survécu. Une version moderne du mythe d'Epiméthée et de la clairière. Puis ces premiers Hominidés seraient passés de la défensive à l'offensive, assurant leur domination sur les autres animaux. Hélas, cette adaptation d'ordre culturel si rapide n'aurait pas eu le temps de sélectionner des comportements à même de contrôler cette agressivité amplifiée par des outils devenus des armes. C'est ainsi que les armes se retournèrent contre les autres Hominidés.

La découverte très tardive des bonobos et de leurs mœurs plus paisibles, régulées par des activités sexuelles débridées, attire bien des sympathies. D'un côté, les singes de Mars – les chimpanzés et les hommes – et de l'autre les singes de Vénus – les bonobos. Hélas, le paradis n'est pas sur cette Terre et les bonobos peuvent aussi régler leurs affaires plus agressivement. Ils se distinguent tout de même par un comportement plus policé que leurs frères de nature.

Alors, lequel de ces deux chimpanzés est le plus proche de l'Homme ? Nul ne peut trancher cette question pour l'heure, notamment du côté de la systématique moléculaire. Quant à la préférence actuelle pour les bonobos, cela participe plus de l'affect que de la rationalité. Si on donne plus d'importance à l'usage d'outils, à la politique et à la guerre, les chimpanzés se montrent plus proches de nous ; si on privilégie une sexualité active et des relations plus soutenues entre les mâles et les femelles comme entre les femelles, alors ce sont les bonobos. De toute évidence, quelles que soient les conclusions à venir sur ces relations phylogénétiques, les différences comportementales décrites entre ces trois espèces ne se ramènent pas à de simples variations génétiques. Ce que nous dit la systématique moléculaire, c'est que les hommes, les chimpanzés et les bonobos partagent un dernier ancêtre commun qui vivait quelque part en Afrique il y a 5 à 7 millions d'années et que, depuis ce temps-là, nos lignées respectives n'ont pas cessé de diverger. Eux comme nous ont évolué depuis un dernier ancêtre commun qui possédait certainement toutes les caractéristiques comportementales encore reconnues chez ses descendants actuels. Depuis ces origines communes, bien moins obscures dorénavant car éclairées par toutes ces connaissances acquises récemment par l'éthologie, il nous faut reconstruire les histoires respectives de nos lignées. Ces origines communes sont comme une partition commune qui s'est jouée différemment au gré des circonstances et des contingences propres à chaque lignée. Cette autre conception de l'évolution nous oblige à repenser notre place dans la nature et nous met en face de responsabilités nouvelles.

*De quels droits !*

Empathie, morale, réconciliation, médiation, rire mais aussi conscience de soi comme de l'autre et de la mort ainsi que des notions de bien et de mal qui participent d'une théorie de l'esprit... Est-ce que ces grands singes, à commencer par les chimpanzés et les bonobos, sont des animaux humains, des animaux dénaturés ? Rappelons-le avec force : même si toutes ces caractéristiques humaines font l'objet de vives controverses, elles ont été mises en évidence par des femmes et des hommes de différentes cultures, de différentes religions, de différentes philosophies, de différentes langues aux parcours universitaires différents, mais qui ont tous en commun d'être des scientifiques et d'agir selon des méthodes scientifiques. C'est dans le cadre de la pensée humaniste et anthropocentrique de l'Occident que ces femmes et ces hommes doivent affronter une inquisition d'un autre âge avec accusation de matérialisme et d'anthropomorphisme. Cet humanisme d'exclusion peut-il être un humanisme ? On accuse d'attenter à la dignité de l'Homme. Voilà donc cette éminente dignité de l'Homme menacée par quelques grands singes maintenus trop longtemps dans l'ostracisme anthropocentrique ! Pauvres inquisiteurs tout désarmés voyant leurs piètres arguments d'une évidente supériorité de l'Homme fondée sur l'ignorance et surtout l'avilissement de nos frères de nature. Les grands singes nous rappellent que l'éminente dignité de l'Homme n'est ni un fait de nature ni un octroi divin, mais bien une réflexion propre à l'Homme qui ne peut revendiquer sa dignité qu'en se donnant pour tâche de construire un humanisme d'ouverture et non pas d'exclusion. D'aucuns pourraient s'offusquer de tels propos concernant les grands singes, mais les chapitres suivants dénoncent comment cette même logique d'exclusion de la pensée anthropocentrique occidentale s'est appliquée aux autres hommes et aux femmes. Une certaine intelligentsia française se gausse de ces procès du singe en Amérique ; les fondements de leur humanisme ne dépassent pas celui des fondamentalistes.

A l'époque où des chercheurs pénètrent sur les territoires naturels des grands singes, et donc bien avant que l'on mette en évidence toutes ces caractéristiques, le philosophe Clément Rosset publia sa magnifique *Lettre aux chimpanzés*, en 1965. Superbe plaidoyer humaniste, invite empreinte de sensibilité, d'empathie et de philosophie qui augure de nos débats actuels, ce manifeste se termine par un hommage à Teilhard de Chardin et à une lecture ouverte, humaniste, de son œuvre. Clément Rosset est rarement cité ; aussi obstinément qu'efficacement la pensée unique de la transcendance poursuit son nettoyage anthropocentrique.

De quel droit, non pas *les* hommes, mais *des* hommes s'arrogent-ils le pouvoir d'imposer leur seule vérité sur la communauté de tous les hommes dans la diversité de leurs pensées et de leurs cultures en justifiant l'exclusion puis l'extinction des espèces les plus proches de nous ?

Il ne s'agit pas là de relativisme, mais de souligner une fois de plus que, même au sein de la pensée occidentale, il existe d'autres sensibilités ouvertes sur un humanisme non pas révélé, mais un véritable humanisme engagé sur l'altérité avec une interrogation féconde qui cherche constamment à ne pas exclure. Que les inquisiteurs se rassurent, au train où vont les destructions des habitats naturels des grands singes, ils auront tous disparu avant 2050. Trois millénaires après Aristote, nous en sommes là. Au lieu de nous mener au ciel par l'élévation de notre pensée, l'échelle naturelle des espèces s'enfonce dans les profondeurs de la destruction sous le poids de l'insoutenable lourdeur de l'anthropocentrisme. Ce n'était pas le projet aristotélicien, mais nous en sommes là. Alors comment prétendre nous élever quand tout le reste aura disparu par notre seule suffisance ? Bientôt, il n'y aura plus d'espèces auxquelles nous comparer ; si c'est cela avoir raison, alors qu'est-ce que la raison ?

Est-il encore possible de revenir à l'esprit des Lumières, ce grand éveil de la pensée occidentale qui enfanta l'idée de genre humain et posa les fondements des Droits de l'homme ? Nombreux sont les philosophes qui s'intéressèrent aux grands singes. Jean-Jacques Rousseau se distingue par son *Discours sur les origines des inégalités*, postulant un état hypothétique des origines de l'Humanité et, comme le rappelle Claude Lévi-Strauss, répugnant à écarter les grands singes pour ne pas prendre le risque de les exclure hors du genre humain. L'Homme est un être de liberté et de raison, perfectible, qui peut s'amender, un être de culture. Posant la question de l'Homme sur ces bases, il est un des fondateurs de la pensée anthropologique. La perfectibilité ! Que ceux qui se réclament de Rousseau méditent ce concept.

Plus de deux siècles plus tard, les grands singes reviennent sur le terrain des origines de l'Homme. Ils ne sont ni bons – Rousseau – ni mauvais – Hobbes. Quoique certains n'hésitent pas à faire des choix, les bonobos pour Rousseau et les chimpanzés pour Hobbes. La question des origines rejoint en fait celle de notre liberté, avec cette opposition majeure entre des instincts qui l'entravent et des acquis qui la fécondent. Nos origines communes avec les grands singes, et notamment les chimpanzés, nous obligent à reconsidérer cette question de la liberté et surtout celle de la responsabilité.

Par notre histoire naturelle, nous l'avons vu dans le chapitre précédent, notre unicité se construit dans une arborescence de caractères qui nous lie au vivant, depuis nos gènes jusqu'à nos capacités cognitives. Les animaux ne sont pas des machines, ils ont des instincts, deux notions d'ailleurs trop souvent confondues. L'idée d'instinct suppose que des comportements ont été sélectionnés au cours de l'histoire évolutive des différentes espèces, ce qui suppose aussi qu'au cours de l'évolution les espèces ancestrales ont présenté des variations comportementales sur lesquelles ont agi la sélection naturelle, la sélection sexuelle et aussi... le hasard et la chance. Cela signifie qu'il y a toujours de la variabilité, ce qui écarte évidemment l'idée réductionniste d'animal-machine. Avec les grands singes, nous abordons la question des fondements naturels de nos comportements humains.

La notion fondamentale de dernier ancêtre commun évacue la dichotomie obsolète et désormais archaïque de l'instinct et de l'acquis. Au lieu de cela, il y a un état ancestral commun à partir duquel ont divergé différentes lignées, en l'occurrence les chimpanzés d'un côté et les Hommes de l'autre, pour les lignées ayant survécu jusqu'à nos jours. Sans jouer sur les mots, l'état du dernier ancêtre commun est ce qui a été acquis au cours de l'évolution avant que, récemment, vers 6 millions d'années, notre lignée se sépare de celle des chimpanzés.

Pour notre propos, il s'agit de tous les comportements, toutes les capacités cognitives et toutes les aptitudes sociales que nous partageons avec les chimpanzés (et dont certains se retrouvent aussi chez d'autres espèces phylogénétiquement plus éloignées, mais nous centrons ici la question sur le dernier ancêtre commun des Hominidés). On appelle cela des contraintes phylogénétiques. Il ne faut pas entendre par contraintes l'idée d'instincts figés par l'évolution. Il faut imaginer en fait un jeu des possibles. Cette notion de jeu des possibles renvoie à l'image d'un jeu de cartes – ce sont les contraintes – dont la distribution, la donne, les règles du jeu, les attitudes des joueurs font que les parties se déploient selon une infinité de possibles, mais on reste dans le même jeu.

Comment est apparu ce jeu des possibles mis en évidence récemment chez les grands singes et nous ? Cette question fait l'objet de vives recherches qui interfèrent avec les différentes théories de l'évolution et qui sont loin d'être résolues. Ce qui est acquis, c'est que les chimpanzés et nous avons un dernier ancêtre commun exclusif et que toutes les caractéristiques que nous partageons avec eux proviennent de ce dernier ancêtre commun. On applique en cela le principe de parcimonie, ce qui n'écarte pas la possibilité que ces caractéristiques communes découlent de convergences. Même dans ce cas, elles ont émergé de potentialités évolutives communes. De cette remarque, on retient surtout que la notion de contraintes phylogénétiques contient de la variabilité, de la liberté.

Les chimpanzés comme les hommes vivent longtemps au sein de groupes sociaux aux structures et aux organisations complexes. Les temps de l'enfance et de l'apprentissage sont très longs, ce qui favorise une souplesse adaptative considérable. L'évolution a fait que nous sommes génétiquement aptes à expérimenter, à éduquer, à transmettre. Ainsi François Jacob, dans *Le Jeu des possibles* édité en 1981, écrit : « Comme tout organisme vivant, l'être humain est génétiquement programmé, mais programmé pour apprendre. Chez les organismes plus complexes, le programme génétique devient moins contraignant, en ce sens qu'il ne prescrit pas en détail les différents aspects du comportement, mais laisse à l'organisme la possibilité de choix. L'ouverture du programme génétique augmente au cours de l'évolution pour culminer avec l'humanité. » Depuis la publication de ce livre, les éthologistes ont mis en évidence que cette ouverture du programme génétique, associée en fait à des systèmes de régulation génétique et non pas à des gènes *stricto sensu*, confère une plasticité adaptative liée aux périodes de la vie. Celles-ci sont évidemment très développées chez l'Homme, mais pas seulement chez l'Homme et, pour sortir de la lignée des Hominidés, on peut évoquer aussi les cétacés. Ainsi, contrairement aux anathèmes jetés à la face des biologistes par tant de spécialistes des sciences humaines qui exècrent tout ce qui a un rapport avec la génétique en l'Homme, l'évolution nous a octroyé la possibilité d'une plus grande liberté de choix. Le décryptage du génome humain en l'an 2003 – bien qu'incomplet – a surpris en révélant qu'il contient moins de 30 000 gènes ! Il en est de même pour celui du chimpanzé publié en 2005. C'est moins que dans la plupart des plantes et des animaux. Auparavant, on pensait que, puisque l'Homme est complexe, son génome devait contenir plusieurs centaines de milliers de gènes. Une adéquation, même aussi grossière, entre la complexité et le nombre de gènes prend pour hypothèse sous-jacente que nos caractères dépendent peu ou prou d'un ou de quelques gènes. Le réductionnisme et le déterminisme reposaient sur ce postulat quantitatif. Avec aussi peu de gènes, nous jouissons d'un génome gros de plasticité, au vocabulaire réduit, mais à la grammaire riche d'expressions. Voilà ce que nous a légué l'évolution, à nous comme aux grands singes.

## Evolution et planète des (grands) singes

Le roman *La Planète des singes* de Pierre Boulle livre une fiction accablante de l'histoire de l'humanité sur une Terre dominée par des grands singes. Cette histoire résonne étrangement depuis que l'on sait que les chimpanzés partagent tant d'aptitudes sociales, cognitives et culturelles avec nous. Alors attendent-ils leur tour tapis dans les forêts pour prendre notre place ? Il y a bien peu de chances pour que cela se produise au rythme auquel nous détruisons leurs habitats : des milliards d'hommes face à quelques dizaines de milliers de gorilles, de chimpanzés, de bonobos et d'orangs-outans dont les derniers refuges se réduisent comme peau de chagrin. Dans le pire des scénarios, que n'aurait pas imaginé Pierre Boulle, on pourrait craindre l'émergence d'un virus délétère qui sortirait des forêts tropicales pour décimer l'humanité, comme le terrible Ebola. Celui-ci a déjà entamé son œuvre de destruction en frappant très durement les populations de grands singes africains. Nous sommes tellement proches que nous courons les mêmes risques. C'est, en quelque sorte, le fardeau de nos origines communes. Laissons ces spéculations inquiétantes pour revenir sur la raison pour laquelle les chimpanzés ne seront jamais des Hommes et les Hommes jamais des chimpanzés : l'évolution.

Les chimpanzés, les bonobos et nous sommes issus d'un même dernier ancêtre commun. Depuis, ils sont devenus chimpanzés, bonobos et nous Hommes, sans oublier qu'il a existé, entre 6 millions et 1 million d'années, en Afrique plusieurs autres lignées à jamais éteintes. Cela signifie que les grands singes ne sont pas restés dans un état sous-évolué, comme le laisse entendre le schéma si prégnant de l'hominisation, version ultime de la *scala natura*. Ils ont évolué eux aussi, depuis ce même dernier ancêtre commun que nous partageons. Dès lors, nous n'avons pas cessé de diverger. C'est donc presque un paradoxe de constater, si récemment, combien nous nous ressemblons, alors que nous n'avons jamais été aussi différents.

D'où ces questions : pourquoi ne sont-ils pas devenus des hommes ? – on vient de donner la réponse. Comme on l'entend trop souvent, pourquoi n'ont-ils pas inventé l'outil en pierre taillée, utilisé le feu, acquis le langage, construit des habitats, etc. ? De telles questions procèdent d'une conception étriquée de l'évolution selon laquelle les espèces inventent des adaptations – biologiques et, pour notre lignée, culturelles – pour leur survie au gré des circonstances. Cela découle d'un pseudo-lamarckisme affligeant qui rend incompréhensibles des observations pourtant simples. Pour prendre un exemple, les grands singes possèdent des capacités d'abstraction symbolique mises en évidence par les nombreux travaux d'apprentissage d'un langage humain (par signes ou à l'aide de touches disposées sur des claviers d'ordinateurs) réalisés dans un contexte de laboratoire, dans un échange hommes/grands singes. Les résultats ont provoqué la stupéfaction : ces espèces possèdent des capacités cognitives longtemps considérées comme propres à l'homme qu'elles ne semblent pas utiliser ; en somme, la nature recèle des parcelles d'humanité endormies. En effet, c'est là toute la beauté de l'évolution, sa capacité à créer de l'inutile riche de potentialités.

Les sciences humaines dans leur tradition rousseauiste la plus pure ne peuvent plus ignorer l'évolution et les contraintes phylogénétiques propres à l'homme et aux grands singes. Elles se montrent néanmoins très pertinentes pour critiquer le réductionnisme biologique dont la version la plus contestée est la sociobiologie dans son approche la plus radicale, celle du gène égoïste. Opposer le tout-biologique au tout-culturel n'a pas plus de sens que de camper sur les notions d'inné et d'acquis. Comprendre notre évolution et ce qu'est l'Homme, c'est se donner un commencement nécessaire, ce que firent Rousseau et Hobbes en leur temps, mais mis en évidence par les avancées des connaissances et la reconstitution de notre dernier ancêtre commun. C'est depuis ces origines que nous sommes devenus des humains. Reste toujours cette question : et pourquoi pas les chimpanzés et les bonobos ?

C'est là que les sciences humaines ou, plus largement, les sciences sociales, prennent toute leur pertinence. En effet, la tradition évolutionniste et darwinienne campe sur le dogme d'un darwinisme qui rapporte tout à la sélection naturelle. Darwin lui-même n'était pas aussi darwiniste, comme en témoignent ses livres publiés en 1871 et en 1872 qui invitent à inscrire l'éthologie et la psychologie dans les travaux sur l'évolution. Autrement dit, les processus de sélection en jeu dans notre évolution ne se limitent pas à des pressions de sélection dues à l'environnement avec des avantages pour certains individus en termes de succès reproducteur. On conçoit que cela soit le cas pour des bactéries ou des espèces aux taux de reproduction très forts. Mais cela se révèle bien insuffisant pour des espèces avec de faibles taux de reproduction, très sociales et avec de grandes longévités. Les individus de ces espèces possèdent une ouverture du programme génétique qui admet une grande plasticité phénotypique et comportementale dans le registre de leurs contraintes phylogénétiques. C'est particulièrement vrai pour les Hominidés. Il y a donc des facteurs de sélection – il faut bien les appeler ainsi – bien plus complexes qui interviennent sur la trame des relations sociales.

Pour répondre à la question : pourquoi les chimpanzés et les bonobos n'ont-ils pas connu la même évolution que nous ? il faut s'intéresser à la dimension sociale et psychologique de l'évolution. Il suffit de comparer les différentes communautés de chimpanzés pour constater les différences d'ordre culturel dans les modes d'interactions entre les individus, dans les pratiques de la chasse et du partage de la nourriture ou encore dans l'usage des outils. Si, en raison de changements d'environnement, certains groupes se trouvent avantagés par rapport à d'autres, par exemple dans l'usage des outils, alors cette aptitude culturelle, auparavant propre à de rares groupes, deviendra dominante et intégrée dans les stratégies de survie de l'espèce. C'est certainement comme cela que les choses se sont mises en place pour le genre *Homo*, il y a environ 2,5 millions d'années du côté de l'Afrique de l'Est ; c'est ce qui pourrait se passer de nos jours avec les communautés de chimpanzés d'Afrique de l'Ouest, si on les laisse survivre. De même pour la communication symbolique et le langage. A partir des mêmes contraintes phylogénétiques, ce mode de communication a été renforcé dans certains groupes d'Hominidés engagés dans des conditions de survie qui nécessitaient des informations plus complexes. C'est ce qui s'est passé pour notre lignée, et peut-être d'autres, mais apparemment pas chez les chimpanzés et les bonobos. La question n'est donc plus pourquoi nous parlons, mais pourquoi nos frères les grands singes ne parlent pas : simplement parce que leur histoire naturelle n'a pas favorisé ces caractéristiques.

On aborde ici la notion d'*exaptation*, chère au regretté Stephen Jay Gould. Une exaptation est un caractère présent chez une espèce et qui ne présente apparemment aucun avantage adaptatif. Nos organismes sont bourrés d'exaptations, depuis nos systèmes immunologiques jusqu'à nos capacités cognitives, en passant par nos répertoires comportementaux ou locomoteurs. Prenons l'exemple si saillant dans les recherches sur l'évolution de l'Homme, celui des origines de la bipédie. Les observations sur les grands singes dans leurs habitats naturels révèlent l'occurrence fréquente de ce mode de déplacement, le corps redressé sur les jambes. Les plus assidus sont les bonobos, puis les chimpanzés, alors que les gorilles semblent les moins amateurs, surtout les mâles. Ces grands singes usent de la bipédie dans différentes circonstances par simple commodité, que ce soit pour menacer, transporter de la nourriture, des bâtons, des outils, des enfants, pour ne pas se salir les mains sur un sol boueux ou, tout simplement, selon des préférences individuelles. Dans toutes ces circonstances, l'aptitude à la bipédie n'offre pas un avantage décisif dans les rapports à l'environnement ou dans le cadre des interactions sociales. L'aptitude à la bipédie est une exaptation contenue dans le répertoire locomoteur des grands singes arboricoles habitués à se suspendre et à grimper verticalement le long des troncs d'arbre. Ce qui a été sélectionné au cours de l'évolution des grands singes arboricoles depuis plus de 13 millions d'années – d'après les fossiles *Morotopithecus* d'Ouganda et *Pierrolapithecus* d'Espagne –, c'est la suspension, le grimper vertical et des aptitudes à la brachiation (se déplacer sous les branches par mouvement alterné des bras). On parle de répertoire locomoteur et, dans la plasticité de ce répertoire, il y a la possibilité de se déplacer debout, que ce soit sur une grosse branche ou au sol. Des études de laboratoire montrent que le mode de recrutement des muscles du bas du dos, des hanches et du haut des cuisses est le même lors du grimper vertical que lors de la marche bipède. Les conditions nécessaires aux origines non pas *de la* bipédie mais *des* bipédies viennent de là, d'exaptations associées au répertoire locomoteur des grands singes ancestraux – Hominoïdes – à tous les grands singes africains actuels, ce qui comprend l'Homme. Les libertins du xviie siècle avaient déjà compris cela.

Depuis ces origines communes, plusieurs interprétations non exclusives peuvent rendre compte de l'évolution des bipédies selon les lignées. L'une, classique, fait intervenir les changements d'environnement. Des populations vivant dans des habitats forestiers se sont retrouvées dans des environnements plus ou moins ouverts, en mosaïque, dont la diversité favorise un usage varié du répertoire locomoteur. C'est l'aptitude à la bipédie dans notre lignée ; ce serait l'étonnante marche sur la phalange ou *knukle walking* chez les grands singes africains. D'un côté, un renforcement de l'exaptation aptitude à la bipédie ; de l'autre, de l'exaptation aptitude à marcher semi-redressé avec un appui sur des membres antérieurs touchant le sol au niveau des articulations entre les première et les deuxième phalange. D'une part, une spécialisation croissante pour une bipédie de plus en plus performante qui passe du statut d'exaptation à celui d'adaptation, avec une diminution des capacités au grimper vertical et surtout une réduction des aptitudes à la quadrupédie ; d'autre part, une quadrupédie vraiment originale au sol tout en conservant d'excellentes adaptations au grimper vertical et à la suspension et, selon les espèces, la conservation d'aptitudes plus ou moins marquées pour la bipédie. C'est bien ainsi que se fait l'évolution, en jouant sur la variabilité et surtout la plasticité au gré des changements d'environnement. Ainsi, la bipédie n'est pas apparue parce qu'il fallait être redressé dans les savanes – les babouins qui ont pris la place de nos ancêtres australopithèques en marge des savanes et des forêts bénéficient d'un beau succès évolutif... à quatre pattes ! Les origines des bipédies viennent de lointaines mœurs arboricoles et ancestrales : c'est bien ce que nous racontent les plus anciens fossiles rapportés à notre lignée, tel un *Orrorin* ou un Toumaï, tous les deux bipèdes ou tout au moins aptes à la bipédie, et associés à des environnement arboricoles.

Il y a aussi une autre explication, non exclusive de la précédente, qui se place cette fois dans un contexte social. Classiquement, comme on l'a dit ci-dessus, les adaptations sont pensées en rapport avec les habitats et leurs différentes composantes, les facteurs de sélection naturelle. Il y a aussi une dimension sociale liée aux caractéristiques des groupes ou des communautés. Se relever pour marcher redressé peut se faire pour de simples raisons de commodité ou pour interagir avec les autres, notamment pour menacer. Prendre cette position peut aussi signifier une attitude sociale particulière. Si se redresser est perçu comme l'affirmation d'un statut dominant, d'un défi ou d'une intimidation, alors l'usage de la bipédie se limite à ces contextes sociaux pour le moins tendus et ne peut se pratiquer à la légère. En revanche, si un jeune grandit dans un contexte social où l'usage de la bipédie fait partie des modes de déplacement choisis pour diverses commodités, il en adoptera volontiers l'habitude. C'est ce que montrent des expériences récentes : si on place des jeunes singes ou des grands singes dans un contexte social tel que les adultes se meuvent plus souvent redressés, arrivés à l'âge adulte, ils optent plus souvent pour ce mode de déplacement. Inversement, si un « petit d'homme », pour reprendre l'expression employée par les animaux du *Livre de la jungle* pour nommer Mowgli, se retrouve dans un environnement social composé d'individus quadrupèdes, comme les loups, il se déplacera à quatre pattes avec vélocité mais il aura toutes les peines du monde à acquérir une bipédie efficace, et ce d'autant plus qu'il renouera tardivement dans sa vie avec le monde des hommes bipèdes. Cet aspect social de l'environnement reste encore trop négligé dans les études consacrées à l'évolution de l'Homme.

Les libertins, s'inspirant des intuitions de Vanini, avaient plus de deux siècles d'avance sur les anthropologues. Ils avaient correctement interprété l'énigme du sphinx d'Œdipe sur ce drôle de mammifère qu'est l'Homme qui commence sa vie à quatre pattes. Les autres bipèdes, comme les oiseaux, commencent leur vie comme des bipèdes. Leurs parents ne leur montrent pas et ne les sollicitent pas pour se déplacer ainsi. Ils sont bien obligés de suivre leurs parents, mais ils n'ont d'autre option que de le faire sur deux pattes – l'apprentissage du vol est une autre affaire. Si un petit d'homme se retrouve dans un contexte dans lequel il ne reçoit aucune sollicitation pour marcher debout alors qu'il est génétiquement, non pas programmé, mais apte à la bipédie, alors il reste à quatre pattes. Voilà qui permet d'apprécier ce que sont ces contraintes phylogénétiques. Il s'agit en fait d'un jeu des possibles qui s'exprime très différemment en fonction des attitudes dominantes du groupe social, quelles qu'en soient les raisons.

Les libertins firent montre aussi d'une étonnante clair-
voyance en remarquant qu'un homme ou un grand singe
sur une échelle grimpe par l'alternance des mouvement
conjugués du bras gauche avec la jambe droite et vice et
versa, comme lors de la marche au sol. Et si on abandonne l'échelle, il suffit de regarder la marche au sol pour
noter la même alternance des membres – par bipèdes dia-
gonaux, comme pour le trot des chevaux et de tous les
mammifères – de l'homme, bien sûr, mais aussi des
grands singes lorsqu'ils sont debout ou à quatre pattes.
C'est pour cela qu'ils nous apparaissent si impression-
nants lorsqu'ils marchent, rien à voir avec l'allure à
quatre temps si paisible des autres quadrupèdes. Les
libertins avaient bien perçu combien la vie est riche de
liberté, celle qui invite à l'évolution.

Le raisonnement développé autour de la bipédie s'applique pour la culture, l'outil, la chasse, la communication, le langage, etc. Le petit d'homme a beau naître avec
des aptitudes cognitives pour l'acquisition du langage
articulé, s'il ne passe pas les premières années de sa vie
dans un contexte social humain, il ne parlera pas (cf. le
chapitre « L'Homme et l'enfant »). L'évolution nous a
donc mis dans une situation complexe qui fait que ce que
nous sommes résulte d'une dialectique entre nos
contraintes phylogénétiques – l'histoire naturelle de notre
lignée – et l'environnement naturel et surtout social dans
lequel se construit notre ontogenèse. Ainsi, si nous
sommes des hommes aujourd'hui, c'est autant dû aux
changements d'environnement traversés par nos prédé-
cesseurs qu'à la façon dont ils ont privilégié certains
comportements par rapport à d'autres. Dans cette autre
perspective de l'évolution, les chimpanzés sont devenus
chimpanzés, les bonobos sont devenus bonobos, les
hommes sont devenus hommes autant en réponse à des
pressions de sélection naturelle qu'en raison de choix

comportementaux opérés par leurs ancêtres respectifs, transmis, modifiés ou abandonnés au fil des générations.

C'est là la leçon fondamentale de la découverte de la plasticité génétique d'espèces telles que les nôtres et la mise en évidence de traditions et de cultures. Magnifique paradoxe qui récuse cette idée absurde d'une évolution dirigée – l'hominisation – qui, par essence, nie toute liberté tout en clamant que l'homme est libre. Triste aporie ! Au contraire, notre évolution – ce *nous* embrassant les grands singes et certainement d'autres lignées – nous a légué une ouverture, une liberté, à partir de laquelle les ancêtres des grands singes et des hommes actuels ont effectué des choix qui, à leur tour, ont été soumis aux aléas de la sélection naturelle, de la sélection sexuelle et... de la chance. Certes, on pourrait arguer que nos ancêtres ont fait les bons choix puisque nous sommes là pour en juger. C'est une appréciation *a posteriori*, panglossienne pour évoquer ce bon docteur Pangloss raillé par Voltaire dans *Candide*. C'est oublier que d'autres choix furent réalisés dans bien d'autres lignées de notre famille africaine des Hominidés, des choix qui leur ont assuré un succès pendant un certain temps, avant de s'éteindre comme Lucy et les australopithèques. C'est bien cela qu'il faut comprendre de notre évolution : nous sommes partiellement contraints, donc libres, et il est de notre responsabilité, de nos choix, de faire en sorte que l'humanité puisse continuer. Instruits dorénavant de ce qu'est l'évolution, il en va de notre responsabilité.

*Quel humanisme ?*

Au temps des Lumières, des philosophes s'interrogèrent sur les limites du genre humain alors même que leurs réflexions conduisaient à l'élaboration des Droits de l'Homme. Ce sont les anatomistes – Buffon, Daubenton,

Camper... – qui élèveront des critères refoulant les grands singes dans la nébuleuse des singes. Deux siècles plus tard, les grands singes frappent à nouveau au seuil de l'humanité. Le chemin a été long, même si Darwin, Huxley et d'autres, comme Carl Vogt ou Ernst Haeckel, édifièrent les bases de nos ressemblances. Ce chemin a été ouvert par quelques paléoanthropologues osant soulever le voile de nos origines communes avec les grands singes puis par des éthologues d'une pugnacité rarement saluée. Car la pire des jungles pour eux, et surtout pour elles, n'étaient pas leurs terrains d'étude, aux conditions si rudes et parfois si dangereuses, mais le milieu universitaire. Leurs observations comme les expériences faites dans divers laboratoires ont réhabilité les grands singes : ils remontent tous les échelons de l'échelle des espèces – comme des bipèdes. Ils se réapproprient tout ce qui fait le propre de l'Homme, pas comme des hommes – ils ne seront jamais des hommes –, mais en nous livrant l'état de nos origines déjà si profondément humaines.

Depuis quelques années, un fort mouvement international plaide pour une extension des Droits de l'Homme aux grands singes. Les défenseurs de l'éminente dignité de l'Homme s'en offusquent. Est-il donc si dégradant de reprendre les réflexions des grands philosophes des Lumières ?

Le mouvement le plus avancé s'intitule GAP (*Great Apes Project* : le projet Grands Singes). Soutenu ardemment par Peter Singer et Paola Cavalieri, il s'inscrit dans la tradition philosophique dite utilitariste. Ses fondements, qui remontent à la Renaissance et à des philosophes comme Bentham, stipulent que tout être sensible a des droits. Ces droits et leur étendue dépendent de la « valeur » des individus et de leurs aptitudes à souffrir. Une telle appréciation appliquée dans sa logique extrême conduit à admettre qu'un chimpanzé doué de raison et en bonne santé physique et mentale prétend à plus de droits qu'un enfant humain affecté de tares physiques ou psychologiques fortement handicapantes. Les fondements d'une telle approche se passent des limites entre espèces, les différences entre espèces étant par ailleurs considérées comme les marques du *specism* – ou, selon un néologisme nécessaire, du spécisme – qui est l'équivalent du racisme ou du sexisme parmi les hommes. On retrouve l'idée d'une continuité chère à la *scala natura* et même au béhaviorisme qui n'a cure des différences spécifiques. Inutile de préciser que cette position radicale soulève de sérieuses polémiques. Elle a au moins le mérite de nous mettre – là encore – en face de nos responsabilités.

Pour ma part, les Droits de l'Homme sont pour les Hommes, quelles que soient leur origines ethniques ou géographiques, quels que soient leur sexe et leur âge – rappelons que les Droits de l'Homme n'ont longtemps été réservés qu'à quelques hommes/mâles. Ces droits s'appliquent à tout individu né de parents de l'espèce humaine – ce qui doit inclure tous les enfants conçus par procréation assistée et bientôt par clonage – et quel que soit son état physique ou psychologique [1]. Quant aux grands singes, nous devons leur octroyer des droits tout aussi humains que spécifiques, des droits qui dépassent les droits universels des animaux reprécisés et redéfinis en 1989 devant l'assemblée de l'ONU (*L'Homme, le singe en mosaïque*). Outre que le concept d'animal pose de réelles difficultés en raison de son principe d'exclusion basé sur une ignorance entretenue de ce que sont les animaux, il s'avère complètement erroné à propos des grands singes. Ces droits sont d'autant plus urgents que, sans cela, les grands singes auront disparu à jamais dans

---

1. Il est évident que, présenté ainsi, on évoque la notion de personne et que, en évoquant l'âge, le clonage et les handicaps, on aborde des questions très sensibles concernant l'éthique, le droit à l'avortement, etc., qui dépassent le cadre de cette discussion.

les décennies qui viennent. De quel droit pouvons-nous laisser disparaître cet autre pan de notre humanité ?

Des anthropologues et des éthologues objectent que la définition de tels droits aurait pour effet d'entraîner des revendications du même ordre pour les autres singes, puis pour tous les autres animaux. Certaines cultures, et pas des moindres, respectent toutes les formes de vie. En réalité, ce n'est là qu'une argutie, car les anthropologues comme les éthologues connaissent fort bien ce en quoi les hommes, les grands singes et les singes diffèrent et se ressemblent. Que ce soit pour les relations phylogénétiques basées sur les systèmes génétiques, l'anatomie, la locomotion, les systèmes sociaux, les comportements comme les capacités cognitives, les grands singes se situent bien plus près des hommes que des autres singes. Il est donc très facile de définir à quelles espèces de tels droits peuvent s'appliquer ou non. Il est infondé de récuser une question de principe par l'évocation d'un faux problème technique.

D'autres s'interrogent sur la pertinence de l'attribution de droits alors que leurs récipiendaires ignorent toute notion de devoir. On se demande alors à quoi servent les droits, si ce n'est pour protéger aussi les plus faibles. C'est une version sophiste de ces principes d'exclusion qui, si on en acceptait la fallacieuse argumentation, exclurait les enfants, les handicapés physiques ou mentaux, les grands malades comme les séniles, en un mot, tous ceux affectés par les malheurs de la vie. C'est aux plus forts qu'incombe le devoir d'octroyer des droits aux plus faibles et de les faire respecter. De quel droit ou de quel humanisme peuvent se revendiquer les penseurs pour tenir de tels propos ?

Ainsi, la paléoanthropologie réinterroge notre humanité, non pas en démontrant une quelconque finalité de l'évolution, mais en éclairant nos origines communes avec les grands singes. Ces origines n'ont rien de honteux ou de simiesque, selon une conception dévoyée de l'Homme. Depuis le siècle des Lumières, la question de nos origines est liée à celle des Droits de l'Homme. En ce temps-là, tout se passait dans le seul monde occidental et en référence aux connaissances disponibles sur le genre humain et la place de l'Homme dans la nature. Il y avait cependant une volonté de savoir. Avec le XIX<sup>e</sup> siècle, la montée en puissance de l'Europe a entraîné une ferme-ture associée à une vision du monde centrée sur des valeurs et des concepts détournés dans le sens de l'exclu-sion. Fort heureusement, l'Occident développe et diffuse la pensée scientifique, ce mode d'interrogation du monde basé sur une rationalité universelle. Alors, quand des femmes et des hommes de diverses cultures et d'autant de pays participent aux mêmes observations sur nos frères les grands singes, cela interpelle notre humanisme. Sauver les grands singes, leur attribuer des droits humains, c'est poursuivre cette quête propre à l'Homme, celle des origines. La paléoanthropologie, la Préhistoire et l'éthologie n'ont pas vocation à remplacer les cosmogo-nies du monde, mais elles révèlent ce que sont nos ori-gines communes, donc universelles. Si nous ne prenons pas conscience de cette urgence, nous aurons la responsa-bilité d'avoir fait disparaître à jamais ce qui unit tous les hommes dans la diversité de leurs cultures et de leurs cosmogonies. Quel humanisme, après cela ?

L'évolutionnisme et tout ce qu'il comporte n'a pas pour projet de fonder une morale, de définir des droits. Mais en tant que science, les faits rapportés et validés par une communauté internationale de femmes et d'hommes ne peuvent être ignorés. Quel bel acquis de l'intelligence et des sciences que d'avoir balayé la honte des origines ! Au fait, comment s'est terminé *Le Procès du singe* ? Dans le film, le défenseur de Scopes, Spencer Tracy dans le rôle de Dawson, sort en dernier de la salle du tribunal, empor-tant avec lui *De l'origine des espèces* de Charles Darwin. Il s'aperçoit qu'il a oublié un autre livre, qu'il joint à l'autre, la Bible.

# 4

## L'Homme et les autres hommes

### Le congrès de Valladolid

> « *Le barbare, c'est d'abord l'homme qui croit en la barbarie.* »
>
> Claude Lévi-Strauss

Après la *Reconquista*, la reconquête de toute la péninsule Ibérique par les Rois Catholiques de Castille et d'Aragon, le Portugal et surtout l'Espagne poursuivent leur expansion vers le Nouveau Monde découvert par Christophe Colomb. Un même mouvement de conquête, mais avec des motivations et des enjeux tout autres, et surtout le choc entre des peuples très différents. Le combat entre les croyants et les non-croyants – entendons les chrétiens contre les musulmans et inversement, sans oublier toutes les hérésies – est-il de même nature qu'entre des croyants et des païens ? Est-ce que les Indiens d'Amérique sont des hommes comme les autres hommes et, selon la réponse à cette question, quel type de guerre, de conquête et de sort est-il légitime de leur infliger ?

Les effroyables violences commises par les conquistadors et le génocide qui s'ensuit des populations de Cuba et d'Amérique centrale et du Sud – de telle sorte qu'il faudra importer plus tard des esclaves d'Afrique comme

main-d'œuvre dans les plantations, du « bois d'ébène »
pour la canne à sucre et le coton – finissent par préoccu-
per des juristes et des théologiens espagnols, et bientôt
l'empereur Charles Quint.

Charles Quint suspend les conquêtes dans le Nouveau
Monde le 16 avril 1550. Quatre mois plus tard il
convoque un congrès de quatorze membres composé de
quatre théologiens – trois dominicains et un franciscain –,
deux membres du Conseil royal, six membres du Conseil
des Indes, un évêque et un membre du Conseil des ordres
chevaleresques. Ils se réunissent dans la chapelle du couvent de San Georgi qui résonne bientôt des controverses
entre les deux contradicteurs, Fray Bartolomé de Las
Casas et Ginés de Sepúlveda.

Le dominicain Las Casas, évêque des Chiapas depuis
1540, défend les Indiens et leurs droits auprès des rois
d'Espagne et du Conseil des Indes. Il soutient l'égalité de
ces peuples du Nouveau Monde avec tous les autres
peuples et a publié plusieurs mémoires pour dénoncer
les cruautés commises par les conquistadors. Il s'oppose
depuis des années à Sepúlveda, chanoine de Cordoue qui,
quant à lui, ne s'est jamais rendu dans les Amériques. Ses
connaissances ne sont que livresques et cet érudit pétri
d'humanités se réfère à une lecture très réductionniste
d'Aristote pour justifier la brutalité inouïe de la *conquista*.

Selon son interprétation des écrits d'Aristote, Sepúlveda considère comme légitime de soumettre par les
armes les « barbares » jugés incapables de se gouverner
par eux-mêmes. Leur sort est d'obéir à des hommes qui,
par leur prudence, leur vertu et leur religion, pourront
en faire des humains, ou en tout cas des êtres plus
humains. S'ils refusent de se convertir, alors l'usage de la
force, des armes et les exécutions deviennent légitimes.

Las Casas rétorque qu'Aristote reconnaît quatre catégories de barbares. Une seule d'entre elles se montre incapable de se gouverner par elle-même, ce qui n'est pas le

cas des Indiens d'Amérique qui ont des lois, des coutumes
et des croyances, même si certaines horrifient comme les
sacrifices humains et l'anthropophagie. Il ne manque pas
de faire remarquer que les massacres perpétrés par les
Espagnols au nom de la déesse cupidité – on ne peut
plus païenne au yeux de la chrétienté – font bien plus de
victimes que ces coutumes abominables. Las Casas se
réfère aussi à l'action du Christ et de ses disciples qui
convertissent à la foi ceux qui ne l'ont jamais reçue,
reprenant la parabole des brebis égarées. Pour l'un, Las
Casas, tous les hommes peuvent recevoir l'enseignement
de la foi ; pour Sepúlveda, ceux qui ne l'ont pas restent
des barbares qu'il faut sacrifier avec leurs idoles. L'un
soutient que c'est par la douceur et la persuasion que l'on
convertit les païens et l'autre, citant saint Augustin, que la
guerre facilite la prédication. Pour l'un, tous les hommes,
quelles que soient leurs croyances, sont des enfants du
Seigneur ; pour l'autre, ils n'appartiennent pas par nature
au peuple de Dieu.

Le congrès reprend l'année suivante pour s'achever en
1552 sans que l'un ou l'autre parti ne l'emporte. Les
ordonnances publiées à Valladolid en 1556 autorisent la
reprise de la conquête mais sans violences (!), puisque
dorénavant les textes parlent de « peuplement ». L'un des
plus grands génocides de tous les temps perpétré par les
Européens du Sud se poursuit, en Amérique du Sud et en
Amérique centrale, quelques années avant que les Indiens
d'Amérique du Nord soient opprimés et massacrés par
des Européens du Nord. Pendant tout ce temps, la mondialisation de l'esclavage marque les heures les plus
sombres de l'histoire de l'humanité.

*A la rencontre des autres hommes*

Le soleil ne se couche jamais sur l'empire de Charles Quint, dit-on. Les scientifiques et les grands voyageurs confirment que la Terre est ronde, ce que le Moyen Age n'ignorait pas avec Roger Bacon ou Thomas d'Aquin. On en fit vite le tour, même avec les lourdes caravelles. Les pillages des conquistadors donnent l'impression d'autant d'eldorados saccagés par leur cupidité. Si le paradis avait existé, l'auraient-ils plus respecté ? Les voyages et les conquêtes finissent par éteindre tout espoir de trouver le paradis sur la Terre. Cette belle illusion revient à l'âge classique, cette fois sur les îles de l'océan Indien et d'Océanie, distillant les derniers mirages jusqu'à la fin du XIXᵉ siècle.

La Renaissance et les siècles qui ont suivi marquent une période unique dans l'histoire de l'Humanité : la rencontre de populations humaines isolées depuis des siècles ou des millénaires, depuis que notre espèce *Homo sapiens*, sortie d'Afrique il y a plus de 60 000 ans, s'est répandue sur toute la Terre. Il y eut bien sûr des rencontres entre des peuples très éloignés, comme les premiers Vikings accostant au Groenland et en Amérique du Nord ; il y a cette étonnante momie d'un homme occidental trouvée dans la nord de la Chine, habillée d'un tartan écossais et datée de plusieurs siècles. La Chine, il y a cinq siècles, entreprend une phase d'expansion géographique considérable, au moyen de navires bien plus grands et performants que ceux de tout l'Occident. Puis, soudainement, un empereur décide d'un repli sur l'empire du Milieu. Hérodote, Marco Polo et bien des voyageurs d'autres cultures rencontrèrent d'autres peuples et les récits de leurs voyages eurent un grand succès. La Route de la soie, l'exploitation de la canne à sucre, le commerce hanséatique, etc. établirent des contacts entretenus entre divers peuples, parfois fort éloignés géographiquement et culturellement. Mais tous ces voyageurs, d'où qu'ils partent et où qu'ils aillent, arrivent toujours quelque part où il y a déjà des hommes. Comme James Cook qui, chaque fois qu'il s'approche des parages d'îles inconnues, perçoit même, avant d'accoster, qu'elles sont habitées car il voit de la fumée... et il n'y a pas de fumée sans hommes. Partout où des hommes posent le pied, descendant d'un cheval, d'un dromadaire ou d'un bateau, ils rencontrent d'autres hommes.

Comment sont perçus ces autres hommes ? Las Casas se réfère lui aussi à Aristote en classant les hommes en civilisés et différentes catégories de barbares. Ces catégories changent avec l'essor des monothéismes : il y a les croyants, les mécréants, les infidèles, les païens, les idolâtres, les hérétiques, etc. Les uns renvoient leurs catégories aux autres et les conflits comme les guerres se justifient par des questions de croyances. L'enjeu, considérable, de la controverse de Valladolid, consiste donc à savoir si les païens et les idolâtres peuvent être convertis ou non, et par quels moyens.

Les différences entre ce qu'on ne qualifie pas encore de races sont étrangères à la pensée de cette époque. Tous les hommes sont des créatures de Dieu, ou du démon. Qu'ils méritent ou non le salut réside dans la foi et non dans la couleur de la peau. Il n'y a pas encore de questionnement d'ordre anthropologique. Une riche iconographie des épisodes de la Bible montre l'arche de Noé sauvant les animaux du Déluge – un couple pour chaque espèce – alors que les fils de Noé représentent la diversité des hommes. Las Casas passe à côté d'un argument fondamental : le monogénisme des monothéismes fondé sur les textes de la Bible. Dieu a créé un seul homme à son image. Puis sa descendance se multiplia et se diversifia. Il n'y a qu'une seule espèce d'Homme.

## L'arche de Noé d'Homo sapiens

La chronologie de l'émergence de la lignée humaine est mille fois plus ancienne que celle de la Bible : 6 millions d'années. Cela commence quelque part en Afrique, à l'est ou à l'ouest avec *Orrorin* ou Toumaï. Les premiers hommes apparaissent bien plus tard, toujours en Afrique, vers 2 millions d'années. On les appelle *Homo ergaster*. Parmi les nombreuses espèces de notre famille qui ont précédé les australopithèques et celles contemporaines d'*Homo ergaster*, cette espèce semble la première à être capable de vivre loin des arbres. *Homo ergaster* sort du berceau africain pour se retrouver en Géorgie, à Dmanisi, dès 1,7 million d'années, aux portes de l'Europe et de l'Asie. C'est la première expansion du genre humain hors d'Afrique alors que toutes les autres lignées de notre famille s'éteignent entre 1,7 et 1 million d'années. Premier paradoxe puisqu'un seul rameau de notre famille (jadis si diversifiée) se disperse en Europe et en Asie, alors que les autres lignées s'éteignent.

On sait peu de choses sur les modalités d'évolution du genre *Homo* entre 1,7 million d'années et 700 000 ans. On retrouve des vestiges archéologiques et fossiles aussi bien en Afrique que sur les franges méridionales de l'Eurasie, mais s'agit-il d'une seule espèce ou de lignées humaines déjà séparées ? Quoi qu'il en soit, différentes lignées se profilent avec les Néandertaliens en Europe, en Asie centrale et au Moyen-Orient ; des *Homo erectus* et des Hommes de Solo en Asie et à Java ; des *Homo sapiens*, notre espèce, en Afrique et au Moyen-Orient. Si on ajoute les petits Hommes de Florès qui se retrouvent isolés sur cette île à l'est de Java, cela fait pas moins de quatre espèces d'Hommes réparties dans l'Ancien Monde.

Nous voici donc au seuil de l'humanité moderne avec ces quatre espèces – *Homo sapiens, Homo neanderthalen-*

*sis*, *Homo soloensis* et *Homo floresiensis* –, des représentants du genre *Homo* répartis sur tout l'Ancien Monde il y a seulement 60 000 ans de cela. Tous ces hommes maîtrisent le feu depuis fort longtemps et disposent de technologies et de cultures qui participent de la période la plus récente et la plus riche de la Préhistoire. Les *Homo sapiens* comme les Néandertaliens enterrent leurs morts depuis au moins 100 000 ans alors que les plus anciennes traces de traitement du corps des défunts remontent à plus de 300 000 ans. Des croyances qui admettent que la mort n'efface pas tout, l'esthétique et bientôt les frémissements de l'art témoignent d'idées et de pensées entrant dans une pluralité très ancienne des représentations du monde et d'autres mondes.

Les avancées récentes de la paléoanthropologie et de la préhistoire établissent de plus en plus solidement, scientifiquement, ce paysage d'une humanité composée de plusieurs espèces d'Hommes. Cela n'a pas été sans des difficultés, et les controverses d'hier et d'aujourd'hui sont dignes de celles du congrès de Valladolid.

L'idée de l'unicité de l'Homme fait à l'image de Dieu marque profondément la paléoanthropologie. Jusque dans les années 1980, elle domine le schéma d'une évolution linéaire et progressive calée sur la *scala natura*. La distribution discrète des fossiles humains dans la succession des niveaux archéologiques comme au fil des strates géologiques décrit une évolution linéaire avec, pour reprendre la fresque d'André Leroi-Gourhan, ce cheminement de l'hominisation avec le redressement progressif du corps, une bipédie de plus en plus assurée, la libération de la main, l'évolution des techniques de la taille de la pierre et le développement du cerveau qui culminent chez *Homo sapiens*.

La linéarité de l'hominisation va être brisée par les Néandertaliens du Proche-Orient. Là, on découvre des sépultures néandertaliennes très anciennes et apparemment contemporaines des plus anciennes tombes d'*Homo sapiens*. Les contextes archéologiques font partie du même complexe technoculturel dit du Paléolithique moyen ou, en l'occurrence, du Moustérien. C'est ce que confirment de nouvelles méthodes de datation absolue – des méthodes capables de donner des âges en années basées sur différents phénomènes atomiques : des Hommes de Neandertal et des *Homo sapiens* vivaient dans la même région du monde depuis 100 000 ans ! Sans que l'on sache vraiment la qualité des relations qu'ils pouvaient avoir entre eux, ils participent d'une même entité technique et culturelle et manifestent une véritable spiritualité. Alors on plaça tous ces hommes dans la même espèce avec deux sous-espèces, *Homo sapiens neanderthalensis* et *Homo sapiens sapiens*. Une seule humanité pensante et spirituelle issue de l'évolution. Est-ce là une attitude humaniste digne de Las Casas ou la volonté de conserver le caractère distinctif et unique d'une seule espèce pensante, *Homo sapiens*, quitte à y inclure des hommes n'ayant pas achevé complètement leur hominisation ? Les Néandertaliens anticipent de 40 000 ans le sort des Indiens d'Amérique passés à côté de la foi.

Les recherches en paléoanthropologie de la dernière décennie tendent à mettre en évidence une différence au niveau de l'espèce entre les Néandertaliens, appelés à nouveau *Homo neanderthalensis*, et les *Homo sapiens*. Un faisceau convergent d'études consolident cette hypothèse. Du côté des fossiles, on suit les modalités d'évolution de ces deux lignées, l'une en Europe et l'autre en Afrique et au Proche-Orient. Des travaux d'anthropologie physique sur le développement ontogénétique et la morphologie soulignent des différences significatives. Même conclusion à partir de la génétique historique, car on a pu extraire et comparer de l'ADN fossile de Néandertaliens avec celui d'*Homo sapiens* actuels et d'autres

contemporains de ces Néandertaliens. Nous voici donc
avec deux espèces contemporaines, ce qui signifie que les
femmes et les hommes de ces deux types d'*Homo* ne pouvaient pas se reproduire entre eux. Même s'il n'est pas
évident d'établir une distinction au niveau de l'espèce
pour des formes fossiles – ce qui n'exclut pas des cas de
formes d'hybridations jusqu'à présent fort discutées –, il
se confirme que deux types d'Hommes se partageaient la
partie occidentale de l'Ancien Monde et se rencontraient
au Proche-Orient entre 100 000 et 50 000 ans. Question :
sont-ils tous aussi humains ou pas ?

Dès que l'on forge des critères, dès que l'on classe, on
voit poindre toutes les exclusions. Et c'est bien le sort que
des paléoanthropologues héritiers de Sépúlveda desti-
nent à *Homo neanderthalensis*. Depuis la découverte officielle du premier Homme de Neandertal en 1856, cet
homme fossile si proche de nous ne cesse de faire l'objet
de jugements dégradants. Les hommes de Neandertal
sont décrits successivement comme des imbéciles, des
êtres pathologiques, des bipèdes marchant le dos voûté
et la tête penchée vers le bas. Plus récemment on conteste
leur aptitude au langage, on récuse par principe tout
témoignage d'expression artistique et on remet en cause
l'authenticité de leurs tombes, suggérant même qu'ils se
contentaient d'imiter en cela les *Homo sapiens*. Pourquoi
une telle obstination à faire de l'altérité des critères d'exclusion plutôt que de louer l'expression de la diversité au
sein d'une même humanité ?

Les contempteurs de l'humanité d'*Homo neanderthalensis* en appellent aussi à la sanction de l'évolution : si tous
les autres hommes ont disparu de la planète et pas
nous, c'est bien que nous sommes les plus évolués,
comprendre : l'espèce élue. *Homo sapiens* est soit l'aboutissement d'un processus téléologique soit le plus bel
exemple de la survie du plus apte selon un darwinisme
aussi cynique que caricatural. Que répondre à cela ?

Le succès évolutif de notre espèce est incontestable. Il repose sur un héritage phylogénétique qui admet une grande souplesse phénotypique de nos organismes et, bien sûr, des capacités cognitives qui ouvrent le champ immense des innovations techniques et culturelles. Il y a à peine 60 000 ans, différentes espèces d'Hommes se partagent l'Ancien Monde et occupent de vastes régions dont les limites fluctuent au gré des changements climatiques imposés par les glaciations. Il semble que les Néandertaliens – les hommes des latitudes septentrionales qui s'étendent sur l'Europe et l'Asie centrale – descendent sur le Moyen-Orient lors des épisodes glaciaires accompagnés de faunes septentrionales ; lors des stades interglaciaires ils remontent, alors que les *Homo sapiens* des latitudes plus méridionales poussent jusqu'au Moyen-Orient en compagnie de la faune africaine. Ces migrations latitudinales – et d'autres d'est en ouest – modifient la géographie des régions occupées par ces deux espèces, et le fait que cela réponde à des pressions climatiques suggère qu'aucune ne manifeste d'avantages biologiques ou culturels significatifs sur l'autre. On parle dans ce cas de para-espèces.

Cet équilibre se rompt avec l'expansion de l'Homme moderne, des *Homo sapiens* plus récents appelés Hommes de Cro-Magnon, c'est-à-dire nous. Il s'agit d'*Homo sapiens sapiens* mais dans une acception différente de celle évoquée précédemment. Ces populations ont pour principal foyer d'origine l'Afrique d'après les données de la génétique historique, mais avec des variantes régionales très difficiles à démêler. S'il est clair que l'Afrique constitue le berceau principal des origines de l'Homme moderne vers 50 000 ans, le fait que des *Homo sapiens* plus archaïques aient occupé l'ensemble de l'Afrique, mais aussi le Proche-Orient et le Moyen-Orient depuis au moins 100 000 ans, rend la reconstitution des modalités d'apparition de l'homme moderne très complexe et ce d'autant plus que les *Homo sapiens* naviguent par cabotage et se montrent capables de traverser des bras de mer depuis au moins cette époque. Les Hommes – et *Homo sapiens* moins que tout autre –, ne migrent pas seulement de l'Afrique vers les autres régions de l'Ancien Monde, et cela ne leur est pas arrivé qu'une seule fois, du fait notamment de la pression des changements climatiques imposés par les glaciations.

Face à la complexité de l'histoire des peuplements humains récents, un fort courant du petit monde des paléoanthropologues se réfère aux mythes bibliques. C'est ainsi que des *Homo sapiens sapiens* émergent quelque part en Afrique, de préférence en Afrique de l'Est (le paradis ne se trouve-t-il pas à l'est ?). Quelles qu'en soient les raisons – jamais explicitées –, ces premiers hommes modernes sortent d'Afrique en franchissant le seuil du Proche-Orient, ce qui rappelle l'aventure plus récente d'un peuple qui se libère en traversant la mer Rouge. Nantis de capacités cognitives supérieures et por-teurs de la révolution symbolique – ce qui rappelle aussi un peuple guidé par la croyance en un Dieu unique –, ces hommes entament la conquête de tout l'Ancien Monde et remplacent toutes les autres espèces d'Hommes : les Néandertaliens en Europe et en Asie occidentale, les Hommes de Java, ceux de Florès et d'autres encore trop archaïques dispersés en Asie. Ils ne s'arrêtent pas là puis-qu'ils atteignent l'Australie vers 50 000 ans et bientôt les Amériques vers 35 000 ans. Depuis, *Homo sapiens sapiens* est le seul animal capable de vivre sur l'ensemble de la Terre. L'Homme, désormais réduit à une seule espèce pla-nétaire, ce dont les hommes n'ont pas encore conscience, commence à porter son regard sur d'autres horizons.

Cette adaptation biblique de la période la plus récente de notre évolution est ardemment soutenue par l'école américaine ainsi que par les paléoanthropologues euro-péens et ceux du Bassin méditerranéen qui collaborent étroitement avec eux. Ce modèle est appelé celui de l'arche de Noé et *Out of Africa*. Il va sans dire que les paléoanthropologues chinois se montrent plus sceptiques. Pour la grande école chinoise de paléoanthropologie, l'idée d'une vague *sapienne* venue directement d'Afrique va à l'encontre de leur vision du monde centrée sur l'empire du Milieu. Ils développent un programme scientifique très ciblé ayant pour projet d'établir la très grande ancienneté du peuple chinois par rapport aux autres peuples *Homo sapiens*. Les avancées des connaissances dans le domaine de la génétique historique ruinent cette idée. Les anthropologues chinois, comme leurs collègues japonais, admettent qu'une partie du patrimoine génétique des peuples asiatiques a des origines africaines tout en soulignant, avec pertinence, qu'il n'y a pas eu un processus de remplacement comme pour les Néandertaliens en Europe. Il y a eu plusieurs vagues de peuplement et des mélanges pendant des dizaines voire des centaines de milliers d'années, ce qui rend compte à la fois d'une certaine continuité évolutive régionale et aussi de l'étonnante homogénéité de l'Homme moderne sur l'ensemble de la planète. Quant à l'Europe, cela fait très peu de temps que les paléoanthropologues ont fait le deuil de l'origine européenne d'*Homo sapiens sapiens*, et ce n'est pas faute de l'avoir cherchée ni de l'avoir postulée.

## Renaissance du genre Homo

La paléoanthropologie, l'archéologie préhistorique ainsi que la linguistique et la génétique historiques se rejoignent pour dresser un tableau du peuplement récent de la Terre par *Homo sapiens* aussi complexe que la diversité de ses peuples. Ce grand mouvement centrifuge qui s'étend sur plusieurs dizaines de milliers d'années finit par envelopper la planète. Il cesse à la Renaissance quand les Européens entament leurs grands voyages puis leurs conquêtes de nouveaux mondes. C'est ainsi que des populations parties d'Afrique et migrant d'ouest en est à travers l'Asie finissent par aller jusque dans les Amériques et, là, sont fatalement rejointes par d'autres populations venues brutalement depuis l'ouest. La découverte de la rotondité de la Terre met un terme à la diaspora d'*Homo sapiens*. Des populations courant après le soleil levant se retrouvent face à celles naviguant vers le soleil couchant. Dorénavant l'humanité tourne sur elle-même.

Cet instant considérable de l'histoire de l'humanité est rarement évoqué et, à vrai dire, il ne prend son sens qu'à la lumière des acquis récents de la paléoanthropologie.

Cette rencontre des hommes venus de l'ouest installés dans les Amériques depuis des millénaires avec des hommes venus soudainement de l'est provoque un choc anthropologique considérable. Claude Lévi-Strauss rapporte cette histoire : « Dans les grandes Antilles, quelques années après la découverte de l'Amérique, pendant que les Espagnols envoyaient des commissions d'enquête pour rechercher si les indigènes avaient ou non une âme, ces derniers s'employaient à immerger des Blancs prisonniers, afin de vérifier, par une surveillance prolongée, si leurs cadavres étaient ou non sujets à la putréfaction[1]. »

Si les hommes savent qu'ils rencontrent d'autres hommes, c'est en raison de leurs ressemblances physiques et de cette posture bipède qui les distingue des autres animaux. La Renaissance se passionne pour l'anatomie par la découverte passionnée du nu antique. Des artistes et des médecins – Léonard de Vinci, Vésale – manient le scalpel, le pinceau et la plume pour décrire les rouages et les parties du corps humain. C'est une rupture majeure avec la tradition classique qui, jusqu'à la fin du Moyen Age, s'en réfère aux traités de Galien, médecin grec du

---

1. *Anthropologie structurale, II.*

IIᵉ siècle. Galien n'avait pas disséqué de corps humain, toutes ses descriptions provenant de dissections faites sur des animaux dont des singes. Les cours d'anatomie donnés dans les universités consistaient en une lecture des textes de Galien par le professeur en chaire assis dans son fauteuil alors que des barbiers se chargeaient de la vile besogne du découpage des chairs. Vinci et surtout Vésale rompent avec la tradition scholastique. Le traité de Vésale sur le corps humain est publié en 1543, la même année que le manuscrit de Copernic sur le système solaire. La Renaissance renoue avec l'observation et pose les jalons de la méthode scientifique au travers des corps célestes et du corps humain.

En présentant le corps composé de rouages, de leviers, de haubans comme les machines, Vinci, artiste et ingénieur, annonce la conception du corps-machine de Descartes ; quant à Vésale, il ouvre les portes à l'anatomie et à la médecine. La Renaissance sort le corps de ses représentations cosmologiques classiques alors même que le ciel, bientôt scruté par des lunettes, décrit une autre mécanique. Jusqu'à la fin du Moyen Age, le corps s'inscrit dans une continuité cosmologique qui reprend les quatre éléments fondamentaux d'Aristote : l'eau, l'air, la terre et le feu. Les humeurs, que les médecins ont pour tâche de soigner, expriment les influences respectives de ces éléments. Le rapport de l'Homme au cosmos se reflète dans le corps et ses parties, une représentation encore vivace chez Ambroise Paré. Avec l'anatomie et la théorie cartésienne d'un corps qui n'est plus le temple de l'âme et dissocié de son analogie cosmologique, l'Homme, par son corps, devient un objet d'étude indépendant des autres formes vivantes et du divin. C'est ainsi que la Renaissance découvre la diversité des peuples dans un même corps. Toutes les anthropologies à venir, l'anthropologie culturelle et l'anthropologie biologique, n'auraient certainement pas vu le jour si des hommes venu de l'ouest et de l'est ne s'étaient pas reconnus dans une identité de corps que ne dissimulent jamais les multiples artifices des coiffures, des maquillages, des parures et des habits.

## Les limites du genre humain

Le XVIIIᵉ siècle est considéré volontiers comme matérialiste et met en place une laïcisation de l'enseignement des connaissances. C'est un siècle qui se passionne aussi pour les origines du genre humain. Diderot et les encyclopédistes, Buffon et les naturalistes publient des œuvres fondatrices et monumentales, l'*Encyclopédie* et l'*Histoire naturelle*. Ces progrès se concrétisent dans la seconde moitié du XVIIIᵉ siècle. Auparavant se déploie le siècle des naturalistes avec un engouement pour les merveilles de la nature pensée comme un temple de la Création. Cela commence par les cabinets de curiosités jusqu'à la naissance des premiers muséums d'histoire naturelle, un mouvement qui touche toute l'Europe. Il est donné à l'Homme, grâce à son intelligence et à la raison, aidé en cela par l'œil de la Providence, de mettre en évidence la perfection de la Création. Il s'agit en fait d'une véritable théologie naturelle, d'abord revendiquée comme telle, puis porteuse d'idées sur les équilibres de la nature encore vivaces de nos jours.

L'histoire de l'humanité a connu plusieurs périodes de grand intérêt pour la nature, dans l'Antiquité avec diverses écoles philosophiques dont celle d'Aristote ; au début du haut Moyen Age avec saint Thomas d'Aquin et saint Bonaventure ; au début de la Renaissance. L'âge classique et le XVIIIᵉ siècle fondent les sciences naturelles par l'observation et les classifications : rendre compte du système de la nature, ce qui donne la *systématique*, la discipline qui a pour tâche de proposer des classifications.

Le charmant désordre des cabinets de curiosités se transforme en systèmes cohérents.

La philosophie cartésienne ayant offert le corps aux médecins et aux sciences, les chirurgiens naturalistes disséquent et comparent ses structures et ses parties, comme Edward Tyson pour la première dissection d'un chimpanzé en 1698 et celle d'un orang-outan par Nikolas Tulp, fondateur du Collège d'anatomie d'Amsterdam, en 1630. Charles Linné rapproche l'Homme des singes et des paresseux dans son *Systema naturae* de 1735, et les range tous dans l'ordre des Primates dans l'édition de 1758. En plaçant l'Homme, désormais nommé *Homo sapiens*, comme le premier parmi les premiers, il reprend une idée qui traverse toute la pensée occidentale depuis Platon, à savoir que l'Homme est la créature la plus parfaite.

Mais quelles sont alors les limites du genre humain ? Linné y inclut les chimpanzés – *Homo satyrus* – et les orangs-outans – *Homo sylvestri* ou *Homo nocturnus*. Sa notion de genre reste vague dans tous les sens du terme. Cela correspond à des catégories ou taxons de rangs supérieurs à nos classifications actuelles comme une famille ou une superfamille, qui comprennent plusieurs genres. Le genre *Homo* de Linné rassemble tous les grands singes et les singes qui se suspendent comme les chimpanzés, les orangs-outans et même les gibbons ; ce sont les *Hominoïdes* de nos classifications actuelles, parfois appelés *Anthropoïdes*, un terme aux usages fluctuants selon les écoles naturalistes. Linné s'intéresse particulièrement aux limites de l'espèce humaine, ce que nous appellerons le genre humain pour nous y retrouver. Il décrit divers types plus ou moins humains dont des hommes monstrueux (*Homo monstruosus*), des hommes sauvages (*Homo feri*) et pas que ceux des pays lointains évoqués par autant de voyageurs certains d'avoir vu des hommes à queue (*Homo caudatus*), mais aussi ces « enfants sauvages » qui émergent dans la pensée anthropologique naissante de ce siècle (voir chapitre 6 : « L'Homme et l'enfant »).

Des monstres, des grands singes et des enfants sauvages interrogent les limites du genre humain. L'intérêt, voire la passion pour ce qu'on appelle des monstres, remonte à la plus haute Antiquité. On retrouve l'inévitable Aristote ou encore le célèbre *Traité sur les monstres et prodiges* d'Ambroise Paré. Ces monstres fascinent et sont considérés aussi comme des créatures du Seigneur, respectées comme telles. Une autre tradition des monstres provient des récits de grands voyageurs. Marco Polo décrit des hommes à tête de chien ; plus les peuples sont éloignés, plus ils apparaissent déformés par l'imaginaire. Ces fantaisies monstrueuses, ou charmantes comme les sirènes, s'évanouissent avec les grands voyages de la Renaissance et l'âge classique. Un autre regard se dessine dans le cadre des Lumières avec ces questions : qu'est-ce que l'Homme de nature ? Quels sont ses origines et son rapport à la société ?

*Naissance de l'anthropologie*

Le XVIIIe siècle affranchit progressivement l'Homme de sa dépendance au divin grâce à la raison. La référence au divin s'éloignant, l'Homme doit se référer à la nature. Seul être doué d'intelligence et de raison, il occupe une position à part. Sa destinée devient son affaire et une condition nécessaire est celle de sa liberté. Dès lors, libéré de Dieu, il doit aussi se défaire de sa condition « naturelle ». Rousseau fonde l'anthropologie culturelle en postulant que l'Homme tient sa dignité de sa capacité à construire sa condition par l'éducation et la culture ; il est perfectible. Buffon quant à lui œuvre pour distinguer l'Homme du voisinage troublant des grands singes et installe les fondements de l'anthropologie biologique.

Dans le *Discours sur les origines de l'inégalité*, Rousseau imagine un homme de nature vivant isolé dans les forêts. Il ne parle pas, ne vit pas en société et rencontre parfois une femme. Il n'éprouve pas le besoin de ses semblables et ne cherche pas à nuire. Il ne se distingue pas des animaux, sauf qu'il jouit de la capacité de se perfectionner. Cette perfectibilité se développe à la suite de catastrophes naturelles qui obligent les hommes et les femmes à s'unir et à fonder la société. Rousseau n'a cure de savoir comment vivent les peuples sauvages des contrées lointaines et ne précise rien quant aux origines de la perfectibilité. Bien que son homme de nature procède d'une approche analytique et non pas historique, il se dessine une hominisation dans le passage de la nature à la société.

Claude Lévi-Strauss considère le *Discours sur les origines de l'inégalité* comme le texte fondateur de l'ethnologie. Rousseau invite à découvrir et à étudier les autres hommes, imaginant les plus grands savants de son temps à l'égal d'un Montesquieu, d'un Buffon, etc., dans une nouvelle aventure des connaissances. Il faut observer les différences entre les hommes pour découvrir ce qui fait l'Homme. Bien que le terme anthropologie soit déjà fort utilisé au XVIIIᵉ siècle, le projet de Rousseau pose clairement la question du rapport de l'Homme à la nature en la distinguant de la philosophie, de la morale et de l'histoire. Le programme rousseauiste attendra plus d'un siècle avant de se mettre en place dans un contexte historique et culturel bien différent de celui du XVIIIᵉ siècle.

Buffon, lecteur attentif de Rousseau et réciproquement, récuse cet homme de nature. Pour lui, il n'y a d'homme que dans la société. Buffon pense que l'Homme est seigneur et maître de la nature selon l'expression héritée de Descartes. L'Homme est un animal social dès ses origines, dès sa présence sur la Terre. Ce qui ne va pas sans soulever quelques difficultés. Dans l'*Histoire naturelle de l'Homme et de la Terre* publiée en 1749, Buffon laisse entendre que notre planète a une histoire bien plus ancienne que les quelques milliers d'années de la chronologie biblique. Cependant, et fort habilement, son livre commence par l'Homme, évoque la formation de la Terre, et revient sur l'Homme. Cela lui vaut quelques tracas avec la Sorbonne, l'institution étant elle-même embarrassée par un auteur protégé du roi et rencontrant d'emblée un tel succès. Nous verrons que ce n'est pas la seule ambiguïté féconde dans l'œuvre de Buffon.

Contre Rousseau, Buffon argue qu'il n'existe pas sur la Terre une seule population humaine ne vivant pas en société. Il répond en naturaliste, faisant valoir avec beaucoup de pertinence que l'enfant humain ne peut survivre sans une longue éducation dispensée par la famille et la société (voir les deux chapitres suivants). Il s'appuie sur des récits de voyages qu'il lit avec attention, n'hésitant pas à émettre des doutes sur des descriptions fantaisistes à propos d'hommes affublés d'attributs animaux, comme des hommes à queue. Buffon, et c'est fondamental, défend l'unité du genre humain et son origine unique. Il est « monogéniste », non pas par souci de respecter la Bible, mais sur la base de ses connaissances sur la diversité des hommes, alors qu'un Voltaire se commettra dans le polygénisme promis aux pires dérives dans le seul souci de railler l'Eglise. Dans son *Histoire naturelle de l'Homme*, il livre une description détaillée de tous les peuples connus, insistant sur les différences, multipliant des types de populations pour mieux louer l'unité du genre humain. Il s'oppose au concept de race basé sur la seule couleur de la peau. Très influencé par Montesquieu et sa théorie des climats, Buffon voit dans la diversité des types humains et des couleurs de peau des variations dues aux différences d'environnement, préfigurant l'anthropologie physique, et attribue aussi les différences de mœurs aux conditions de vie. Par conséquent, en des termes plus modernes, les populations humaines présentent des adaptations à leur environnement, ce qui amène à la question du type originel du genre humain. Buffon considère que les populations vivant sous les latitudes tempérées présentent des variations à partir desquelles se sont différenciées les autres populations. Il s'intéresse à ce cas étrange d'un Africain à la peau claire évoqué par Maupertuis dans la *Vénus physique* – un texte fascinant qui préfigure la théorie de l'évolution – qu'il identifie à un albinos. Il s'agit alors d'un cas de retour, de dégénérescence, qui rappelle l'état des origines. Buffon préfigure les acquis de l'anthropologie biologique moderne qui décrit les variations continues des caractères des populations humaines dans une perspective évolutive monogéniste ; quant à des origines pour tout dire européennes du genre, cette hypothèse minera la paléoanthropologie pendant plus d'un siècle, mais pour des raisons liées au racisme, ce qui n'est pas le cas chez Buffon. On note une fois de plus une certaine ambiguïté puisqu'il aborde tout de même la question des origines ; il s'en sort en disant que la cause première de l'apparition de l'Homme ne le concerne pas – une position intellectuelle prudente qui sera bousculée par Darwin – et que son œuvre de naturaliste ne s'intéresse qu'aux causes secondes.

L'unité du genre humain conduit Buffon à stigmatiser la systématique de Linné « et sa manie de faire des classes ». Il raille cette compagnie des singes et des paresseux au sein des anthropomorphes ou des primates. Il lâche : « Dieu a créé, Linné a classé. » Linné est profondément croyant et si les grands singes ressemblent autant à l'Homme, cela n'altère en rien cette position première octroyée par le Créateur. S'il y a ressemblance de structure, d'anatomie, de corps, cela ne concerne pas l'âme ; il y a une différence d'essence, aucun glissement n'est possible. Avec l'émergence de la pensée anthropologique, cette étroite ressemblance perturbe à l'évidence l'unicité du genre humain. S'éloigner de Dieu pour se retrouver parmi les singes est l'idée la plus angoissante qui soit pour un genre humain en train de se penser. Autrement dit, il s'agit de dégager l'Homme de la nature, d'instituer sa liberté et ses droits naturels – affirmés dans les textes des droits de l'homme – qui, en réalité, ne sont pas des droits issus de la nature, mais au-dessus de tout système politique.

Buffon et les naturalistes tranchent la question de l'unicité du genre humain par l'anatomie. Daubenton, Camper et d'autres dégagent des critères qui annoncent l'anthropologie du XIXᵉ siècle portée tout particulièrement sur le crâne. La tête reprend l'avantage sur le corps, promis à un bel avenir anthropologique. Il y a l'angle facial qui décrit l'avancée de la face – son prognathisme – par rapport à la boîte crânienne ; il y a aussi la position du trou occipital, en position avancée chez l'Homme en rapport avec sa bipédie. On classe d'un côté les grands singes avec leurs faces lourdes et prognathes, inclinées vers le sol, analogie avec la bête prisonnière des instincts et de la terre ; de l'autre, l'Homme au corps parfaitement redressé, à la tête au port auguste et au regard porté haut par la réflexion. Alors que l'Homme avance de son attitude auguste, les grands singes reculent.

Buffon, soucieux de redonner à l'Homme sa position dominante alors même qu'elle est remise en cause par tant de philosophes, dénonce et repousse toute tentative d'humaniser les animaux. D'un côté l'Homme de société, de l'autre des animaux sans société. Autre ambiguïté : dans sa hargne à récuser la systématique de Linné basée sur l'étude des parties du corps, des structures, Buffon prône une histoire naturelle plus soucieuse des mœurs. Au fil des volumes de l'*Histoire naturelle*, l'anatomie – la « tripaille » de Daubenton – prend de moins en moins d'importance pour céder la place à des descriptions dont le style et l'éloquence agaceront les naturalistes et les éthologues à venir. Buffon n'ignore pas la vie sociale des castors, pour ne prendre que cet exemple. Cependant, l'Homme est un être de raison, doué de pensée, ce qui n'est pas le cas de l'animal. Buffon, très cartésien sur cette question, s'en prend à tous ceux qui prétendent attribuer une intelligence et des sentiments humains aux animaux qui, tout au plus, ont des sensations. Condillac attaquera Buffon sur cette question.

Buffon, admirateur d'Aristote – pas celui déformé par la tradition scholastique – et de Pline, nous amène à une autre ambiguïté. Ces auteurs soutiennent une continuité des formes de la nature, ce que n'admet pas Buffon et encore moins, dans une conception matérialiste de l'Homme, un La Mettrie, auteur de *L'Homme-machine* et d'une *Histoire naturelle de l'âme* qui scandalisent son temps. Bien des ambiguïtés donc autour de l'Homme des origines qui nous renvoie au chapitre précédent sur les grands singes. Alors que Rousseau, Montesquieu, Maupertuis et d'autres témoignent d'une ouverture anthropologique qui hésite à refouler les grands singes hors du genre humain, Buffon tranche sans état d'âme.

Toutes les problématiques de la paléoanthropologie actuelle surgissent dans les anthropologies de Rousseau et de Buffon. Certes, Rousseau incite à aller observer et rencontrer les autres peuples et, de ce fait, renvoie dans la sphère de l'humain que ses successeurs ont trop vite refermée, à ce qui entoure l'Homme. Son anthropologie et sa méthode s'ouvrent aux espèces les plus proches de l'Homme, mais sans confondre les espèces, grâce à Buffon et son école. Les deux grands auteurs écartent l'embarras des origines tout en léguant les concepts qui nous permettent aujourd'hui de les aborder. La voie est ouverte pour Lamarck et Darwin.

*Vers les origines de l'Homme*

L'Europe dominatrice du XIX$^e$ siècle impose aussi sa vision du monde qui va hanter durablement la Préhistoire et la paléoanthropologie. C'est dans ce contexte que se consolident les théories de l'évolution puis que se déploient l'anthropologie physique et la Préhistoire. Ces deux disciplines, aujourd'hui incluses dans la paléoanthropologie, traduisent pendant un siècle ce rapport dominant de l'Europe sur le reste du monde, de l'homme blanc sur les autres hommes.

Entre 1859, date de la publication de *L'Origine des espèces par voie de sélection naturelle* de Darwin, et la Première Guerre mondiale, se forgent les fondements d'une pensée hiérarchique, raciste et sexiste. Ces trois travers ne sont pas récents, mais ils vont se renforcer d'un vernis scientifique dont bien des traces sont encore perceptibles dans les mentalités actuelles. Autrement dit, les différences entre les hommes et leurs cultures sont aussi vieilles que le monde. Ce qui change, c'est la façon dont ces différences vont désormais être intégrées dans une pensée justifiant la domination des hommes occidentaux sur le reste des hommes. L'anthropologie naissante mais aussi l'ethnologie enfantent un monstre, le racisme, le péché originel de l'anthropologie, péché qui confond les différences entre les races, les caractères physiques, et les différences culturelles entre les populations humaines. On est loin d'un Buffon affirmant que la connaissance des peuples se fait par l'observation des cultures et non par la couleur de la peau. La confusion entre l'anthropologie physique et l'anthropologie culturelle est l'une des pires infamies du XIX$^e$ siècle, dont les désastres se répandront dans les colonies comme dans les sociétés occidentales avec la criminologie d'un Lumbroso qui invente ce qu'on appellera plus tard « le délit de sale gueule ». Démesure de la pire « mal-mesure » de l'Homme[1].

Si l'idée d'évolution de l'Homme perce chez Lamarck, la publication du livre de Darwin la fait reconnaître quelles que soient les controverses. En cette année 1859, quelques grands savants anglais débarquent en Picardie pour visiter les sites des terrasses de la Somme fouillés par Boucher de Perthes. Depuis plus d'une décennie, celui-ci s'efforce de démontrer à l'Académie des sciences que les outils en pierre taillée qu'il trouve à côté d'ossements d'animaux disparus, dont des mammouths, proviennent de périodes fort anciennes, d'avant le Déluge, dans un temps antédiluvien. Le géologue Charles Lyell – le professeur de Charles Darwin qui incita ce dernier à faire ce grand voyage de cinq ans sur le navire *Beagle* –, le stratigraphe John Prestwich, l'archéologue John Evans et le paléontologue Hugh Falconer valident les travaux et les conclusions de Boucher de Perthes. La Préhistoire sort de terre et le terme apparaît pour la première fois avec le livre de John Lubbock intitulé *Pre-Historic Times* et publié en 1865. Dans la même période, Lyell écrit *L'Ancienneté de l'Homme prouvée par la géologie* en 1863 alors que John Evans sort *Les Ages de la pierre en Angleterre* en 1872. Le Déluge s'efface pour s'ouvrir sur les temps préhistoriques appelés désormais âges de la pierre taillée ou *Paléolithique*. En France, Gabriel de Mortillet, conservateur du tout nouveau musée des Antiquités nationales de Saint-Germain-en-Laye, définit le cadre des grandes périodes successives du Paléolithique basé sur l'évolution typologique des outils sur les différents sites fouillés dans la Somme et dans le sud-ouest de la France, cadre qui sert encore de référence actuellement.

Du côté des fossiles humains, c'est une autre affaire. La découverte de la Dame rouge de Pavilland sous le plan-

---

1. Stephen Jay Gould, *La Mal-Mesure de l'Homme*, Odile Jacob, 1997.

cher stalagmitique d'une grotte au pays de Galles montre qu'il existait des hommes avant le Déluge. Viennent ensuite les découvertes de squelettes dans la grotte de Spy en Belgique à partir de 1831. Il s'agit d'hommes assez différents de l'homme moderne, et Charles Lyell, appelé à donner son avis, doute de leur appartenance au genre humain. Il s'agit en fait d'Hommes de Neandertal, nommés d'après la découverte de plusieurs squelettes dans la vallée de Neander, près de Düsseldorf, en Allemagne, en 1856. On trouve de plus en plus de ces Néandertaliens en Espagne, en France, en Croatie, etc. Il a donc bien existé d'autres hommes préhistoriques avant les hommes d'aujourd'hui.

La Préhistoire suscite un engouement qui fascine les foules. La révélation de l'art des cavernes soulève une telle fièvre que les plus grands sites ayant laissé leur nom aux plus belles découvertes seront saccagés par des antiquaires peu scrupuleux. Les premières fictions ne tardent pas à paraître, comme *La Guerre du feu* de Rosny Aîné en 1910. Les hommes préhistoriques sortent des cavernes pour ouvrir un nouvel imaginaire suspendu au-dessus des origines.

### Hommes, progrès et déraison

La Préhistoire comme les théories de l'évolution s'inscrivent dans la pensée occidentale, pour le meilleur comme pour le pire. Ces deux sciences se trouvent en prise avec l'idéologie dominante du progrès ; il en va de même pour l'Histoire et l'ethnologie qui, elles aussi, se constituent à cette époque.

Le XIXe siècle se passionne en effet pour l'Histoire avec Jules Michelet et montre un véritable engouement pour les romans historiques (Walter Scott, Alexandre Dumas), des histoires calées sur le credo du progrès qui domine toute la pensée de l'époque, de Condorcet à Victor Hugo, sans oublier Auguste Comte, Herbert Spencer, Karl Marx, Jules Ferry, etc. Les idéologies politiques de toute obédience s'y réfèrent pour annoncer les changements qui conduiront à l'épanouissement du genre humain. Le matérialisme historique comme l'histoire se conçoivent dans la perspective linéaire des progrès de l'esprit humain. Hélas, certaines périodes entrent mal dans ce schéma, comme le Moyen Age considéré comme un accident de parcours, un âge sombre, plein de terreurs et de superstitions, marqué par une régression culturelle et technique après l'Antiquité... Ce n'est qu'un siècle plus tard que l'Ecole des Annales – Marc Bloch, Lucien Febvre puis Jacques Le Goff, Emmanuel Le Roy Ladurie, Georges Duby... – réhabilitera un Moyen Age dont les valeurs et les représentations révèlent une civilisation complexe et diversifiée, riche d'innovations et d'inventions. Du baptême de Clovis au sacre des rois de France dans la cathédrale de Reims s'écoule presque un millénaire, une période considérable qui ne s'ajustait pas avec la vision rigide imposée à l'Histoire vue par un xixᵉ siècle aussi sûr de son passé que de sa vision de l'avenir.

La marche de l'Occident sur le chemin du progrès produit des écarts toujours plus grands entre les populations humaines, des écarts qui se mesurent à l'aune des techniques et des moyens de production. La colonisation à outrance et la fin des guerres dites indigènes sont considérées comme des missions civilisatrices, les sociétés civilisées devant éduquer les sociétés primitives d'après Jules Ferry, « le fardeau de l'homme blanc » selon l'expression de Rudyard Kipling. Les autres populations humaines, les autres peuples, les autres civilisations sont classés selon l'échelle du progrès : le Paléolithique ou âge de la pierre taillée qui correspond à une économie de chasse et de collecte ; la Protohistoire ou âge de la pierre polie avec l'invention de l'agriculture ; l'Antiquité et l'invention des cités ; puis le Moyen Age, la Renaissance, l'âge classique, etc. C'est ainsi que les différents peuples sont décrits comme autant de stades de l'Histoire, étant entendu que l'histoire de l'humanité, celle du genre humain, a une universalité consubstantielle à la seule histoire de l'Occident, elle-même écrite selon les canons des chantres du progrès. C'est ainsi que le « bon sauvage » du siècle des Lumières se mue en « primitif » par la grâce du progrès.

Les conséquences vont être aussi aberrantes qu'abjectes en préhistoire et surtout en ethnologie. Selon l'idéologie du progrès, toute période antérieure est moins avancée que celle qui la suit ; sachant que l'avenir sera toujours meilleur que le présent. Dans une telle perspective, l'appréciation des périodes les plus anciennes porte des regards de plus en plus péjoratifs. D'où ces descriptions sinistres de la vie des hommes et des femmes des cavernes, tenaillés par la faim, harcelés par les fauves, meurtris par les âges glaciaires. Cette vision se nourrit de vieilles idées sur le statut de l'homme sauvage ou primitif, souvent décrit seul, errant en dehors de toute vie sociale, voire honteux de sa condition comme on pouvait le lire il n'y a encore pas si longtemps dans des manuels ou des ouvrages dits de vulgarisation.

Fort heureusement, le progrès est en marche et bientôt des hommes inventent l'agriculture : c'est la révolution néolithique. Désormais, « l'humanité ne connaîtra plus la faim », selon l'historiographie officielle, reprise aussi dans les manuels et les fictions dites scientifiques. Le Néolithique témoigne de la volonté de l'Homme de dominer la nature et surtout de ses capacités à surmonter les difficultés qu'il rencontre. La révolution néolithique répond à la nécessité de nourrir une population en expansion démographique : des hommes décident alors de domestiquer des plantes et des animaux tout en se sédentarisant. Puis arrivent les cités, les Etats, les empires, les royaumes..., bref, la civilisation.

L'ethnologie se cale sur cette échelle des progrès de l'humanité renforcée par l'idée d'une évolution dirigée vers l'émergence et la domination de l'homme (blanc). Les grands fondateurs de l'ethnologie publient des livres aux titres explicites : *Les Culture primitives* d'Edward Tylor en 1871 ; *La Société archaïque* de Lewis Morgan en 1877 et *Le Rameau d'or* de James Frazer en 1898, d'abord en un seul volume puis réédité et augmenté jusqu'à treize volumes en 1935. Ce rameau d'or évoque un concept complètement opposé à celui de l'âge d'or. L'idéologie du progrès efface l'uchronie du paradis perdu pour proposer l'utopie radieuse du futur. Quant à ces peuples « primitifs », ils représentent des reliques de l'histoire de l'humanité qui passe par la sauvagerie, la barbarie et la civilisation. Les peuples de chasseurs- collecteurs vivent des bienfaits de la nature et pratiquent la promiscuité sexuelle, c'est la sauvagerie ; les premiers peuples agriculteurs du Néolithique passent du matriarcat au patriarcat et instituent les règles sociales ; puis arrivent l'Etat, l'écriture, etc. Cette conception des trois âges de l'humanité n'est pas récente puisqu'on la retrouve chez Lucrèce. On la retrouve aussi chez Engels, fortement intéressé par les théories de l'évolution, la préhistoire et l'ethnologie naissantes. A ces trois stades correspondent divers systèmes de croyances : la magie, la religion et bientôt la science ; on pense à Condorcet et à Auguste Comte. Avant la fin du XVIIIᵉ siècle, les autres peuples, leurs croyances, leurs modes de production sont considérés comme d'autres états de l'humanité. Au cours du siècle suivant, une conception hiérarchique dictée par l'idéologie de progrès s'impose à l'Histoire et à la Préhistoire.

C'est ainsi que la paléoanthropologie, la préhistoire et l'ethnologie prolongent le schéma de l'échelle des espèces en une échelle des êtres vivants renforcée par l'idée de progrès. Il y a toujours la longue série de l'évolution des animaux quadrupèdes avec les présinges, les singes puis les grands singes à moitié redressés, puis la série des hommes fossiles. D'abord des australopithèques, puis des hommes de plus en plus grands, à la bipédie de plus en plus affirmée, au cerveau toujours plus développé et portant des outils et des armes toujours plus sophistiqués. Chemin du progrès faisant, la tête se redresse et le regard se dégage des instincts et des contingences pour se porter vers l'horizon et l'avenir. Ainsi se succèdent *Homo habilis, Homo erectus, Homo neanderthalensis* jusqu'à l'avènement d'*Homo sapiens*. Le chemin de l'évolution est comme une course de relais avec pour bâtons témoins des outils de pierre à la facture toujours plus complexe. On associe un type d'homme fossile à un type d'outils : les premiers hommes ou *Homo habilis* avec de simples silex percutés ; les *Homo erectus* avec des outils symétriques appelés bifaces ; des Hommes de Neandertal avec des outils diversifiés sur éclats ; les Hommes de Cro-Magnon, des *Homo sapiens* avec des outils sur lames de silex mais aussi sur os et ivoire. Des premiers outils en pierre taillée obtenus par simple percussion dure aux plus récents se perfectionnent les techniques de débitage, de retouche et le choix des matières premières. Dans une perspective survolant la Préhistoire, André Leroi-Gourhan calcule la longueur du tranchant de ces outils, obtenue par kilogramme de silex au cours des âges paléolithiques, qui passe de quelques centimètres à plusieurs mètres, une manière simple et originale de mesurer les progrès accomplis, reprise comme un dogme par les zélateurs de la domination d'*Homo sapiens* sur le reste des hommes, étant entendu que les cultures préhistoriques les plus abouties se trouvent évidemment en Europe. Leroi-Gourhan avait une profonde connaissance de la prodigieuse diversité des techniques développées par les cultures humaines dans le monde. Il n'avait pas de vision européocentrée de la Préhistoire, même si le titre de l'un de ses plus grands livres, *Préhistoire de l'art occidental*, peut le suggérer.

Mais, comme pour l'œuvre de Teilhard de Chardin, il est stupéfiant de constater que la très grande majorité de ceux qui se réfèrent à Leroi-Gourhan citent sa grande fresque anthropologique développée dans la série *Le Geste et la Parole* en oubliant de se référer à une production scientifique considérable. N'est retenue qu'une lecture étriquée, toujours la même, qui s'accorde avec la trinité *scala natura*-hominisation-progrès.

### Quelle évolution et quelle histoire ?

Le réductionnisme d'airain qui ramène l'homme à l'outil et surtout un type d'homme à un type d'outil donne l'*évolutionnisme culturel*. Car comment prolonger la suite de la fresque de l'hominisation une fois arrivé au stade ultime, celui d'*Homo sapiens* représenté par le digne Cro-Magnon ? Réponse : avec les autres populations humaines. Et c'est ainsi que l'on décrit les chasseurs collecteurs comme des populations demeurées à l'âge de pierre. Les Aborigènes australiens donnent une image des hommes les plus anciens de la Préhistoire, des hommes tertiaires (de l'ère tertiaire) ; les Lapons et les Eskimos nous montrent la vie en Europe au temps des âges glaciaires ; les Fuégiens celle des hommes du Paléolithique, époque dite des « amas de coquillages », etc.

Juger les hommes à l'aune de leurs productions techniques, c'est aussi traiter de primitives leurs langues, leurs coutumes, leurs représentations du monde, leurs cosmologies, etc. Alors, dans une Europe obsédée par sa domination du monde, le colonialisme et le racisme, se forge une idée acceptable de l'évolution. De la même façon que les grands singes actuels représentent non pas nos ancêtres mais une image de notre ancêtre avant le chaînon manquant, les autres populations humaines illustrent les étapes des progrès de l'humanité depuis la fin de la Préhistoire. Quelle étrange aporie de considérer que des espèces comme des populations contemporaines seraient restées figées dans des états ancestraux ou archaïques ! Qu'on ne s'y trompe pas, ces idées sont si profondément ancrées dans nos cultures et dans nos enseignements que même dans les assemblées les plus dignes ou dans les médias les plus attentifs on entend couramment le terme de *primitif* pour évoquer les peuples traditionnels. C'est de l'idéologie intégrée. Le fait qu'on éprouve autant de difficulté à récuser de telles idées renvoie à nos propres archaïsmes.

La Belle Epoque se distrait en allant au zoo... *humain*. Le racisme renforcé par la vision péjorative du progrès déshumanise les autres hommes appelés aborigènes, indigènes, primitifs ou autres. Pour illustrer de façon vivante et distrayante le chemin du progrès, les zoos mettent en scène des pastiches de l'évolution montrant des cages avec des singes, des grands singes et... des hommes et des femmes : Aborigènes australiens, Hottentots, Pygmées, Lapons, Fuégiens, Papous, Kanaks, etc. A peine vêtus de peaux de bêtes ou de guenilles végétales, on leur jette de la viande crue qu'ils ont pour consigne d'attraper et de dévorer en se battant. L'un de ces derniers spectacles si dégradants – pour qui ? ceux contraints de s'y produire ou ceux qui s'en réjouissent ? – se tient à la grande Exposition coloniale de 1931 au Jardin d'Acclimatation (*sic !*) de Paris. Un formidable succès mis au crédit de la mission civilisatrice de la France – d'ailleurs n'enseigne-t-on pas dans l'Empire « Nos ancêtres les Gaulois » ? Le public exulte. Cinquante-sept ans plus tard, le même public entre en liesse au Stade de France car les « Bleus » (l'équipe de France de football) viennent de remporter la Coupe du monde de football. Au cours de la cérémonie, parmi les joueurs, un seul – Christian Karembeu – garde la bouche fermée, refusant de chanter *La Marseillaise*, car il se souvient que son grand-père était dans l'un de ces enclos de l'Exposition coloniale. Tout cela est-il passé ? Entre le Stade de France et le Jardin d'Acclimatation il y a encore le Parc des Princes où, dès qu'un joueur à la peau noire touche le ballon, retentissent des imitations de cris de singe. Et, en cette année 2005, un zoo allemand avança le projet de reconstituer un village africain avec des indigènes... L'Europe n'en a pas terminé avec le sombre démon du racisme et de l'évolutionnisme culturel.

Les évolutionnistes ont une lourde part de responsabilités dans la production de ces idéologies. A la fin du XIX$^e$ siècle, les muséums d'histoire naturelle d'Europe s'ouvrent à une mission d'exposition des collections auprès du public. La première mise en scène de l'évolution de l'Homme se fait avec des squelettes. Dans une même vitrine sont placés côte à côte un squelette de gorille, un de gibbon, un autre de chimpanzé et celui de Pygmées ou d'Hottentots. Ces deux peuples d'Afrique seront couramment considérés comme les plus primitifs des peuples actuels, presque des chaînons manquants retrouvés au plus profond des forêts (voir le beau film *Man to Man* de Régis Wargnier). L'histoire sordide de la Vénus hottentote, Saartje Baartman, illustre le martyre infligé à des femmes et des hommes traités comme des animaux de foire. Kidnappée en Afrique – ou vendue –, elle parcourut l'Europe encagée et exposée aux quolibets méprisants des foules au début du XIX$^e$ siècle. Elle finit sa vie anéantie, déchue, comme la loque à peine humaine qu'on en avait fait. Son corps disséqué non par un médecin mais par un spécialiste d'anatomie comparée des animaux, Georges Cuvier, se retrouve au musée de l'Homme. Après des décennies d'oubli, le peuple hottentot réclame la dépouille de sa Vénus. Les démarches finissent par aboutir tant l'affaire est scandaleuse. Sa dépouille ne sera restituée à son peuple qu'en 2002.

L'histoire sinistre de la Vénus hottentote en est une parmi tant d'autres qui ont sombré dans l'oubli sélectif de notre bonne conscience européenne ; oubli car pour l'heure aucune repentance, aucun sentiment de culpabilité, aucune honte ne se manifeste sur le continent de la tradition humaniste. Après tout, le sort de la Vénus hottentote et de ses semblables apparaît presque plus enviable que celui des Maoris. Les coutumes de ces peuples déploient un art magnifique de tatouages faciaux et crâniens. Les musées d'Europe lancent des chasseurs de têtes sans scrupules à la recherche des plus beaux spécimens – quel autre terme employer ? Ils se rendent dans les îles d'Océanie et achètent sur pied, comme du bétail, des hommes que l'on exécute pour s'emparer de leur tête. Il y en eut d'autres, sans évoquer ces cimetières et ces lieux sacrés saccagés, pillés au nom de la science ! Toutes ces « pièces » croupissent dans les réserves des muséums européens, la plupart sans même avoir jamais été étudiées, portant le mépris jusqu'à son comble.

L'anthropologie physique a complètement perdu la tête, sous l'effet de tous ces préjugés raciaux. D'ailleurs, on parlait aussi bien d'anthropologie physique que de racialisme ou de raciologie. La création, toujours en cette année 1859, de la Société d'anthropologie de Paris par Paul Broca devient le bras séculier d'une science hantée par la volonté de démontrer la supériorité de l'homme blanc sur toutes les autres races. Un arsenal de mesures, d'indices et d'angles servi par une panoplie d'instruments inventés à cet effet – crâniomètres, mandibulomètres, pieds à coulisse... – construit l'image d'une science exacte qui évoque la géométrie, reprenant en cela les figures les plus classiques de la mesure de l'Homme dont l'*Homonculus* de Léonard de Vinci, dessin célèbre qui servit de page de couverture jusqu'à très récemment à l'une des revues professionnelles de premier rang en anthropologie actuelle : le *Journal of Human Evolution*. Des mesures, des chiffres, mais aussi un traitement mathématique de toutes ces données. Galton, cousin de Charles Darwin, et Pearson fondent les statistiques descriptives, nos incontournables moyennes, écarts types, coefficients de variation ou de corrélation, etc. De bonnes mesures, de bons outils mathématiques et l'émergence de ce que Stephen Jay Gould appellera la « mal-mesure de l'Homme ». L'anthropologie physique échoue dans sa tentative de rapporter les différences culturelles aux différences physiques. Frans Boas, d'origine allemande, fuit vers les Etats-Unis à cause de la montée du nazisme. Il part étudier les Eskimos armé de sa formation en anthropologie physique. Il se défait rapidement de ce bagage encombrant et, comme Buffon, perçoit que se sont les cultures qui sont déterminantes et non pas les types physiques. Hélas, le racisme scientifique, soutenu par une anthropologie physique pratiquée avec zèle par des médecins coloniaux, construit les heures sombres d'une science de l'Homme qui s'enfonce dans les ténèbres des camps nazis ou de l'unité 731 de l'armée nippone en Mandchourie. Broca, Galton et leurs successeurs sont des scientifiques animés des présupposés les plus odieux, faisant de l'anthropologie physique une science sans conscience, une anthropologie inhumaine.

On aimerait croire que tout cela n'est qu'un mauvais souvenir. Hélas ! Si les moyens de mesure se sont modernisés – le pied à coulisse est remplacé par les prises de mesures avec des rayons laser assistés par ordinateur et la graine de moutarde par l'imagerie médicale moderne pour évaluer les capacités crâniennes –, la mal-mesure persiste, démon tapi dans nos présupposés. Le célèbre QI – le quotient intellectuel – sert encore à distinguer les races et les sexes. Quand des études dégagent un QI moyen plus élevé chez les Parisiens par rapport aux banlieusards, aux Blancs par rapport aux Noirs, aux hommes par rapport aux femmes, tout va pour le mieux dans le meilleur des mondes anthropologiques possibles ! Mais si une étude indique l'inverse, alors il faut changer les critères du QI. Ainsi cette étude comparant le QI des étudiants de Harvard à celui d'une population d'Afrique de l'Ouest. Les Africains affichaient des scores supérieurs en moyenne. Alors les anthropologues se sont mobilisés. Ils mirent en évidence que l'ethnie africaine avait développé une économie d'échange très complexe basée sur des algorithmes similaires à ceux du QI. Voilà qui s'expliquait !

## Humanisme et évolutionnisme

Engagés dans les controverses les plus rudes, des évolutionnistes se laissent aller à de graves dérives. Ernst Haeckel, le célèbre anatomiste et embryologiste allemand, défend un schéma linéaire et hiérarchique de l'évolution avec les Européens au sommet de l'arbre du vivant. Dans une reconstitution célèbre on voit un Africain dans un arbre parmi les grands singes : ils représentent l'étape la plus primitive du genre humain avant les autres hommes, les Blancs étant évidemment les plus évolués. Haeckel, à qui on doit le célèbre aphorisme « l'ontogenèse récapitule la phylogenèse », reprend à son compte la vision cosmologique de l'échelle des espèces, l'un des derniers avatars de la *Naturphilosophie* allemande.

La pensée de Darwin, relayée par celle de Thomas Huxley, est plus ambiguë. Ils admettent, comme tous les Européens de leur temps, que les Occidentaux représentent les populations les plus avancées par leur technologie, mais aussi leurs pensées, leurs philosophies, leurs humanités... Darwin fait montre d'une attitude aussi empreinte de supériorité que de gêne envers le jeune Fuégien embarqué à bord du *Beagle* au départ de l'Angle-

terre, en 1831, pour être ramené à l'île de Terre de Feu,
l'une des régions au climat le plus ingrat sur la Terre, à
la limite de l'adaptabilité biologique et culturelle d'*Homo
sapiens*. Ce jeune homme faisait partie d'un groupe de
quatre Fuégiens, une femme et trois hommes, embarqués
bon gré mal gré sur un navire de Sa Majesté quelques
années auparavant. Ils seront présentés à la reine Victoria, éduqués selon les bonnes mœurs de la société
anglaise avant de faire le tour des foires. Darwin s'émeut
de l'intelligence et de la capacité d'apprentissage de ces
hommes venus des terres les plus inhospitalières. Après
quelques années passées sous le doux climat des îles Bri-
tanniques, le jeune Fuégien est de retour parmi les siens.

Toujours au cours du même voyage, Darwin revient
dans les parages de l'île de Terre de Feu en décembre
1832. C'est alors qu'il voit le jeune Fuégien, accompagné
de quelques compagnons, s'approcher du navire à bord
d'une frêle embarcation. Darwin le reconnaît à peine – à
moitié vêtu, les cheveux sales et collants, la peau cou-
verte de crasse. Le petit groupe de Fuégiens harangue et
agresse les gens du *Beagle*. Le navire s'éloigne, abandon-
nant les derniers survivants de ce peuple à leur sort : leur
extinction définitive.

Comment interpréter la réaction de Darwin, d'abord
admiratif de la faculté des Fuégiens à recevoir une bonne
éducation, puis la ruine si rapide de cet effort de civilisation ? Les réflexions de Darwin sur cette expérience sont
souvent considérées comme racistes par des commentateurs contemporains ; c'est même devenu une tendance
marquée dans des publications récentes. C'est oublier que
Darwin militait contre le racisme. Ainsi, au cours de son
voyage sur le *Beagle* il eut des discussions très dures avec
le capitaine Fitzroy, commandant du navire, un conservateur dans la plus pure tradition [1]. On fait le même procès

---

1. Fitzroy croyait en la physiognomonie ou morphopsychologie, ce
charlatanisme pseudo-scientifique qui prétend dévoiler la personnalité
des gens d'après les traits du visage. Fitzroy faillit ne pas accepter

à Thomas Huxley. Pourtant c'est lui qui donne une conférence célèbre contre l'esclavagisme lors de l'inauguration
de l'université de Virginie en 1861, un Etat du Sud escla-
vagiste, alors que s'annonce la guerre de Sécession. Le
même Huxley qui fait entrer les femmes à l'université et
qui crée des conférences pour les classes populaires – les
*workman lectures*. L'erreur, *a posteriori*, de ces deux
hommes est de croire dans la mission civilisatrice de l'Europe envers les autres peuples. Ce sont des humanistes
progressistes et il est facile de stigmatiser leur pensée
avec plus d'un siècle de distance. Leur appréciation de
ces autres peuples se fait en des termes qui peuvent heurter avec le recul de l'histoire, mais ils pensaient sincère-
ment que ces peuples pouvaient prendre le train du
progrès. Alors, les contempteurs de Darwin et de Huxley
citeront un opposant farouche à ces deux hommes,
Richard Owen, immense paléontologue, ami de la reine
Victoria. Résolument contre l'idée d'évolution, il soutient
que les espèces comme les différentes populations
humaines occupent des places immuables. S'il nie l'évolutionnisme culturel et biologique entre les hommes, ce
n'est pas par humanisme, mais parce que cela entre dans
l'ordre naturel des choses.

En prenant garde une fois de plus aux risques d'un
anachronisme, on retrouve ce qui opposait Las Casas et
Sépúlveda à Valladolid. L'un défend que tous les hommes
peuvent recevoir l'enseignement du Christ ; l'autre que
ces hommes différents ne sont pas aussi humains et qu'il
est légitime de les asservir ou de leur faire la guerre ;
c'est bien le sort subi par les Fuégiens. On peut critiquer
les réflexions de Darwin sur le sort du jeune Fuégien ; on

---

Darwin sur son bateau à cause de la forme de son nez. Si le nez de
Darwin avait été plus court, etc. ; cette remarque est moins déplacée
qu'il n'y paraît à cet endroit du texte puisque, pour les peuples comme
pour les personnes, on retrouve les mêmes présupposés abjects.

pourra difficilement en faire reproche à un Owen qui pense que tout cela est dans l'ordre des choses.

Il est indéniable qu'un darwinisme caricatural a servi de caution scientifique au racisme ou pour justifier la domination sur d'autres peuples comme leur extinction. Cette acception idéologique, radicale et antihumaniste n'est pas celle de Darwin et de ses amis, d'où l'entretien d'une déplorable confusion. La relecture de *La Filiation de l'Homme et la sélection liée au sexe* dégage des propos qui, appréhendés selon notre sensibilité actuelle, peuvent choquer. En France, Patrick Tort milite pour une réhabilitation humaniste de la pensée darwinienne, mettant en avant le concept de « principe réversif de l'évolution » : les hommes, grâce à la morale, sont capables de contrecarrer les méfaits de la sélection naturelle. Il va sans dire que cette vision apologétique de Darwin suscite aussi des controverses. J'ajouterai ici une remarque supplémentaire à propos de Darwin. Dans son livre de 1871, il présente la sélection sexuelle comme un autre processus de l'évolution, disant en substance que, s'il y a des différences entre les peuples de la Terre, cela ne saurait se réduire aux seuls facteurs de sélection naturelle, mais aussi en réponse à des choix culturels et affectifs. Alors, Darwin est-il un évolutionniste étriqué qui plaide pour la suprématie de l'homme blanc ou un humaniste qui pense que l'évolution offre à tous les hommes la possibilité de s'élever (selon les critères de la civilisation occidentale) ? Le fait que tant de contempteurs de Darwin d'hier et d'aujourd'hui acceptent le sort des hommes tel qu'il est ou se sentent si bien dans leurs privilèges autorise à émettre quelques doutes sur leurs motivations ; quant à Darwin et ses amis, ils appartenaient à un pays et à des milieux qui, dans le contexte de l'époque, obligent à relativiser nos interprétations actuelles, qu'elles soient positives ou négatives.

*Quelle évolution pour l'*Homo sapiens *?*

L'évolution a placé l'Homme dans une étrange situation : celle de sa solitude. L'anthropologie biologique – qui englobe désormais l'anthropologie physique – démontre sans ambiguïté que toutes les populations humaines actuelles appartiennent à une seule et même espèce. Les études en génétique des populations et en génétique historique – l'anthropologie moléculaire – confirment ce que bien des anthropologues affirmaient depuis fort longtemps, notamment la vérification que depuis qu'il y a des femmes et des hommes *Homo sapiens*, ils se reproduisent entre eux : c'est le critère de l'espèce biologique. C'est l'une des scènes les plus fortes de *Man to Man* : alors que des anthropologues voient en la femme pygmée une autre espèce intermédiaire entre les grands singes et l'homme, un chaînon manquant, et qu'ils s'apprêtent à lui ouvrir le ventre pour prendre son enfant et le disséquer, un autre anthropologue la protège en affirmant que cet enfant est aussi le sien !

Bien avant que ne s'éveillent les sciences de l'Homme, des peuples qui se rencontrent au gré de leurs migrations depuis des millénaires savent qu'ils sont en face d'autres hommes. Seul l'homme se déplace avec cette bipédie si particulière, alors la diversité des costumes, des coutumes, des maquillages, des coiffures, des langues, des apparats, des danses, des chants... n'occulte jamais cette unité de corps d'*Homo sapiens* et, passé l'étonnement de la rencontre, ce peut être la peur, l'agression, l'incompréhension... ou l'attirance entre des corps qui ne diffèrent que par le sexe.

Comment imaginer de telles rencontres en ces temps de la Préhistoire où il y avait plusieurs hommes sur la Terre, du temps des Hommes de Cro-Magnon, de Neandertal, de Solo et de Florès ? C'est dans le contexte du

Proche-Orient et de l'Europe entre 100 000 ans et 30 000 ans que l'on dispose d'éléments en assez grand nombre pour proposer quelques scénarios des relations entre les *Homo sapiens* et les *Homo neanderthalensis*. Au cours d'une première période qui correspond au Paléolithique moyen – 120 000 à 40 000 ans –, ces deux espèces d'hommes partagent le même complexe technoculturel. Difficile dans ces conditions de mettre en évidence des influences dans un sens ou dans l'autre. Est-ce qu'ils évitaient de se rencontrer ? Est-ce qu'ils n'hésitaient pas à se rencontrer ? Comment cela se passait-il en cas de rencontre fortuite ? Est-ce que les uns ou les autres tentaient de fuir, de se dissimuler ou d'aller vers l'autre ? Cherchaient-ils à nuire aux autres ou à les éliminer ? Organisaient-ils des rencontres saisonnières pour échanger, partager ? Tout le registre des rencontres possibles, de leurs motivations comme de leurs craintes, se pratique entre les populations humaines de notre espèce ; les situations devaient être tout aussi diverses entre des populations néandertaliennes et sapiennes. Quelles qu'aient pu être ces relations, il ne s'agit pas de rencontre entre deux espèces d'hommes, mais entre des femmes et des hommes de cultures différentes, des femmes et des hommes appartenant à une même humanité.

Puis, entre 50 000 et 40 000 ans, d'autres populations d'*Homo sapiens* s'étendent en Europe. Comme elles se déplacent porteuses d'autres outils et d'autres techniques, on suit leur expansion géographique tout en constatant que des échanges se font avec les Néandertaliens. Il y a acculturation, ce qui pour autant ne doit pas distiller l'idée d'un monde à la Rousseau avec la paix entre les hommes. Il y a compétition entre Cro-Magnon et Neandertal et ce dernier finit par disparaître. Même dans ce contexte, il faut imaginer toutes sortes de relations, des plus hostiles – on retrouve des traces de mort violente sur des Néandertaliens, mais assez peu – aux plus amicales.

Que serait un congrès de Valladolid consacré à la question néandertalienne ? Semblable sans doute car il y a toujours eu des femmes et des hommes prompts à accepter l'altérité et d'autres à la rejeter. Parmi les paléoanthropologues, il y a ceux qui adhèrent à l'idée d'une même humanité et qui acceptent des différences biologiques et culturelles entre les populations de ces deux espèces, décrivant en cela une variabilité dont l'éventail ne saurait surprendre. Il y a ceux qui considèrent que les Néandertaliens étaient moins évolués que les Cro-Magnon et que, en dépit des échanges entre ces populations, les premiers ont tout de même fini par s'éteindre ; entendez : malgré les apports des *Homo sapiens*, leur destin était scellé. C'est un fait, ils ont disparu. Cette interprétation ranime toutefois l'idée de la domination des populations d'*Homo sapiens* occidentales sur toutes les autres, ce qui n'a rien d'évident en regard des données de l'archéologie préhistorique.

Longtemps les préhistoriens et les paléoanthrologues européens ont recherché les origines d'*Homo sapiens* en Europe. Outre quelques fraudes célèbres comme celle de Piltdown en Angleterre au début du xxᵉ siècle, il y eut la célèbre théorie des pré-*sapiens*. Particulièrement défendue en France par Henri Vallois, il y était affirmé qu'avant la domination d'*Homo sapiens* vivaient des populations de pré-*sapiens* contemporaines de Néandertaliens. Problème : pourquoi ne trouve-t-on pas de fossiles ? Réponse : comme ils étaient déjà plus malins que les Néandertaliens, ils enterraient leurs défunts dans des endroits particulièrement bien choisis pour éviter que les tombes ne soient violées. Cette théorie sera définitivement écartée au cours des années 1980. Les origines de notre espèce se situent en Afrique et au Proche-Orient comme l'indiquent les données fossiles et génétiques. Alors comment perpétuer l'idée que les populations européennes d'*Homo sapiens* sont supérieures ?

Les populations européennes d'*Homo sapiens* participent à l'*explosion symbolique* du Paléolithique supérieur.
Bien que, dans l'état actuel de nos connaissances, ses prémices se manifestent en Afrique et au Proche-Orient, l'art
sous toutes ses formes explose littéralement dans le
contexte européen. Pour l'outillage sur pierre ou sur
d'autres matières comme l'os et l'ivoire, pour l'art, les
parures, etc. Indéniablement, les *Homo sapiens*, ces immi-
grants riches d'autant d'innovations, ont des organisations sociales et des représentations du monde qui les
avantagent, sans oublier leurs capacités d'exploiter plus
en profondeur les ressources de l'environnement grâce à
leurs armes de jet – sagaies – et leurs harpons. Alors que
les Néandertaliens sont des hommes mieux adaptés aux
climats froids, par leur évolution et leur morphologie, les
*Homo sapiens* répondent rapidement aux contraintes
environnementales par des innovations techniques et
culturelles. C'est ainsi qu'ils finissent par occuper de
façon plus efficace et plus pérenne les terres d'Europe
alors que les Néandertaliens se replient sur quelques
refuges de plus en plus restreints et s'éteignent.

Est-ce que le même scénario se déroule ainsi dans les
autres régions de l'Ancien Monde ? Du côté des *Homo
sapiens*, on ne met pas en évidence une diversité des
outillages et des techniques comme celle connue en
Europe où une véritable civilisation s'étend de l'Atlantique à l'Oural, une autre semble-t-il sur le Bassin méditerranéen. De telles civilisations sont mises en évidence
parce que les conditions de conservation des vestiges sont
propices et aussi parce que des préhistoriens et des
paléoanthropologues y déploient leurs travaux depuis
plus d'un siècle. Que peut-on espérer retrouver comme
vestiges de populations d'*Homo sapiens* adaptées à la vie
des régions tropicales d'Asie du Sud-Est où, en référence
à l'ethnographie récente, les outils, les vêtements, les
habitations, les réalisations symboliques et artistiques,

etc. ne mobilisent que des matières et des supports végétaux, donc vite périssables ? Pourtant, ces populations
d'*Homo sapiens* de l'Ancien Monde et bientôt du Nouveau
Monde se déplacent avec des langues et des systèmes de
représentation du monde tout aussi complexes que ceux
des Cro-Magnon d'Europe.

La révolution symbolique du Paléolithique supérieur,
qui correspond à l'expansion de notre espèce sur toute la
Terre et à la disparition des autres espèces d'Hommes, de
Neandertal, de Solo, de Florès ou d'ailleurs, est un
constat. Mais en présentant les choses ainsi, la révolution
du Paléolithique supérieur, on se réfère inévitablement à
la situation européenne. Ce n'est pas le fait d'une seule
population qui installe sa suprématie sur le reste de l'humanité depuis Cro-Magnon jusqu'au colonialisme. Ailleurs, d'autres populations d'*Homo sapiens* inventent
leurs complexes technoculturels et, comme il n'y a pas de
grottes, d'abris sous roche, de falaises et de gisements de
roches propices à la taille de la pierre, bien peu de vestiges ont traversé l'épreuve du temps. Mais dès que des
*Homo sapiens* rencontrent des conditions naturelles pouvant répondre à leurs facultés d'innovation, ils nous sur-
prennent. C'est le cas des magnifiques outils en pierre
taillée trouvés à l'ouest du continent nord-américain avec
les superbes pointes dites de Clovis et de Folsom. La
beauté de ces outils et les techniques de taille mises en
œuvre rivalisent avec ce que beaucoup de préhistoriens
désignent comme l'apogée de la taille de la pierre, le
Solutréen d'Europe.

Mais les Européens acceptent encore difficilement que
d'autres foyers d'innovation aient émergé indépendamment, d'où l'étonnante controverse sur l'homme de Kennewick aux Etats-Unis. Cet homme de Kennewick est un
crâne fossile trouvé dans le Colorado et l'un des plus
anciens découverts, daté de 11 000 ans. D'après les données archéologiques et surtout les modèles du peuple-

ment des Amériques proposés à la fois par la génétique et la linguistique historiques, les peuples amérindiens arrivent de différentes régions d'Asie orientale et selon trois vagues de migrations. Seulement, il y a cet homme de Kennewick dont la morphologie du crâne, d'après certains anthropologues, serait de type européen qu'amérindien. Puis il y a ces cultures de Clovis et de Folsom. Il n'en faut pas plus pour que quelques anthropologues proposent un premier peuplement des Amériques, et plus particulièrement de l'Amérique du Nord, par des peuples solutréens d'Europe. Est-ce possible ?

On découvre depuis peu que les *Homo sapiens* naviguaient par cabotage depuis au moins 100 000 ans. Rappelons que des *Homo erectus* de Java ont atteint l'île de Florès il y a 800 000 ans à l'aide de radeaux et que là, isolés, ils ont évolué par nanisme insulaire pour donner la plus petite espèce d'hommes connue à ce jour, *Homo floresiensis*. Avec leur petit cerveau de 380 centimètres cubes, comme celui d'un bonobo, ils ont développé des outillages lithiques très élaborés que n'auraient pas reniés des *Homo sapiens* contemporains nantis d'un cerveau trois à quatre fois plus gros ! La pratique de la navigation hauturière remonte au moins à 50 000 ans d'après le peuplement de l'Australie. Alors, est-ce que cette attirance vers le soleil levant se décline dans l'autre sens pour des hommes de Cro-Magnon européens ? On ne dispose pour l'heure d'aucun vestige archéologique ou paléoanthropologique de tels déplacements par navigation ; cependant, des hommes de Cro-Magnon ont réussi à atteindre les îles Canaries. Leurs descendants, les Guanches, avaient une morphologie crânienne qui, d'après certains paléoanthropologues, évoque les hommes de Cro-Magnon. (Ils furent exterminés par les Espagnols, les recommandations du congrès de Valladolid étant restées lettre morte.) Alors est-ce que d'autres Cro-Magnon auraient poussé plus vers l'ouest à la faveur des courants marins et de la baisse du niveau des eaux au cours de périodes glaciaires ? Rien d'impossible, mais les éléments de preuve manquent.

D'un point de vue anthropologique et évolutionniste, on s'étonne de cette perception de la Préhistoire arc-boutée sur le dogme de la situation européenne. En caricaturant à peine, Neandertal est aux Amérindiens ce que les Cro-Magnon sont aux émigrants du *Mayflower*.

Pourquoi des peuples venus d'Asie orientale auraient-ils été incapables d'inventer des techniques de taille aussi complexes que celles des Cro-Magnon d'Europe ? Pourquoi l'Europe serait-elle la mère de toutes les inventions ? L'hypothèse du diffusionnisme admet un seul foyer d'invention puis sa diffusion, soit par emprunt culturel, le plus souvent par la migration des peuples inventeurs. L'Europe de la Préhistoire serait le berceau de grandes innovations techniques, culturelles, symboliques, artistiques qui se sont diffusées sur de vastes territoires, mais elle n'est pas le seul foyer. L'art dit préhistorique et la révolution symbolique du Paléolithique supérieur ne se limitent pas à ce continent – ainsi la grotte ornée de Blombos en Afrique du Sud, les falaises peintes de la terre d'Arnhem en Australie ; Pedra Furada au Brésil, etc. – et plongent leurs racines dans des périodes plus anciennes.

Les survivants actuels des peuples amérindiens redoutent l'hypothèse d'un premier peuplement venu d'Europe. Ils bénéficient de droits durement acquis en tant que *Native Americans*, premier peuple implanté en Amérique. Cet homme de Kennewick pourrait tout remettre en cause et les peuples amérindiens actuels s'opposent à toute étude anthropologique de ce fossile, notamment à la possibilité d'extraire de l'ADN fossile et de le comparer à celui des populations actuelles. L'affaire est arrivée devant la Cour suprême. On peut évoquer ici le cas tout aussi dramatique des Aborigènes australiens qui ont obtenu, très récemment, l'abolition d'un acte officiel qui déclarait que l'Australie était une terre non peuplée d'hommes avant l'arrivée des Européens.

Ces quelques exemples suffisent à nous dire combien les éléments de la controverse de Valladolid demeurent vivaces. Depuis la Seconde Guerre mondiale, depuis la décolonisation, depuis la Déclaration universelle des droits de l'homme de 1948, depuis le colloque de l'Unesco sur le racisme au début des années 1950, il y a des idéologies de l'exclusion difficiles à soutenir publiquement. Avec regret, il faut constater qu'elles contaminent aussi le champ de la Préhistoire, déjà tant dévasté d'autres humanités à jamais disparues. Il y a peu de chances que des Hommes de Neandertal, de Solo ou de Florès viennent porter plainte devant les instances internationales. Aucun risque de ce côté-là ; mais que comprendre de ces reconstitutions de notre évolution qui clament la suprématie de Cro-Magnon, c'est-à-dire de l'Europe sur le reste du monde ? Peut-on sortir de ce schéma idéologique d'exclusion qui aligne la Préhistoire et l'Histoire dans une vision linéaire et hiérarchique ?

### *Chasser les fantômes de la paléoanthropologie*

L'anthropologie physique a mesuré, comparé, classé et fourni des « arguments » scientifiques pour discriminer. Le racisme et l'eugénisme en sont les conséquences effroyables. Comment évoquer alors, non pas la différence, mais les différences entre les hommes ? La notion classique de races humaines fondée essentiellement sur la couleur de la peau est complètement invalidée, notamment par l'anthropologie moléculaire. Il est vrai que les molécules n'ont pas de couleur, mais il reste à déterminer les échantillons provenant de différentes populations, ce qui oblige à choisir des critères. C'est un vrai problème pour l'anthropologie biologique moderne. On parle donc de populations, et les critères géographiques, importants, ne peuvent en exclure complètement d'autres plus délicats comme les langues et d'autres encore, plus culturels. L'anthropologie culturelle, justement, a permis de refonder l'anthropologie biologique sur des bases plus saines, notamment l'anthropologie structurale – même si cette approche fait l'objet de controverses au sein de l'anthropologie culturelle. Car l'anthropologie structurale part d'un postulat fondamental : pas d'*a priori* hiérarchique. Pour Françoise Héritier : « Le structuralisme oppose un optimisme universaliste. Il postule que l'humain obéit partout aux mêmes contraintes, aux mêmes nécessités, et que cela est de toute éternité. »

Claude Lévi-Strauss a montré que la rationalité et la pensée sauvage se retrouvent dans les mentalités de toutes les populations humaines ! Car dès que l'on évoque la pensée sauvage, trop d'Occidentaux pensent encore être les seuls détenteurs de la rationalité. Certes, on peut se livrer à une hiérarchisation des cultures à travers leurs productions techniques. Mais c'est oublier que le silex taillé comme l'ordinateur ne sont que des composantes techniques et matérielles des cultures. Un Aborigène australien, un Yanomani d'Amazonie, un Inuit du Groenland ont des représentations du monde et des rapports au monde bien plus riches et structurés que ceux des *nerds* qui passent leur temps devant leurs écrans, déconnectés de toute vie sociale ; la comparaison est même péjorative à l'encontre de ces peuples traditionnels.

Dans la citation de Françoise Héritier, le paléoanthropologue se trouve embarrassé par « de toute éternité ». Cette unité du genre humain n'est pas de toute éternité et elle est issue d'une origine commune et récente à toutes les populations actuelles d'*Homo sapiens*. Comment sont-elles apparues ? Comment se sont-elles diversifiées tout en conservant des éléments structuraux fondamentaux ? C'est tout l'enjeu d'une anthropologie évolutionnaire qui aborde ces questions depuis peu de temps à l'aide de concepts venus des sciences cognitives et des sciences sociales, mais dans le cadre des théories de l'évolution. Pour cela, il faut se dégager de la conception linéaire et hiérarchique fondée sur l'échelle des espèces renforcée par une interprétation progressiste et réductionniste de la Préhistoire et de l'Histoire. Depuis nos origines communes, les populations humaines se sont dispersées, inventant autant de langues, de cultures, de techniques que de représentations du monde ; puis elles se sont rencontrées au gré des circonstances de l'Histoire. Une même humanité riche de diversités dont il serait temps que l'on fasse l'éloge. C'est cela l'évolution ; et sans cela il ne peut y avoir d'évolution.

## 5

# L'Homme et la femme

## Marie-Olympe de Gouges sur l'échafaud

Marie Gouze naît d'un père boucher et d'une mère servante à Montauban le 7 mai 1748. Son vrai père est en réalité le marquis Le Franc de Pompignan. Elle reçoit une instruction limitée qui lui permet de savoir lire et écrire et se marie à dix-sept ans avec Louis Aubry, officier de bouche de messire de Gougues. En 1767, elle met un enfant au monde, Pierre. Marie se lasse rapidement de la vie bourgeoise de province. Elle quitte le domicile conjugal et monte à Paris, le veuvage ne tardant pas à suivre. Elle change d'identité, empruntant le prénom de sa mère et modifiant son nom comme celui du maître de son défunt mari pour devenir Marie-Olympe de Gouges.

Arrivée à Paris, elle se tourne vers les lettres. Ses difficultés pour l'écriture l'amènent à dicter ses textes à des secrétaires. Elle en a les moyens en devenant la maîtresse d'hommes fortunés, mène parfois une vie de courtisane et entretient des relations agitées avec les comédiens du roi. Elle publie plusieurs livres et n'hésite pas à provoquer en duel les chroniqueurs qui oublient de parler de ses œuvres. Elle écrit plusieurs pièces de théâtre, jamais mises en scène car jugées trop vulgaires ou médiocres.

La Révolution arrive, lui offrant l'opportunité de découvrir sa véritable vocation : la politique. Elle s'insurge contre l'Assemblée constituante qui soutient une

Constitution excluant les femmes des droits de la Cité, et donc de la politique. En 1791, elle rédige une *Déclaration des droits de la femme et de la citoyenne* dédiée à la reine Marie-Antoinette. Elle fait partie des pionnières du féminisme avec Claire Lacombe et Théroigne de Méricourt. Amie de Condorcet et de Marivaux, elle admire Mirabeau et La Fayette. Elle compte parmi les voix les plus courageuses de la Révolution française avec Condorcet.

Ses revendications ne s'arrêtèrent pas là. Animée d'une authentique flamme révolutionnaire et humaniste, son action pour la restitution des droits naturels des femmes passe par la suppression de l'institution du mariage remplacée par un contrat annuel et renouvelable signé entre époux ; elle réclame le droit au divorce, le droit des femmes à disposer de leurs biens, le droit à la recherche de sa parenté, l'égalité d'accès aux métiers et aux charges de l'Etat. Cela fait beaucoup pour l'époque et les hommes (politiques) n'apprécient guère tant d'audace et surtout d'atteintes à leurs privilèges, tout révolutionnaires qu'ils soient. A cela s'ajoute son engagement pour l'abolition de l'esclavage. Elle se démène avec énergie pour que soit joué à la Comédie-Française *L'Esclavage des nègres ou l'Heureux Naufrage* en dépit de la puissante opposition des colons français. Ses trop nombreux opposants, bel euphémisme, en font vite une virago hystérique.

Liée aux Girondins, elle défend le roi en faisant valoir qu'il faut juger le monarque mais pas l'homme. Elle s'oppose à Marat et à Robespierre alors que la Terreur gronde. La voilà arrêtée le 20 juillet 1793. Emprisonnée, elle tombe malade. Elle se retrouve dans la pension de Mme Mahay. Elle aurait pu s'enfuir, mais elle tient à comparaître devant ses accusateurs, persuadée qu'elle pourra se faire entendre. Celle qui clamait : « Les femmes ont le droit de monter sur l'échafaud. Elles ont également le droit de monter à la tribune » se voit octroyer le premier sans hésitation puisqu'elle est guillotinée le 3 novembre 1793 après avoir lancé : « Enfants de la Patrie, vous vengerez ma mort. »

Les femmes patienteront longtemps avant de monter à la tribune. Marie-Olympe de Gouges énonce un programme sur les droits des femmes qui attendra deux siècles pour se réaliser. Le contrat entre époux ressemble au Pacs français. Le droit de vote des femmes ne sera acquis en France qu'en 1944 et sur ordonnance du général de Gaulle. Les Assemblées nationales, depuis la Constituante à aujourd'hui, n'ont jamais favorisé le droit des femmes à monter à la tribune et là aussi il faut des décrets. Les enfants de la patrie ne vengeront jamais la mémoire de Marie-Olympe de Gouges. Bien au contraire, une triste pléiade de plumitifs zélés se chargent de salir sa mémoire, comme si la guillotiner n'avait pas suffi. Quant à l'abolition de l'esclavage, proposée depuis 1788, elle finit par faire l'objet d'un décret de la Convention en 1794 grâce à l'action de l'abbé Grégoire et de ses amis. La loi du 20 mai 1802 de Bonaparte le rétablit. Il faut attendre le 27 avril 1848 pour que l'esclavage soit définitivement aboli grâce à l'action pugnace de Victor Schoelcher.

Jusqu'à présent, les chapitres s'enchaînent en évoquant les relations entre l'Homme et le cosmos, puis entre l'Homme et les animaux, l'Homme et les grands singes et enfin l'Homme et les autres hommes, d'où cette incidence pour rappeler la lourde mémoire de l'esclavage. Chemin faisant, on a parcouru l'échelle des espèces, cette *scala natura* qui résonne du féminin de ses belles voyelles, mais qui n'a jamais inclus les femmes, pas plus que la tribune. Qu'il s'agisse de la *scala natura* ou de l'évolution – encore des termes féminins –, cela ne concerne que les hommes. Car le véritable tort de Marie-Olympe de Gouges est d'avoir combattu l'idéologie de la domination masculine. Si les esclaves ont attendu bien trop longtemps l'abolition et l'obtention de droits civiques dans le monde, ce sera encore plus long pour les femmes. Evidemment, la paléoanthropologie et la Préhistoire n'échappent pas à cette idéologie.

## *La femme qui n'a jamais évolué*

D'emblée, soyons sérieux : l'évolution de l'Homme est avant tout une affaire d'hommes, de mâles ! Dans toutes les reconstitutions de l'hominisation, on ne voit se succéder que des mâles affublés de leurs attributs cardinaux, les outils et les armes. L'une des très rares déclinaisons de cette vision linéaire de l'évolution avec des femmes et des préfemmes est donnée dans une publicité du journal *Le Monde* ; après tout, la lecture se conçoit comme une activité féminine tout à fait convenable qui ne trouble pas les prérogatives de la domination masculine par l'outil et la technique.

Dans les grandes reconstitutions de l'évolution de l'Homme, toutes les innovations cardinales sont attribuées à des mâles, sans que cela soulève le moindre questionnement. Dans une fiction pseudo-scientifique récente présentée à la télévision française et vue par des millions de téléspectateurs et de téléspectatrices, *L'Odyssée de l'espèce*[1], suivie d'*Homo sapiens*, tous les acquis de l'hominisation proviennent des mâles : la bipédie, l'outil, le feu, l'habitat, l'habit, l'art, la religion et même l'invention de l'agriculture. Jusqu'à présent, les visions les plus machistes de l'hominisation laissaient l'invention de l'agriculture aux femmes, une activité moins noble que la chasse. A une époque, la nôtre, marquée par des tendances qui remettent en question les acquis fragiles des droits des femmes conquis depuis moins d'un demi-siècle,

---

1. *L'Odyssée de l'espèce*, Jean Malaterre (DVD-France-Télévisions, 2004).

comment une telle fiction réactionnaire n'a-t-elle pas suscité de critiques de la part des femmes sinon des féministes ? D'ailleurs, il y a eu très peu de critiques, que ce soit sur la fiction elle-même d'un point de vue strictement cinématographique – il y aurait vraiment beaucoup à dire –, ou d'un point de vue scientifique sur un sujet sans cesse divisé par les controverses. Cette fiction s'appuie sur les mythes les plus profondément ancrés dans l'idéologie de la domination masculine depuis le Néolithique, depuis l'invention de l'agriculture, une idéologie tellement imprégnée dans nos représentations au travers de la philosophie, de la religion, de la politique, de l'histoire et de la psychanalyse qu'elle est inébranlable.

Il suffit de réactiver de vieux mythes au regard des acquis récents des sciences pour que cela soit accepté sans aucun esprit critique, sans même parler de scepticisme. Ainsi, cette hypothèse proposée par le paléontologue Jean Chaline il y a une dizaine d'années, à propos des origines de la lignée humaine. Le lieu : une région d'Afrique centrale où, pour l'heure, on n'a découvert aucun fossile de la lignée humaine, ni de la lignée des grands singes africains. L'époque : autour de 6-7 millions d'années, en accord avec les estimations de l'âge de la séparation de ces deux lignées à partir des différences génétiques, ce qu'on appelle l'horloge moléculaire. (Plus des espèces se sont séparées depuis longtemps, plus leurs différences génétiques sont importantes puisque un plus grand nombre de mutations se sont accumulées de part et d'autre au fil du temps et inversement.) Et l'auteur d'imaginer un dernier ancêtre commun arboricole et marchant semi-redressé lorsqu'il est au sol, un peu comme les chimpanzés actuels. Parmi eux, un individu se trouve porteur d'une mutation affectant des gènes particuliers, des gènes architectes ou dits homéothiques responsables de la morphologie de différentes parties de notre corps. De tels gènes affectent la forme de la colonne vertébrale, comme dans la région lombaire. Cette région est droite chez les grands singes alors qu'elle se creuse chez les hommes et leurs ancêtres bipèdes – c'est le creux du bas du dos ou lordose lombaire. Une telle mutation se manifeste évidemment chez le mâle dominant. Cette attitude auguste lui assure un avantage supplémentaire dans la compétition sexuelle ; les femelles choisissent de se reproduire préférentiellement avec lui, livrant une descendance aux mœurs bipèdes plus marquées.

Le propos ici n'est pas de discuter la pertinence scientifique de cette hypothèse qui présente tant d'incohérences, mais de souligner l'adhésion presque aveugle à son contenu archaïque qui évoque les idées d'Aristote. D'après le grand philosophe, seuls les caractères de la semence des hommes – des mâles – se transmettent au fil des générations, le ventre des femmes n'étant qu'une matrice. Tous les archétypes de la domination masculine sont là réunis : un mâle dominant, bipède, dominateur, copulateur et transmettant ses caractères. Quant aux femmes et aux préfemmes, elles représentent ce lien qui, sous les contraintes de la reproduction, empêche l'Homme de se libérer complètement de la nature. Il aura été certainement plus facile pour nos lointains ancêtres de marcher debout et déambuler en marge des forêts et des savanes que pour *Homo sapiens* d'échapper à ses mythes.

*Lucy à la maison !*

En 1981, paraissaient simultanément le livre incendiaire de Sarah Hrdy intitulé *La Femme qui n'évoluait jamais* et un article fameux du paléoanthropologue Owen Lovejoy dans la revue *Science*. Lovejoy proposait une reconstitution de la vie sociale de Lucy et des australopithèques de l'Afar – *Australopithecus afarensis* – entre 3 et

4 millions d'années en Afrique orientale. Selon lui, les femelles *A. afarensis* possèdent une bien plus petite taille que leurs conjoints à la corpulence virile ; elles marchent d'une bipédie moins efficace alors que les mâles *A. afarensis* se déplacent avec plus d'aisance. S'ensuit un scénario original de l'organisation sociale de ces australopithèques considérés comme monogames. Pendant que Lucy et ses amies ne quittent pas la protection des arbres, les mâles s'aventurent dans les savanes arborées, réputées plus dangereuses à cause des prédateurs, mais regorgeant de gibier. Alors que les femelles s'occupent des petits, les mâles leur procurent de la viande, instaurant les bases d'un contrat avec des femelles qui accordent leur exclusivité sexuelle en échange de ce qu'on appelle l'investissement parental du mâle. Rappelons qu'au début des années 1980 l'Amérique du Nord s'engage dans une révolution conservatrice et qu'en France des politiciens suggèrent fortement aux femmes d'abandonner leurs activités professionnelles afin de s'occuper de leur progéniture afin, surtout, de libérer des emplois pour les hommes. Bref, la monogamie, le puritanisme et le modèle de la société archaïque prennent un coup de vieux de 3 millions d'années ; comment évoluer dans de telles conditions ?

Comme dans l'hypothèse de Chaline évoquée précédemment, celle de Lovejoy prend en compte de nouvelles avancées, importantes, venant de disciplines liées à la paléoanthropologie et, d'une certaine façon, émergentes dans ce champ pluridisciplinaire au moment de leur publication. Ce sont des ouvertures, de nouvelles perspectives de recherche. Avec la reconstitution de Lovejoy s'affirme l'arrivée de l'éthologie dans les études sur les origines de l'homme. Seulement on constate que l'acceptation de ces hypothèses réside moins dans ce qu'elles ont d'original, en mobilisant d'autres disciplines, que dans le fait qu'elles fournissent des données présentées selon des schémas archaïques des rapports femmes/hommes.

Que sait-on de la monogamie, des échanges sexe/nourriture et de l'organisation sociale des singes et des grands singes ? Longtemps, le modèle dominant de l'organisation sociale chez les singes se réfère aux babouins. Tout cela commence dramatiquement au zoo de Londres en 1932. Sir Soly Zuckerman, grande autorité en anthropologie et en anatomie, décide de s'intéresser aux comportements sociaux des singes. Comme il dispose de babouins hamadryas des deux sexes, il les place dans une grande volière : c'est le carnage ! Les mâles s'entretuent pendant que les femelles se terrent où elles peuvent. De cette expérience, les éthologues retirent l'idée que les sociétés de singes sont gouvernées par les mâles les plus puissants, des mâles dominants qui acquièrent le privilège et le droit de copuler avec les femelles. Quant aux femelles, elles subissent et se contentent d'élever les jeunes.

Ce modèle se transpose des zoos européens aux savanes africaines dans les années 1950, avec une attention particulière pour les babouins de savane (genre _Papio_), espèces distinctes des hamadryas (genre _Hamadryas_). Ces recherches émanent de grands laboratoires d'anthropologie des universités américaines et anglaises qui associent l'éthologie de terrain naissante et la paléoanthropologie. En France, les grands singes et l'éthologie sont encore déconsidérés dès qu'il s'agit d'anthropologie ; exception française archaïque alors que tous les autres pays européens soutiennent de vrais programmes de recherche depuis plusieurs décennies. Les éthologues des années 1950 orientent leurs observations selon les modèles dominants des origines de la lignée humaine, en l'occurrence le passage de la forêt à la savane. Les babouins proposent une belle analogie, d'autant que la théorie dominante de l'évolution à cette

époque – la théorie synthétique ou néodarwinisme –
accorde un rôle prépondérant aux contraintes de l'environnement. Il ne s'agit évidement pas d'identifier les
babouins aux premiers hommes, mais de reconnaître les
pressions de sélection propres aux différents habitats, en
l'occurrence la savane, et de dégager les réponses adapta-
tives analogues dans les différentes lignées.

Dans ces études, le rôle des mâles s'avère prépondérant. Bien plus puissants que les femelles, ils assurent leur
protection. Pour faire face aux prédateurs, ils possèdent
des canines aussi saillantes que coupantes. Ils chassent
des antilopes et des lièvres, offrant parfois une proie à
une femelle convoitée. Quant aux femelles, elles s'unissent à ces mâles en échange de leur protection et s'occupent des jeunes. Le même modèle s'applique aux
premiers hommes, sauf que la bipédie remplace l'attitude
menaçante des babouins mâles, que l'outil et les premières armes se substituent aux canines et que la chasse
joue un rôle déterminant dans le processus d'hominisation.

Les années 1960 et 1970 voient l'arrivée des femmes
dans les universités ainsi que la conquête de leurs droits.
La vie des babouins va en être bouleversée ! L'éthologie
en plein essor bénéficie de l'arrivée de femmes jeunes,
libérées, militantes et prêtes à en découdre avec l'archaïsme du machisme dominant. D'une part, des protocoles d'observation et des méthodes d'analyse de plus en
plus rigoureux en éthologie, d'autre part d'autres regards
portés par de profonds changements de nos sociétés
contemporaines. Shirley Strum compte parmi ces femmes
éthologues qui s'aventurent chez les babouins. Ses observations patientes, qui s'intéressent à tous les individus,
notamment aux femelles, négligées jusque-là, révèlent
des sociétés beaucoup plus complexes. Il ressort que les
groupes sociaux se structurent autour de femelles apparentées ; les femelles sont uxorilocale, et ne quittent pas

leur groupe natal de toute leur vie. Ce sont les mâles qui, l'adolescence venue, poussés à la fois par les mâles résidents et leurs hormones, quittent leur groupe natal pour aller se reproduire ailleurs. Ainsi les femelles sont endogames alors que les mâles sont exogames.

Le babouin jeune adulte qui arrive dans un autre groupe devra faire sa place, surtout si, parmi les mâles résidents et plus âgés, qui connaissent la chanson, il ne compte aucun apparenté, frère ou cousin. Bien que vif et puissant, il ne saute pas sur la première femelle babouin ni sur les autres mâles. S'il agresse une femelle, ses apparentées la soutiendront, sans oublier les autres mâles qui ne manqueront pas l'occasion d'en découdre. Ces jeunes mâles se montrent attentifs, persuasifs, provocants et capables d'agressions spectaculaires. Ce déploiement d'activités a pu laisser croire que ces jeunes mâles arrogants et démonstratifs étaient les sujets dominants ; nullement. Les mâles dominants, plus âgés, plus expérimentés, comptent sur des alliés et sur des relations d'amitié avec des femelles dominantes et copulent plus que les jeunes excités. Puis leur tour passera, d'autres jeunes mâles viendront, etc.

Par ses travaux, Shirley Strum bouscule le mythe de la tribu primitive, fantasme archaïque du mâle qui élimine ses concurrents par la force et s'approprie toutes les femelles, forcément aussi consentantes que soumises. Les babouins se montrent beaucoup plus subtils et intéressants que cela. Pour ce qui est des relations sexuelles, les femelles en œstrus manifestent des préférences pour un ou plusieurs partenaires, leurs partenaires privilégiés étant souvent, mais pas toujours, des mâles amicaux, tolérants et attentifs avec elles et leurs enfants depuis fort longtemps. Quant à l'échange sexe/nourriture, je citerai une petite histoire rapportée par Shirley Strum :

« Le mâle dominant ou alpha est un excellent chasseur. Un jour, il attrape une antilope. Arrive la femelle alpha qui apprécie la viande. Elle épouille son mâle alpha, qui se laisse aller à ce traitement aussi ritualisé qu'agréable. Elle en profite pour lui chiper sa proie. Il ne fait rien. La même scène se reproduit quelques semaines plus tard. Cette fois, le mâle se laisse épouiller, mais ne lâche pas sa proie. La femelle achève l'épouillage sans trop de zèle, s'éloigne et, sans aucun motif apparent, agresse la femelle de second rang, sa sœur. L'affaire est sérieuse car il s'agit de la stabilité sociale du groupe et le mâle alpha se doit d'intervenir pour mettre un terme à la querelle. Il abandonne sa proie. Déambulant avec une belle prestance, il vient se poster près de la femelle agressée. Chemin faisant, il croise la femelle alpha qui va chiper la proie. »

Quand une scientifique restitue ce type d'observation, et non pas d'interprétation, c'est de l'anthropomorphisme ; quand ce sont des scientifiques mâles qui admirent les attitudes viriles et dominatrices des jeunes mâles jusqu'à les prendre pour les mâles dominants, ce qu'ils ne sont pas, ce n'est pas de l'anthropomorphisme...

Mettre en évidence de telles relations, leurs motivations et les contraintes sociales associées requiert une observation minutieuse et patiente. Et c'est bien là la difficulté majeure de l'éthologie, entre l'observation de comportements selon des protocoles qui permettent de relever un grand nombre de données pour engager le travail analytique – approche nécessaire qui établit, par exemple, la fréquence des relations entre certains individus, comme l'épouillage, dégageant des alliances ou des changements d'alliances, etc. – et le suivi « longitudinal » ou en continu des activités de quelques individus. C'est tout le débat méthodologique et épistémologique entre le traitement statistique et l'anecdote ; entre les caractéristiques éthologiques de la population et ses individualités ; entre ce qui ressort de protocoles d'observation et ce qui relève du témoignage ; entre ce qui peut être à nouveau observé et ce qui a peu de chances de l'être. En s'installant durablement sur le terrain avec les populations observées, les éthologues, majoritairement des femmes, rencontrèrent et rapportèrent des situations inédites. Alors pourquoi plus les femmes que les hommes ? Sur cette question, il est fréquent de lire et d'entendre des explications se référant à la psychologie différente des femmes. Il y a en réalité à cette époque une situation sociologique traditionnelle qui fait que les hommes occupent prioritairement les postes universitaires et que leurs diverses obligations académiques, souvent très lourdes, limitent la durée de leurs séjours sur le terrain. Ces contraintes incitent à favoriser les protocoles de collecte de données mais sont peu propices à la mise en évidence d'anecdotes. Pour cela il faut connaître tous les individus d'un groupe et leurs histoires de vie ; quand on dispose de peu de temps, on se focalise sur les plus reconnaissables et les plus actifs : les mâles. Quant aux jeunes femmes éthologues, sans charges académiques, car n'ayant pas de postes, elles disposaient de tout leur temps pour observer ces choses de la vie... Shirley Strum et ses collègues consacrèrent ainsi un temps considérable au terrain, souvent dans des conditions très précaires. Le plus difficile les attendait cependant dans la jungle universitaire, là où le pouvoir masculin bien en chaire dresse tant d'obstacles pour retarder les publications et ralentir les carrières. Quant aux babouins, ils continuent leurs vies de babouins, dont des morceaux de vies sont révélés au gré des vicissitudes des sociétés humaines.

Les quelques éléments d'éthologie des babouins évoqués dépeignent des sociétés bien plus policées. Entre des sociétés brutales asservies par des mâles violents et des sociétés aux mœurs plus subtiles avec des femelles

assurant un rôle prépondérant entourées de mâles pro-
tecteurs et attentifs, sommes-nous passés d'un paradigme
à l'autre selon l'évolution des connaissances scientifiques
ou en conséquence d'autres regards suscités par des changements de politiques et de valeurs au sein des sociétés
humaines ? Assurément les deux. Certaines espèces de
babouins – et aussi de macaques – affichent des mœurs
très rigides avec des mâles exerçant un pouvoir coercitif
parfois violent. C'est bien le cas chez les babouins hamadryas où les mâles assurent une domination très stricte
sur des femelles soumises. Le hasard de l'histoire a fait
que l'espèce choisie pour les premières études sur les
comportements des babouins réalisées par Zuckerman,
pour de simples raisons de disponibilité, ait été la plus
machiste de toutes ! D'autres espèces affichent des
comportements plus complexes, avec des interactions faisant interférer les hiérarchies entre les femelles, entre les
mâles et entre les deux sexes avec des registres comportementaux plus subtils. Plus le rôle des femelles se révèle
important, plus les relations sociales se montrent
complexes.

### Les premiers Hommes, la division des tâches et l'outil

Les ethnologues soulignent l'importance de la division
des tâches chez tous les peuples traditionnels (ou peuples
premiers ou chasseurs collecteurs). C'est même l'une des
caractéristiques fondamentales de toutes les sociétés
humaines – agricoles, industrielles, bourgeoises, etc. –, si
ce n'est *la* caractéristique.

Dans les années 1970, Glynn Isaac interprète les plus
anciens vestiges archéologiques mis au jour en Afrique
comme des camps de base. Les premiers représentants du
genre *Homo*, des femmes et des hommes, se répartissent
les tâches, les unes se livrant préférentiellement aux acti-

vités de collecte – cueillette d'aliments végétaux, œufs, insectes, petits animaux – alors que les autres s'occupent de la chasse aux gros animaux. Les femmes organisent leurs activités dans la proche périphérie du camp alors que les hommes s'éloignent sur de plus grandes distances. Tous se retrouvent au camp de base pour partager les fruits de leurs activités respectives.

La division sexuelle des tâches implique que les hommes fabriquent et utilisent des outils/armes et que leurs activités en découlent ; autrement dit, ils créent les conditions techniques de leurs actions. La chasse procure une source de nourriture, la viande, estimée comme un apport vital à la fois par ses propriétés nutritives, gustatives et sociales. La chasse resserre la coopération entre les mâles et la solidarité au sein du groupe, entre les chasseurs, mais aussi avec les femmes. La viande se procure en quantité discrète et ne se conserve pas. C'est donc de la nourriture qui se partage. Ainsi, la division sexuelle laisse les femmes se charger de la collecte de nourriture telle qu'elle était pratiquée par les mâles et les femelles chez les ancêtres du genre *Homo*. L'innovation adaptative du genre *Homo* vient de cette nouvelle activité, la chasse, avec tous ses attributs qui font l'Homme. Qu'en est-il de la division des tâches, de l'outil, de la chasse et de l'importance de la viande chez les espèces les plus proches de nous ?

Le mode de reproduction des mammifères impose aux seules femelles le fardeau de la reproduction : gestation et éducation. Les mâles se contentent du rôle du géniteur, parfois de protecteur. Les femelles ont donc des besoins en nourriture et en énergie relativement plus importants – pour la gestation et l'allaitement –, l'obligation de partager leurs ressources avec les jeunes sevrés qui restent auprès d'elles. En raison de toutes ces contraintes, on dit que les femelles représentent le « sexe écologique ». On comprend dès lors que les femelles ont intérêt à contrôler les ressources de nourriture sur des territoires ou domaines vitaux qu'elles doivent bien connaître. C'est pourquoi les femelles forment des groupes sociaux endogames installés durablement sur leur territoire natal (femelles uxorilocales). Chez des espèces plus solitaires, comme les tigres, les filles s'installent dans des territoires voisins de ceux de leur mère[1]. Hormis la protection, l'investissement parental des mâles reste rare chez les mammifères.

Ces caractéristiques se retrouvent chez les singes. Pour la très grande majorité des espèces, les femelles apparentées et uxorilocales forment la structure des groupes sociaux. Cependant, un ou plusieurs mâles sont toujours présents. Chez les singes, qui vivent longtemps, les femelles mettent au monde un seul petit après une gestation de plusieurs mois ; l'enfance jusqu'au sevrage dure plusieurs années. Après le sevrage, elles reprennent une gestation tout en continuant à éduquer le jeune jusqu'à son adolescence. D'une manière générale, les mâles interviennent peu. Cependant, on note chez les singes plus que dans aucun autre groupe de mammifères une grande occurrence de l'investissement parental des mâles, ce qui se traduit dans sa forme la plus aboutie par la monoga-

---

1. Les mâles quant à eux ne sont tolérés que lors des périodes de reproduction, à moins que leur protection ne soit nécessaire pour éviter les agressions d'autres mâles. On pense au lion – le roi des animaux –, souvent décrit comme un roi fainéant qui se nourrit sur les proies abattues par les lionnes. La puissance des lions mâles ne sert pas qu'à dissuader les autres mâles ; les lionnes, plus véloces, rabattent de très grosses proies vers le mâle embusqué qui peut les abattre avec sa force colossale. Ceci étant précisé, les hyènes – ennemies jurées des lions – et les lycaons – les redoutables chiens sauvages d'Afrique – abattent aussi de très grosses proies grâce à des stratégies collectives redoutables mobilisant les deux sexes.

mie[1]. Nous appartenons à un groupe de mammifères où le coût de la reproduction et de l'éducation apparaît considérable pour les femelles qui cumulent gestation, allaitement, éducation et partage obligé des ressources avec des jeunes sevrés jusqu'à l'adolescence, sans oublier les mâles résidents.

Ces tendances plus affirmées chez les singes comparés aux mammifères – pris dans leur généralité – le sont encore plus chez les grands singes avec un petit tous les quatre à six ans et une espérance de vie de plusieurs décennies. Les femelles orangs-outans (genre *Pongo*) vivent plus ou moins isolées sur leur domaine vital, élevant seules leur petit ; chaque mâle occupe un territoire plus vaste recouvrant celui de plusieurs femelles et manifeste très peu d'intérêt pour sa progéniture. Les gorilles (genre *Gorilla*) préfèrent le harem polygyne, un mâle adulte avec plusieurs femelles adultes non apparentées qui ont choisi de se placer sous sa protection ; le mâle à dos gris se montre très tolérant avec les jeunes et joue souvent avec eux. Il se bat jusqu'à la mort pour protéger les siens. Les chimpanzés (espèce *Pan troglodytes*) composent des communautés avec plusieurs mâles adultes apparentés (mâles virilocaux) et plusieurs femelles adultes non apparentées et leurs jeunes se partageant un vaste domaine vital. Bien qu'ils aient tendance à se réunir pour des raisons sociales, les chimpanzés se scindent en groupes plus ou moins nombreux pour rechercher des nourritures. Les femelles demeurent plus ou moins isolées sur une zone préférée alors que les mâles se dispersent ou se lient au gré de leurs stratégies

---

1. Sur l'ensemble des mammifères, seulement 2 % des espèces se montrent monogames ; cette proportion s'élève à 17 % chez les primates, dont les singes. La monogamie est une réponse à des contraintes éducatives telles que la mère seule ne peut pas les assurer ; elle est très fréquente chez les oiseaux.

de pouvoir, formant des coalitions redoutables au sein de patrouilles pour défendre leur territoire, voire attaquer leurs voisins. Ils se font la guerre. Ils ne participent pas à l'éducation des jeunes, ce qui ne les empêche pas d'être plutôt tolérants, parfois de jouer avec eux. Les grands mâles adultes attirent les jeunes mâles qui s'amusent à les suivre, à les imiter, à les taquiner, ce qui peut se terminer par un geste d'agacement, rarement par un geste violent. Chez les bonobos (*Pan paniscus*), on retrouve les mêmes caractéristiques que celles décrites chez les autres chimpanzés, mais avec des relations plus fortes entre les femelles, qui ont tendance à dominer, et moins solidaires entre les mâles, pourtant apparentés. Dans l'apprentissage du jeu social, les jeunes mâles dépendent plus de leur mère que de l'association avec les mâles adultes. Chez tous ces grands singes, l'investissement parental des mâles est inexistant ou très restreint alors que l'investissement éducatif des mères est considérable. La protection dispensée par le gorille mâle ou les interactions sociales chez les chimpanzés et les bonobos ne participent pas à proprement parler d'un investissement parental. Cela contraste fortement avec ce qu'on observe chez les gibbons, ces élégants singes arboricoles des forêts d'Asie du Sud-Est. Cette famille, les hylobatidés, plus proches des grands singes, donc de nous, que des autres singes, privilégie la monogamie. La femelle et le mâle se partagent un même territoire et s'occupent de leurs jeunes. Si la charge de la gestation et de l'allaitement incombe à la femelle, le mâle aide en portant le petit et participe à son éducation.

L'investissement parental des mâles n'est pas courant chez les singes et encore moins chez les espèces les plus proches de nous. A certains égards, les gibbons se montrent plus proches de nous, à condition de considérer que la monogamie et la famille de type occidental soient une caractéristique de notre espèce, ce qui n'est pas le cas.

Les hommes vivent dans des communautés composées de plusieurs femmes et plusieurs hommes adultes, ces derniers étant apparentés, comme chez les deux espèces de chimpanzés. Les unités de reproduction les plus fréquentes associent une femme et un homme (monogamie) ; plusieurs femmes et un homme (polygynie) et parfois une femme et plusieurs hommes (polyandrie). Ces unités de reproduction reposent sur des conventions culturelles consacrées par le groupe. Les coutumes, les lois, les morales définissent autant de statuts reconnus socialement par les membres de ces unités de reproduction avec différentes formes d'exclusivité sexuelle. Ces règles, qu'elles soient respectées ou non, traduisent des formes culturelles de l'investissement parental des mâles. Si les anthropologues soulignent avec pertinence des règles universelles comme l'interdit de l'inceste et l'exogamie des femmes, ils soulignent rarement cette composante apparemment propre aux sociétés humaines qui, par les lois et les coutumes, produisent des systèmes de parenté qui sont autant de systèmes de reconnaissance et d'obligations pour les hommes envers les enfants. Cela peut être le père, mais aussi le frère de la mère comme au Moyen Age en Occident. Chez beaucoup de peuples traditionnels, des relations privilégiées lient une femme à un homme. Pour autant, ces sociétés privilégiant la « monogamie » – qui peut s'accompagner de divers systèmes de résidence : couple sous un même toit, maison des femmes, maison des hommes, résidence chez les parents de la femme ou du mari, etc. – admettent des unités polygynes, à condition que l'homme puisse subvenir aux besoins de ses femmes.

L'universalité de l'investissement parental des hommes suppose une origine ancienne, au moins aussi ancienne que l'Homme moderne, *Homo sapiens sapiens*. Est-ce encore plus ancien, avec l'apparition de notre espèce *Homo sapiens* ? Etait-ce le cas pour toutes les espèces du genre *Homo*, confirmant ainsi l'hypothèse de Glynn Isaac ? Difficile de répondre à ces questions.

D'un point de vue adaptatif, la division des tâches, observée dans toutes les populations humaines, est une stratégie écologique propre à notre espèce. Si les étho-logues mettent parfois en évidence des stratégies écolo-giques et alimentaires différentes entre les sexes chez quelques espèces de singes ou de grands singes, il ne s'agit pas de partition. Chez les gorilles, les femelles pas-sent plus de temps dans les arbres, alors que les mâles, deux fois plus corpulents, résident plus au sol, ces ten-dances étant plus ou moins marquées selon les habitats et les types de forêt. Chez les orangs-outans, les femelles se déplacent plus dans la haute canopée alors que les mâles sont plus à l'aise dans les étages inférieurs. Ces tendances comportent des incidences non négligeables pour l'accès à divers types de nourriture, facilitant la pré-sence des deux sexes sur un même territoire, et la protec-tion contre les prédateurs sans oublier que tout ce qui produit de la variabilité comportementale participe d'une meilleure adaptabilité de l'espèce. On ne relève pas de telles différences chez les chimpanzés, si ce n'est des choix alimentaires, les femelles pratiquant plus la pêche aux insectes sociaux alors que les mâles chassent plus volontiers. C'est donc la règle du chacun pour soi, ce qui n'exclut pas le partage des ressources ou même le partage de proies. Mais il n'y a pas d'organisation sociale qui consiste à se répartir la quête de certains types de nourri-ture, leur transport vers le camp ou le lieu de résidence et leur partage systématique, que ce soit au sein de l'unité de reproduction ou de la communauté.

Glynn Isaac et ceux qui adhèrent à l'hypothèse d'une division des tâches très ancienne installent ses origines vers 2 millions d'années avec une espèce fossile au statut humain très discuté : *Homo habilis*. Depuis la description d'*Homo habilis* il y a plus de quarante ans, la controverse sur son appartenance au genre *Homo* ne tarit pas. La reconstitution de ses modes de vie décrit de petits hominidés – moins d'un mètre trente – dotés d'une bipédie plus évoluée que celle des australopithèques, mais tout en conservant des jambes relativement courtes et des bras relativement longs. Ils dépendent encore des habitats arborés pour se protéger ; qu'ils aient pu construire des abris reste très douteux. Depuis leurs lieux habituels de résidence, ils collectent toutes sortes de nourritures végétales, chassent du petit gibier et exploitent habilement les carcasses de grands animaux qu'ils sont bien incapables de tuer. A l'aide d'outils en pierre taillée ils consomment ce qui ne peut l'être que sur place – cervelle, langue, viscères – et débitent les quartiers de viande qu'ils emportent. Ces *Homo habilis* incluent plus de viande dans leur régime alimentaire, à la fois par la chasse plus ou moins opportuniste de proies de petite et de moyenne taille et, surtout – c'est la nouveauté –, par une activité de... charognage sur les carcasses de grands animaux. Ils inventent de nouvelles stratégies d'occupation de leurs domaines vitaux : repérage de carcasses consommables ; transport de parties d'animaux pour les débiter dans des ateliers de boucherie ; expéditions pour trouver des affleurements de roches propices à la taille d'outils ; ateliers de taille et transport des outils déposés dans des réserves ou caches réparties sur leur territoire. Les scénarios traditionnels attribuent systématiquement toutes ces nouvelles activités aux mâles. Pourtant, comme l'ont souligné plusieurs paléoanthropologues, rien dans ces activités ne contraint à une division des tâches. Les femelles et les mâles peuvent fort bien se déplacer en groupes, comme l'attestent les nombreux sites archéologiques témoignant de courtes haltes suscitées par la découverte d'une source de nourriture. Installer la division sexuelle des tâches au temps d'*Homo habilis* entraîne un autre

postulat : le credo de « l'homme chasseur faiseur d'outils » ; ce que ne confirme pas l'archéologie préhistorique.

## L'Homme, c'est l'outil

L'idée profondément enracinée dans notre culture qui
associe la chasse et l'outil comme des innovations du
genre *Homo* à mettre au crédit des seuls mâles est plus
difficile à faire éclater que le silex. Les premiers outils en
pierre taillée sont obtenus par percussion d'une pierre sur
une autre, ce qu'on appelle percussion dure. La pierre,
qu'il s'agisse de silex, de quartzite, de lave, etc., évoque
de la matière dure, de la masse, des gestes puissants qui
renvoient plus ou moins consciemment aux capacités des
mâles. On admet que les femelles utilisent toutes sortes
d'ustensiles en matière végétale mais, comme pour la
chasse et l'apport régulier de viande, ces plus qui font
l'Homme sont une affaire d'hommes. L'émergence du
genre *Homo* repose sur des innovations produites par l'intelligence des seuls mâles. Comme toujours, les femelles
se cantonnent dans des activités traditionnelles – grossesse, éducation, collecte – comme par nature, alors que
les mâles se lancent dans l'aventure de l'hominisation,
vers la culture.

Les plus anciens outils en pierre taillée, datés d'environ
2,5 millions d'années, proviennent d'Afrique de l'Est,
Ethiopie et Kenya. Question : sont-ils l'œuvre des premiers hommes et sont-ils associés à la chasse ou au charognage ? Lorsque *Homo habilis* est annoncé en 1964, les
auteurs insistent sur ses caractères humains, d'autant que
ses vestiges sont trouvés à proximité d'outils en pierre
taillée. Pourtant *Homo habilis* n'est pas le seul hominidé
présent dans ce coin d'Afrique à cette époque. Les mêmes
outils sont aussi trouvés à côté des fossiles de
paranthropes ou australopithèques robustes. Au fil des

années et des découvertes, les paléoanthropologues découvrent pas moins de trois ou quatre types d'hominidés contemporains entre 2,5 et 2 millions d'années dans cette province d'Afrique de l'Est : *Homo habilis, Homo rudolfensis, Paranthropus boisei* ou *Paranthropus aethiopicus* et *Paranthropus garhi*. Ce dernier, décrit en 1999, porte le nom de « surprise » ; c'est que signifie *garhi* en langue vernaculaire. Pourquoi surprise ? Parce qu'il est associé à des outils en pierre taillée et à des ossements d'antilope ayant été décharnés à l'aide de ces outils. Est-ce que des *Paranthopus garhi* ont occis ces proies et les ont consommées ou s'agit-il d'un site de boucherie abandonné par des *Homo habilis* qu'ils auraient exploité fort opportunément ? Nul ne peut trancher pour l'heure.

On trouve ces outils en pierre taillée associés à des restes de la faune. L'observation des traces d'utilisation sur le tranchant de ces outils au microscope – la *tracéologie* – révèle que certains ont été utilisés sur des matières animales, d'autres sur des matières végétales et d'autres encore sur ces deux types de matière. On ne peut donc pas savoir si les premiers outils en pierre taillée apparaissent pour un type d'activité particulier, d'autant que ces outils servaient à divers usages. Si l'on se réfère aux activités des chimpanzés qui utilisent des pierres pour briser des noix, on note sans ambiguïté que les femelles s'en servent beaucoup plus et beaucoup mieux que les mâles, qui se contentent souvent de jouer les pique-assiettes. Alors pourquoi ne pas imaginer le scénario suivant : des femelles hominidés – il importe peu qu'elles soient du genre *Australopithecus*, *Paranthropus* ou *Homo*, ce qui importe c'est qu'elles soient du genre féminin – se livrent habituellement au bris de noix comme au broyage de tubercules et autres rhizomes. Depuis que l'on a observé les chimpanzés, les archéologues commencent à interpréter en ce sens des concentrations de pierres non taillées trouvées en relation avec des restes d'hominidés anciens. Un geste moins précis, une percussion plus dure, une erreur de trajectoire font que des éclats se forment. Ils restent en l'état jusqu'à ce que des individus aient l'idée d'utiliser leur tranchant pour d'autres activités, sur des matières végétales ou animales. Des individus mâles ou des femelles ? Impossible une fois de plus de trancher. Toutefois, les observations faites chez les chimpanzés incitent fortement à réhabiliter les capacités manipulatoires et d'innovation des femelles. Car, pour débiter des éclats, c'est plus une question de technique que de force et, même pour ce qui est de la force, nos ancêtres hominidés étaient bien plus forts que les préhistoriens mâles actuels qui taillent si bien la pierre. Ayant reprécisé tout cela, on pourrait rétorquer que si les femelles ont eu plus d'opportunités pour produire des éclats dans leurs actions sur divers types de végétaux, ce sont des mâles qui eurent l'idée – forcément géniale – de prendre ces outils tranchants pour débiter des carcasses ; nous verrons que l'appropriation des outils est une constante de la domination masculine, tout en rappelant que chez les peuples qui pratiquent ou pratiquaient encore récemment de grandes chasses, ce sont les femmes qui dépècent les carcasses ! Seul le postulat plus dur que toutes les pierres de la terre : « L'Homme c'est l'outil » permet de trancher en ce sens. Le propos ici n'est pas de lapider toutes les hypothèses mais de reconsidérer les dogmes inflexibles, d'en faire tout simplement des hypothèses soumises à l'épreuve des avancées des connaissances ; il n'est pas non plus question de jeter la pierre aux hominidés mâles et encore moins aux hommes ; mais de rappeler cette évidence : l'évolution de l'Homme n'est pas qu'une affaire de mâles !

Quoi qu'il en soit, les données actuelles de la paléoanthropologie et de l'archéologie à l'aube de la Préhistoire n'attribuent pas toutes ces innovations aux femmes ou aux hommes, car ces plus anciens vestiges du Paléolithique naissant précèdent les premiers hommes, le genre *Homo*, au sens strict. Encore et toujours, la pensée dominante en paléoanthropologie et en Préhistoire consiste à voir des hommes là où il y a des outils en pierre taillée. Il serait temps que les chercheurs des deux disciplines acceptent l'idée que ces deux questions ne sont plus liées, en tout cas d'un point de vue strictement scientifique. Seulement, depuis la première définition scientifique de l'Homme par Linné en 1758, il faut attendre la fin des années 1980 pour qu'apparaissent d'autres définitions de l'Homme, en l'occurrence du genre *Homo*[1], qui reposent non plus sur des critères culturels mais strictement biologiques ! La paléoanthropologie a mis plus d'un siècle pour couper – sans silex – le cordon ombilical avec la préhistoire. Si, comme le pensent de plus en plus de paléoanthropologues, dont je suis, le genre *Homo* au sens strict émerge avec *Homo ergaster*, alors les plus anciens outils en pierre taillée précèdent notre genre d'au moins un demi-million d'années !

Ainsi donc, selon les avancées les plus récentes en paléoanthropologie, en préhistoire et en éthologie, il ressort les constats suivants : les premiers outils en pierre taillée précèdent de plusieurs centaines de milliers d'années les premiers représentants du genre *Homo* au sens strict. Plusieurs espèces d'hominidés se retrouvent associées à ces plus anciens outils sans que l'on sache qui les a inventés ou en a fait des usages plus systématiques ; ces outils furent aussi bien utilisés sur des matières végétales et animales, dans des activités plus fréquemment observées chez des femelles chimpanzés sur des matières

---

1. Les inventeurs d'*Homo habilis*, de grands paléoanthropologues qui produisirent une étude de référence, orientèrent leurs conclusions en ce sens ; les critiques ne vinrent pas des préhistoriens mais bien des paléoanthropologues !

végétales et plus souvent effectuées par des femmes pour le dépeçage de carcasses dans les populations humaines. « L'Homme c'est l'outil » est donc bien une construction idéologique.

Pour revenir à la division des tâches au temps d'*Homo habilis*, rien de moins évident. On sait que déjà vers 2,35 millions d'années des hominidés – mais lesquels ? – menaient des expéditions pour accéder à des affleurement de roche de bonne qualité pour la taille d'outils. N'étaient-ce que des mâles ? Que des femelles ? Les deux ? La reconstitution de leurs activités autour des ateliers de taille suggère des expéditions de courte durée. Les autres membres du groupe les attendaient-ils à un camp de base ? S'occupaient-ils de débiter une carcasse dans un autre coin des savanes arborées ? Menaient-ils des vies plus ou moins nomades sur leur vaste territoire au gré des ressources disponibles ?... Bien des questions et trop peu d'éléments de réponse pour conclure à une division sexuelle des tâches à cette époque.

### L'Homme, c'est la chasse

La chasse au gibier de moyenne et de grande taille apparaît avec les *Homo ergaster*, bien plus tard d'après certains chercheurs. Quoi qu'il en soit, vers 1 million d'années on évoque des *Homo erectus* au sens large. Le genre *Homo* représente la seule branche de la grande famille des Hominidés ayant survécu. Alors que toutes les autres lignées africaines s'éteignent entre 1,6 et 1 million d'années, *Homo ergaster* puis ses descendants *Homo erectus* s'étendent sur toute l'Afrique et bientôt sur les franges méridionales de l'Eurasie. Si le genre *Homo* entreprend son expansion géographique alors que les autres Hominidés s'effacent, c'est grâce à l'association d'adaptions biologiques, cognitives, techniques, culturelles et sociales.

De grande taille corporelle, ils jouissent d'une bipédie identique à la nôtre, efficace et endurante pour la marche et la course. La différence de taille corporelle entre les femmes et les hommes – le dimorphisme sexuel – est peu marquée. Ils construisent des habitats, s'installent bientôt dans des grottes et des abris sous roche, utilisent le feu et cuisent leur nourriture. Ils inventent d'autres types d'outils, comme les bifaces symétriques et pointus [1]. Les sites archéologiques livrent de plus en plus de vestiges d'animaux consommés, reliefs de repas mais aussi témoignages d'activités cynégétiques. Ce tableau vite esquissé évoque les images classiques de la vie des hommes et... des femmes préhistoriques.

Avec le genre *Homo*, les références analogiques ne se tournent plus vers l'éthologie comparée des singes et des grands singes, mais vers les peuples traditionnels actuels ou ceux disparus au cours du siècle dernier. L'ethnographie comparée met en évidence la division sexuelle des tâches, un trait universel de toutes les sociétés humaines. Les femmes se chargent de la collecte des nourritures végétales et/ou du jardinage ; attrapent pour ne pas dire chassent de petits animaux ; s'occupent de l'éducation des filles jusqu'à la puberté et des garçons avant leurs premières initiations ; de l'entretien et parfois de la construction des « maisons » ainsi que de la cuisine. Toutes ces activités se déploient dans un périmètre limité

---

1. Ces bifaces, emblématiques d'un complexe technique dit de l'Acheuléen, apparaissent vers 1,5 million d'années en Afrique. Leur diffusion est tardive en Europe et ne semble pas aller plus loin que l'Asie centrale. Rappelons que seule la pierre se conserve et que l'âge de pierre est avant tout un âge de bois. On a retrouvé quelques épieux fort anciens, découvertes rarissimes. Evoquer ces bifaces, c'est avant tout rendre compte d'innovations techniques, certainement plus diversifiées mais disparues à jamais.

autour de la résidence ou du village. Les hommes s'occupent principalement de la chasse, traquant le gibier loin du lieu de résidence, souvent bien au-delà de l'aire d'activité des femmes, palabrent beaucoup et s'occupent des relations conflictuelles ou amicales avec leurs voisins. La répartition des tâches n'est pas soumise aux mêmes contraintes écologiques dans les forêts tropicales, tempérées ou boréales ou encore dans les plaines herbeuses ou les toundras. L'économie de subsistance des populations installées dans la bande des tropiques repose sur les activités des femmes : la part des nourritures végétales, qu'elles soient collectées ou cultivées, représente environ les deux tiers de l'alimentation. A cela s'ajoutent toutes les autres tâches (cuisine, entretien de la « maison » et du « jardin » s'il y en a un, éducation des jeunes, etc.). La contribution des hommes demeure modeste. Il en va autrement sous les hautes latitudes où l'essentiel de la nourriture est d'origine animale, principalement la chasse et parfois la pêche. Les femmes participent peu à la capture ou la collecte de nourriture. Pour autant, elles assurent des activités souvent pénibles pour l'entretien des habitations, la confection d'habits et tout ce qui est lié à la préparation et la conservation des aliments. S'il y a division sexuelle des tâches chez tous les peuples traditionnels, la contribution relative des femmes et des hommes à l'économie du groupe dépend des conditions environnementales.

Puisque toutes les populations traditionnelles observent ce type d'organisation, il est probable que ce soit aussi ancien qu'*Homo sapiens sapiens*. La question est ainsi de savoir si la division sexuelle des tâches est une adaptation socio-écologique sélectionnée pour notre espèce *Homo sapiens*, voire pour le genre *Homo*, ou si des constructions culturelles président à l'affirmation de telles partitions avec en filigrane les fondements d'une idéologie de la domination masculine.

On a déjà évoqué le fait qu'une division sexuelle des tâches ainsi qu'une grande mobilité des femmes comme des hommes représentent une adaptation socio-écologique connue seulement chez l'homme associée à la quête de ressources de meilleure qualité et nécessitant un contrat social. Mais est-ce que les femmes sont condamnées à restreindre leurs déplacements en raison des contraintes liées à leur obligation d'éduquer les jeunes ou à cause de leurs moindres capacités physiques restreignant leurs déplacements sur de faibles distances ? Autrement dit, est-ce que les tâches qui leur incombent correspondent à leur nature ?

L'ethnographie comparée montre clairement que chez les peuples traditionnels des régions intertropicales et tempérées, les femmes se déplacent plus régulièrement et parcourent en moyenne de plus grandes distances que les hommes. Elles le font souvent en portant un enfant, ce qui ne les dispense pas de rapporter du bois, des nourritures sans oublier toutes les autres tâches, comme l'entretien du potager et de l'habitation. Les enfants ne dispensent donc pas les femmes des tâches les plus pénibles, ce qui n'est pas une découverte. Cependant il s'agit de déplacements réguliers, compatibles avec la collecte. Difficile d'imaginer la chasse avec un enfant, bruyant, gênant pour une approche discrète, encombrant pour utiliser une arme ou encore pour se lancer dans une course. Il arrive que les femmes participent à la chasse, mais comme rabatteuses, poussant le gibier vers des hommes rapides, armés, forts, résistants et... embusqués.

Les femmes – le sexe faible – déploient plus d'activités physiques que les hommes – le sexe fort. La principale difficulté rencontrée par les femmes vient de leurs jeunes enfants. Mais est-ce que cela interdit la chasse à toutes les femmes ? Les jeunes filles et les jeunes femmes sans enfant pourraient y participer. Même pour les mères n'attendant pas d'enfant ou n'ayant pas à allaiter, il suffirait d'organiser des crèches ou de confier les jeunes à la grand-mère. Les objections classiques à ces remarques sont que les jeunes filles à peine pubères sont vite mariées, se retrouvent avec des enfants et enchaînent les grossesses toute leur vie. C'est oublier que les peuples traditionnels limitent leur démographie ; le commandement « croissez et multipliez » apparaît avec les sociétés d'agriculteurs qui ont besoin de bras dans les champs. Le propos ici n'est pas de minimiser l'énorme investissement parental des femmes chez les peuples traditionnels, mais de souligner que les femmes peuvent participer à la chasse, ce qui se pratique chez quelques peuples.

En faisant un retour chez les autres espèces, on constate que les femelles chassent fort bien. Chez les félins comme le tigre, la femelle chasse et assure seule l'éducation de ses jeunes, tout en ayant parfois à partager une proie qu'elle a abattue avec un mâle résident. L'exemple des lions est bien connu. Chez les canidés, comme les loups, prévaut une organisation sociale complexe avec un couple dominant et le reste des individus qui s'occupent des jeunes. Les femelles ne sont pas moins aptes à la chasse et c'est avant tout une question d'organisation sociale. Pourquoi n'en est-il pas ainsi chez les singes, les grands singes et les hommes ? Cela apparaît d'autant plus surprenant que chez les carnivores les femelles doivent s'occuper de portées de plusieurs petits alors que chez les singes les femelles n'ont qu'un seul petit à la fois. La réponse à ce faux paradoxe provient de stratégies de reproduction et d'éducation très différentes. Chez les carnivores, les petits naissent très immatures, grandissent très vite et acquièrent assez rapidement de l'indépendance. Il en va autrement chez les singes avec un seul petit au terme d'une longue gestation. Même si ce petit naît beaucoup plus précoce, apte à pouvoir agripper sa mère, il ne la lâche plus pour de longues années. Autre différence, chez les carnivores les jeunes quittent le giron maternel peu de temps après le sevrage alors que le petit singe sevré reste auprès de sa mère jusqu'à l'adolescence. Donc moins de jeunes chez les singes, mais des contraintes éducatives nettement plus lourdes. La mort d'un petit pour une femelle tigre représente une faible perte en terme de coût de reproduction ; par contre, la disparition d'un jeune singe a un coût considérable. Cette différence s'avère encore plus dramatique chez les grands singes et les hommes avec des gestations de huit à neuf mois, un sevrage tardif à l'âge de quatre à six ans et, au mieux, une naissance tous les quatre à sept ans. Même avec des espérances de vie d'une quarantaine d'années, on conçoit combien ces petits sont précieux. L'étroite dépendance du petit et de l'enfant avec la mère se révèle comme une forte contrainte chez les singes et encore plus chez les grands singes et les hommes.

Quelques espèces de singes tels les macaques et les babouins en particulier pratiquent volontiers la chasse. Ces derniers se révèlent redoutables dans des régions dépourvues de prédateurs, comme on l'observe actuellement dans certaines régions du Kenya. La chasse est avant tout une activité ludique renforcée par une réelle appétence pour le goût de la viande ; c'est une double activité sociale, pour la traque comme pour la consommation. D'après les nombreuses études publiées, c'est une activité fort prisée par les mâles. Il est rare de voir une femelle babouin participer à la chasse ; elle se montre plus douée pour obtenir des morceaux auprès des mâles. Si les femelles ne chassent pas ou très peu, ce n'est donc pas par manque de goût pour la viande, tout en rappelant qu'il existe de très grandes différences d'intérêt d'un individu à l'autre. Plusieurs facteurs limitent leur participation à la chasse : la présence de jeunes très dépendants, leur petite taille corporelle et le risque de prédation.

Les chimpanzés se distinguent comme les plus prédateurs de tous les singes avec les hommes. La fréquence de la chasse varie considérablement d'une communauté à l'autre. Cela dépend aussi bien de facteurs écologiques – présence de proies, de prédateurs, disponibilité d'autres ressources au fil des saisons – que de l'intérêt manifesté par les différents individus, le plus souvent les mâles. La participation de femelles à la chasse reste rare, mais cela arrive. On a même observé une femelle sautant d'un arbre à un autre avec son petit accroché fermement à son dos. Nonobstant cet exemple, il semble aussi que la présence de jeunes enfants ne facilite pas les choses, bien que certaines femelles se montrent plus hardies. La taille et la force des femelles chimpanzés leur permettent d'occire des proies – singes colobes, antilopes, jeunes cochons... – et les risques de prédation les soucient moins, même s'ils sont bien réels. Un autre facteur limitant provient de l'organisation sociale qui privilégie les relations entre les mâles alors que les femelles ont tendance à vivre plus dispersées sur le territoire de la communauté. Comme le succès de la chasse dépend de la coopération entre individus et de leurs stratégies – ces dernières issues d'expériences communes –, cela constitue un autre facteur contraignant pour les femelles. Il apparaît donc que chez les chimpanzés, les femelles chassent beaucoup moins que les mâles et que cette différence ne s'explique pas simplement. Des facteurs écologiques, sociaux et individuels ainsi que des contraintes dues à la dépendance des jeunes interfèrent de façon complexe, tout en insistant sur le fait que, si des femelles désirent participer à la chasse, elles ne s'en privent pas.

Revenons à la lignée humaine. Les chimpanzés partagent la plupart de leurs caractéristiques comportementales avec nous. On relève cependant une différence considérable et rarement soulignée : chez les chimpanzés, les femelles vivent plus ou moins dispersées sur le territoire de la communauté alors que c'est l'inverse dans la plupart des sociétés humaines. Les femmes mènent leurs nombreuses activités au cœur du territoire alors que les hommes se dispersent, seuls ou en groupes, pour mener leurs chasses. Ce qui amène à relever deux paradoxes : le premier concerne les contraintes sociales qui empêchent les femmes de s'organiser de telle sorte qu'elles pourraient s'arranger pour une garde collective des enfants. Alors qu'elles résident à proximité les unes des autres au centre d'un territoire protégé et sous le contrôle des hommes, les règles sociales leur imposent des activités et des obligations leur interdisant toute indépendance. Le second paradoxe soulevé par les évolutionnistes est celui bien connu « qui part à la chasse perd sa place ». Si un homme ou des hommes s'éloignent, d'autres peuvent en profiter pour courtiser et séduire leurs femmes. Les sociétés humaines ont institué des coutumes, des règles et des lois avec des prescriptions morales sans lesquelles de telles organisations sociales seraient impossibles. Ces deux paradoxes ne peuvent être résolus que par des contrats sociaux, des règles et des lois, ce que les philosophes ont largement commenté depuis fort longtemps. Cependant ils évitent la question de leurs origines – anthropologie structurale – ou postulent divers états des origines – Rousseau, Hobbes, etc. – de l'Homme primitif ou de nature, sans regarder du côté de l'ethnographie ou de la Préhistoire. Ils se contentent de projeter une hypothèse de départ nécessaire au développement de leur système de pensée, mais sans jamais la reconsidérer.

Dans une perspective paléoanthropologique, est-il possible de dégager les fondements de la division sexuelle des tâches et surtout des contraintes interdisant aux femmes de chasser ? D'un point de vue strictement éthologique, des femelles et des femmes peuvent chasser, bien que, en matière d'évolution et de comportements, il faille prendre garde d'organiser les observations dans un cadre phylogénétique ; évoquer la chasse chez les carnivores et chez les grands singes ne se limite pas à la seule acquisition de proies et de viande. La chasse chez les carnivores est une caractéristique fondamentale de ces espèces ancrée dans une longue histoire évolutive façonnée par la sélection naturelle. Chez les singes, et plus particulièrement chez les chimpanzés, la flexibilité comportementale, les différences interindividuelles et des aspects indéniablement culturels interviennent. La chasse n'est donc pas dans la « nature » des singes même si cela ne va pas contre leur nature. Autrement dit, la chasse n'est pas une activité vitale, pour la très grande majorité des espèces de singes et de grands singes. Elle entre dans le registre des activités comportementales pour ne pas dire culturelles en raison de ses multiples contenus sociaux.

La plasticité comportementale et ses capacités d'innovation interviennent de façon aussi importante, que les facteurs de sélection naturelle. Ce n'est pas pour autant se dégager des théories darwiniennes ou postdarwiniennes de l'évolution. Il s'agit d'y inclure une dimension éthologique et culturelle, de rappeler cette évidence, que les facteurs de sélection agissent sur la variabilité comportementale ; étant entendu que des comportements comme la chasse chez les grands singes ne se réduisent pas à des gènes et encore moins à des histoires de différences chromosomiques entres les femelles et les mâles, les femmes et les hommes. La véritable difficulté, une fois de plus, réside dans l'évitement des hypothèses purement naturalistes opposées à des explications exclusivement culturelles.

La biologie et l'éthologie comparées mettent en évidence des contraintes éducatives fortes chez les singes et les grands singes qui lient les femelles à leurs jeunes, d'autant que l'investissement parental des mâles s'avère quasi inexistant. La dépendance de l'enfant à la mère devient encore plus forte dans le genre *Homo*. On lit ou on entend souvent que le petit humain naît dans un état plus immature que les jeunes grands singes, ce qui est vrai. Pour apprécier ce fait, il suffit de rappeler que la durée de la gestation se montre d'autant plus longue d'une espèce à l'autre que la taille du cerveau est plus grande. Cette corrélation très stricte tient au fait que le développement du cerveau se fait principalement *in utero*. Sachant que le cerveau de l'homme actuel a une taille au moins trois fois supérieure à celui d'un chimpanzé – 1 350 contre 380 centimètres cubes en moyenne – alors que les durées respectives de gestation sont de neuf mois et de huit mois et demi, le petit humain naît relativement plus tôt. On estime que, si la grossesse devait se dérouler selon la norme empirique dégagée chez les singes et les grands singes, elle devrait durer vingt et un mois pour notre espèce ! Au lieu de cela, la naissance se déclenche à neuf mois et l'enfant poursuit son développement comme s'il était encore dans l'utérus. Ce nouveau-né humain vient au monde plus dénudé que les nouveau-nés de grands singes.

Ce fait n'a pas échappé aux philosophes et aux anthropologues qui soutiennent que le petit humain vient au monde *tabula rasa*, ce qui est complètement faux. Il naît avec beaucoup d'aptitudes et s'il est moins précoce qu'un chimpanzé nouveau-né, il l'est bien plus que les petits de la plupart des autres espèces de mammifères. Ayant précisé cela, le nouveau-né humain exige des soins plus attentifs à la fois de la mère... et du père. Alors tout devient presque trop cohérent. Dans le genre *Homo* la longue enfance requiert un investissement parental avec un contrat social entre des femmes mobilisées dans leur devoir maternel alors que les hommes les soutiennent en leur assurant protection et apport alimentaire. (On retrouve le modèle de Lovejoy à propos des australopithèques.) Ce nouveau type d'organisation sociale serait apparu avec les premiers hommes au sens strict, les *Homo ergaster*. Un bonheur n'arrivant jamais seul, comme la naissance de ces enfants fragiles, c'est aussi avec ces hommes que la chasse, la construction d'abris, l'usage du feu, l'invention d'outils et le langage définissent une nouvelle socio-écologie du genre *Homo*. D'un côté, des femmes investies d'un devoir de maternité plus exigeant, de l'autre, des hommes qui innovent. Pendant que les femmes mettent au monde des enfants plus humains, les hommes accouchent de l'humanité.

C'est presque trop beau. Les données de l'archéologie préhistorique ne valident en rien un tel scénario. Sans aucun doute, la grossesse est souvent difficile, la parturition douloureuse et les soins demandés par les nouveau-nés exigeants. Pourtant, chez beaucoup de peuples traditionnels, les femmes accouchent seules, ailleurs, avec l'assistance d'autres femmes alors que le père et les autres hommes se montrent discrets, sauf pour célébrer la naissance d'un fils. Il n'y a pas si longtemps encore, une tradition du sud de l'Europe, appelée la couvade, obligeait la mère à sortir de son lit juste après l'accouchement alors que le père prenait sa place et recevait la famille et les amis. Lors des migrations saisonnières de populations nomades, les femmes accouchent comme elles le peuvent, le groupe ne ralentissant pas sa progression. Dans presque toutes les sociétés dites modernes, comme aux Etats-Unis, les femmes ne disposent pas de congés de maternité. On n'arrête pas le travail ni le progrès. Ainsi la grossesse et la maternité ne dispenseraient pas les femmes d'assurer plus d'activités que les hommes et dans des conditions souvent plus pénibles, mais seraient des entraves pour la chasse ! Cette affirmation revisitée ne résiste pas à la confrontation avec les données de l'éthologie comparée, de l'ethnographie et de la Préhistoire. Il s'agit donc d'une construction culturelle que l'on appelle l'idéologie de la domination masculine.

*Idéologie de la domination masculine et Préhistoire*

La Préhistoire naît au XIXᵉ siècle, à une époque marquée par la pudibonderie bourgeoise en matière de sexualité. Des femmes mariées enfermées dans leur rôle de mère et d'autres femmes disponibles dans les bordels et les maisons closes, deux figures de la femme aussi anciennes que les plus anciens textes, opposition entre l'épouse et la courtisane comme dans le cycle de Gilgamesh. L'époque se grise de ces périodes d'avant l'Histoire où la sauvagerie n'a d'égale que la licence sexuelle.

Sigmund Freud recourt à l'explication par les origines tout comme les philosophes du siècle des Lumières. Ainsi, dans *Totem et tabou* : « A mesure que les temps difficiles se prolongeaient, dut se produire un conflit entre l'auto-conservation et le désir de reproduction chez les hommes primitifs menacés dans leur existence. [Il s'agit des âges glaciaires.] La limitation, l'abstinence, dut atteindre les femmes plus durement que l'homme plutôt insouciant des suites des rapports sexuels. Cette situation dans son ensemble est conforme aux conditions de l'hystérie de conversion [pour les femmes]. [...] La suite du développement est facile à construire. Elle concerne surtout le mâle. Après qu'il eut appris à économiser sa libido et rabaisser son comportement sexuel par régression à une phase antérieure, l'activité de l'intelligence acquit pour lui le rôle principal. Il apprit à chercher, à comprendre quelque peu le monde hostile, et à s'assurer, par ses inventions, une première maîtrise du monde. Il se développa sous le signe de l'énergie, élabora les prémices du langage, et dut accorder une grande importance aux acquisitions nouvelles. [...] En récompense de sa créativité à protéger le groupe d'individus sans défense, il s'arrogea le pouvoir absolu sur eux, du fait de sa personnalité, se fit le porte-parole des deux premières lois : on

214 NOUVELLE HISTOIRE DE L'HOMME

n'aurait pas le droit de lui porter atteinte, ni de lui contester la libre disposition des femmes. A la fin de cette époque, l'espèce humaine s'était scindée en autant de hordes dominées chacune par un mâle fort, avide et brutal, ayant la fonction de père. [...] Il est possible que la nature égoïstement jalouse et sans égard que nous attribuons au père primitif de la horde humaine, selon la psychologie des peuples, n'ait pas existé dès le début, mais se soit formée au cours de la dure époque glaciaire en tant que résultat de l'adaptation au dénuement. »

Il y aurait beaucoup de remarques à faire à la lumière des connaissances en éthologie comme en anthropologie, ce n'en est pas l'objet ici. Freud a reçu une forte éducation classique inscrite dans la tradition des humanités et considère avec attention les avancées des connaissances en sciences, comme en Préhistoire et en ethnologie. Cependant, les humanités classiques et la Préhistoire reprennent obstinément les mêmes schémas de la domination masculine qui apparaissent ici. Comme si cela ne suffisait pas, à des millénaires de philosophie hérités de la Grèce aussi antique que machiste se superpose avec Freud une conception de la Préhistoire qui donne une perspective historique du passage de la nature à la culture et, dorénavant, une lecture en ce sens de la psychanalyse. A se demander quel est le sexe le plus hystérique ?

La fiction originelle de Freud nous ramène à cette question fondamentale et si difficile à élucider : l'apparition de sociétés humaines composées de femmes et d'hommes adultes et leurs enfants, identiques en cela aux sociétés de chimpanzés, organisées avec des unités de reproduction qui supposent le respect de l'exclusivité sexuelle. Cela d'autant plus que chez les femmes la période de fécondité ne se manifeste plus par des modifications morphologiques et physiologiques perceptibles, ce qu'on appelle le camouflage de l'œstrus. Chez les chimpanzés et d'autres espèces de singes, les parties génitales des femelles enflent considérablement et prennent une couleur vive au moment de l'œstrus, un message aussi évident que voyant pour les mâles. Dans notre espèce, la reproduction passe par une sexualité particulière avec une réceptivité sexuelle permanente chez les femmes. Les femmes et les hommes peuvent entretenir des relations sexuelles indépendamment des périodes d'ovulation. Les stimuli et le désir sexuels ne dépendant pas des signaux morphologiques ou chimiques spécifiques provoqués par l'ovulation – en tout cas pas de façon évidente et consciente –, cela passe par les diverses composantes de la libido. Bien que Freud ignorât tout ce qui relève de l'éthologie comparée sur ce sujet – on peut évoquer le célèbre livre de Desmond Morris *Le Singe nu* –, il perçut cet aspect très particulier de la sexualité humaine et ses multiples implications en psychologie et en psychanalyse. Même si rien ne permet d'évoquer ce passage par la horde primitive dominée par un mâle tyrannique, l'apparition de « lois » réglant les relations entre les femmes et les hommes d'une même communauté et le respect de l'exclusivité sexuelle sont une caractéristique fondamentale des sociétés humaines. Dire la règle passe par l'énonciation de devoirs, d'obligations et de jugements que seul le langage peut exprimer. D'autant que ce même langage permet de témoigner, de rapporter des situations devant le groupe, même si elles se sont déroulées ailleurs dans l'espace et dans le temps, sans oublier le nécessaire mensonge. Plusieurs paléoanthropologues ne voient pas là les origines du langage, mais une des fonctions qui ont renforcé et développé ce mode de communication aussi complexe que symbolique.

Un autre passage du texte de Freud évoque le rôle déterminant des temps glaciaires sur le mode de survie et de reproduction des hommes préhistoriques. Il y a bien eu des changements considérables au cours de la Préhistoire, non pas au cours des âges glaciaires mais juste après, avec l'invention de l'agriculture au Néolithique. Freud, comme tous les anthropologues au sens large – ce qui comprend aussi les sociologues –, n'a jamais pu dépasser cet horizon du Néolithique, ce qui l'a conduit à reprendre tant de clichés erronés sur la longue période de la Préhistoire. Nous abordons là une question fondamentale et lourde de conséquences.

La fiction de Freud consacre la conception archaïque de la femme prisonnière de sa condition de génitrice alors que les hommes seraient libres de créer et d'innover : la femme dans la nature, les hommes dans la culture. Nous avons longuement discuté cette affirmation invalidée par l'éthologie, l'ethnographie et la paléoanthropologie. Nos sociétés dites modernes s'organisent encore sur cet archaïsme : d'un côté, des métiers de femmes basés sur des aptitudes naturelles – compassion, empathie, affection, assistance, instinct maternel, etc. – et, de l'autre, les métiers créatifs des hommes. Les métiers de femmes sont mal rémunérés car fondés sur des aptitudes naturelles ; les métiers des hommes sont valorisés car ils émergent d'activités intellectuelles. Il suffit de regarder l'évolution des métiers de l'enseignement. Le glissement de l'image du maître avec toutes les vertus associées – discipline, rigueur, modèle du notable – à celui de la maîtresse : tout un glissement de l'instruction vers l'éducation, glissement symbolique qui s'observe dans toutes les professions qui se féminisent. Ce processus de dévalorisation des activités féminines se retrouve dans toutes les sociétés humaines.

L'impossibilité pour les femmes de pratiquer la chasse repose en réalité sur plusieurs tabous et non pas sur des contraintes de nature ou liées à leur nature. On l'a vu, les femmes participent à la chasse de différentes manières selon les populations et les cultures, que ce soit activement, en faisant le rabattage ou à l'affût. Leur prétendue moindre mobilité est démentie par l'intensité de leurs activités, et l'encombrement dû aux jeunes enfants peut être facilement résolu. Alors pourquoi les femmes chassent-elles si peu ou dans des conditions rendues plus difficiles ? L'ethnographie comparée dégage quelques contre-exemples qui déplacent cette question sur le champ du symbolique, plus précisément de la symbolique du sang. D'après Alain Testart, il ne fait aucun doute que les femmes chassent moins que les hommes, mais il n'est pas rare qu'elles participent à la chasse dans diverses sociétés, que ce soit chez les Hazdas d'Afrique ou pour la chasse à courre de la haute société. Cependant, les femmes se voient interdire d'utiliser des arcs, des flèches et d'autres armes perforantes qui pénètrent les chairs et font couler le sang. Le fondement de ces interdits met en opposition la faculté qu'ont les femmes de donner la vie, incompatible avec le pouvoir de donner la mort. D'autre part, le sang des menstrues est considéré comme impur. Lors des périodes de règles, les chasseurs s'approchant d'elles ou ayant une relation sexuelle avec elles n'arrivent pas à tuer de proie. Chez de nombreux peuples traditionnels, les femmes sont isolées dans des « huttes menstruelles ». Les Occidentaux pourraient y voir des pratiques de « primitifs », mais rappelons que, de nos jours encore, des livres de cuisine affirment que des femmes font tourner la mayonnaise lorsqu'elles ont leurs règles, ou sont bannies de divers lieux. On retrouve des traces de ce tabou dans le mythe d'Artémis ou de Diane, femme sauvage qui défend farouchement sa virginité et n'est entourée que de femmes. *Idem* pour la virginité de Jeanne d'Arc, dont l'aménorrhée compte parmi les multiples charges à son encontre au cours de son procès.

Les femmes ont le privilège exorbitant de donner la vie à des filles et à des garçons, aux deux sexes. Les jeunes garçons sont élevés comme des filles ou sans grande différence jusqu'au sevrage. Puis arrive l'âge d'entrer dans la société des hommes avec les premières initiations, le temps de détacher le jeune mâle de la nature pour en faire un homme. La différenciation des sexes passe parfois par la circoncision, qui élimine le prépuce considéré comme une tare liée à l'autre sexe, et l'ablation du clitoris et l'infibulation chez les jeunes filles. Ces pratiques tranchent à vif dans l'identité des sexes, moins marquée par la nature que par les cultures, soulignant la différence entre le sexe biologique et le genre. Là aussi, les Occidentaux se montrent aujourd'hui enclins à dénoncer des pratiques archaïques. Il suffit de rappeler l'intervention violente et traumatisante de la médecine dans le domaine de la sexualité au XIX<sup>e</sup> siècle. Sans Freud, nous en serions peut-être encore là. Aujourd'hui, la différenciation culturelle entre les sexes épouse des figures de la ségrégation moins violentes mais tout aussi efficaces, notamment en sciences.

Une étude critique de l'histoire de la génétique du développement – chromosomes sexuels, hormones, embryogenèse... – dégage invariablement les mêmes interprétations : comment se construit le sexe masculin depuis un état de nature, celui du sexe féminin, comme si le chromosome Y, le plus petit de tous, portait en lui le germe de la culture. Rares sont les recherches qui s'intéressent au développement du sexe féminin. La célèbre phrase de Simone de Beauvoir : « On ne naît pas femme, on le devient » prend ici un double sens ou un sens supplémentaire : il y a la construction culturelle de la différence homme/femme qui s'obstine à enfermer la femme dans un état de nature ; il y a une autre conséquence rarement soulignée : le fait que cette construction idéologique est devenue tellement intégrée que les biologistes se sont à peine intéressés au développement du sexe féminin. J'en veux pour preuve un article publié récemment dans une grande revue scientifique titré ainsi : « Le chromosome X prend enfin l'avantage » !

Même constat quand on passe des études sur la diffé-renciation des organes génitaux aux différences sexuelles au niveau du cerveau. Les femmes se distingueraient par des profils psychologiques soulignés par l'émotion, l'em-pathie, la sensibilité, l'intuition qu'on leur trouve dans leurs tendances à l'indolence, la frivolité, le bavardage, la passivité, la routine, l'enfermement dans l'espace domestique, etc., prédisposition attribuées au cerveau droit relativement plus développé. Quant au cerveau des hommes, il se distingue par une asymétrie plus marquée avec un forte dominance du cerveau gauche, un caractère associé à la dextérité, donc à l'outil, etc. Les hommes se distinguent par une meilleure perception de l'espace et du temps, sont plus créatifs, plus actifs, etc. Et de lire et d'entendre des psychologues aussi mondains que savants que tout cela s'est mis en place justement à l'époque des temps glaciaires, les rigueurs de la vie obligeant les femmes à restreindre leurs activités à proximité de la grotte alors que les hommes partaient affronter les intem-péries pour chasser et assurer la survie du clan. Ce qui expliquerait que les femmes aient de meilleures aptitudes cognitives pour l'apprentissage et la maîtrise de la langue – le bla-bla des cavernes –, alors que les hommes se mon-trent bien plus performants pour s'orienter et lire des cartes. Décidément, sans les temps glaciaires, on se demande ce que seraient les différences entre les sexes...

On retrouve ces clichés idéologiques en éthologie. Cette jeune discipline scientifique [1] doit beaucoup à des

---

1. . Une discipline scientifique est avant tout universelle puisque le mode d'interrogation du monde des sciences est universel ; mais, une fois de plus, l'histoire ramène tout à une vision de l'Occident, oubliant que l'éthologie des singes et des grands singes commence avec la grande école japonaise. De ce fait, les analyses critiques développées ici s'adres-sent essentiellement à une conception occidentalo-centrée. Les sociétés orientales possèdent aussi leur propre mythologie de la domination mas-culine ; les mythologies changent, mais les fondements anthropolo-giques sont universels.

femmes occidentales. On peut lire et entendre que si les femmes furent des pionnières en éthologie, c'est que, par nature, elles ne s'approchent pas des animaux avec une attitude dominatrice et que leur empathie naturelle les amène à mieux se faire accepter. Une étude critique sur la façon de présenter les travaux des éthologues depuis plus de trente ans dans de grandes revues scientifiques montre systématiquement que, lorsqu'il s'agit d'éthologues femmes, elles apparaissent en compagnie des singes sur les photographies alors que, lorsqu'il s'agit d'éthologues hommes, ils sont présentés sur des clichés séparés. Les femmes se montrent bien plus en harmonie avec les espèces alors que les hommes, bien distanciés, maintiennent une position nettement plus objective. La subjectivité féminine et l'objectivité masculine revues du côté des singes.

L'idéologie de la domination masculine s'insinue dans toutes les sciences, se renforçant d'autant. Il n'est pas question ici de nier toute différence entre les femmes et les hommes, mais de souligner à quel point cette idéologie a si peu fait l'objet d'une véritable interrogation scientifique. Au lieu d'un véritable programme de recherche sur les fondements de ces différences, on constate que les sciences, même les plus modernes, se laissent prendre au même piège séculaire. Les conclusions affligeantes des neurosciences sur les différences femme/homme se parent d'un voile de modernité posé par les seuls progrès des moyens d'analyse, d'observation et d'expérimentation, mais en étant bien incapables d'interroger des paradigmes dominants d'un archaïsme bien antérieur à l'invention des sciences.

*Madame Cro-Magnon vous salue !*

La paléoanthropologie et la préhistoire n'échappent pas à l'idéologie de la domination masculine. Le procédé est aussi simple qu'efficace : projeter dans la nature ou au temps des origines un état de l'idéologie contemporaine de la domination de l'homme et dire ensuite qu'il en a toujours été ainsi. Par conséquent, la femme ne peut que louer ces hommes de la modernité qui finissent par leur octroyer quelques droits, des hommes capables une fois de plus de dépasser la nature des choses. Nous avons vu ce qu'il en est dans la nature au travers de l'éthologie comparée. Il est intéressant de souligner ici que les chimpanzés, les bonobos et les hommes vivent dans de communautés présentant les mêmes structures et organisées autour de mâles endogamiques et virilocaux et de femelles exogamiques. Cependant, les relations de dominance entre les sexes se révèlent fort différentes selon les espèces. Le fait que ces trois espèces soient si proches génétiquement ne permet pas de ramener ces formes de domination à un réductionnisme génétique. Il y a une mise en place de traditions et de constructions culturelles. Chez l'homme, elles prennent une dimension symbolique considérable et tellement intégrée qu'on les confond avec un fait de nature. Les bonobos et d'autres espèces de singes montrent que ce n'est pas si simple. L'argument de la différence de nature ou du déterminisme génétique comme fondement des inégalités entre les sexes n'a pas de valeur. Que les partisans du tout culturel, de cette liberté de fait de notre condition humaine qui viendrait de je ne sais quelle discontinuité biologique, ne se réjouissent pas pour autant. En tant qu'anthropologue évolutionniste, mes recherches s'appuient sur les relations phylogénétiques entre les espèces et, sans sombrer dans une sociobiologie réductionniste, notre évolution nous a légués – ce qui comprend aussi les deux espèces de chimpanzés – un jeu des possibles éthologiques avec ses contraintes et ses ouvertures ; c'est bien pour cela que nous nous ressemblons autant et aussi pourquoi nous avons autant divergé. Reprendre ce débat non plus sur la base des différences entre les espèces mais entre les sexes donne une autre perspective, puisque les hommes se sont octroyé toutes les libertés au détriment des femmes qui, dans nombre de sociétés humaines d'hier et d'aujourd'hui, jouissent de moins de liberté que les femelles chimpanzés !

A ce point de la réflexion, il est intéressant de rapprocher le Freud de *Totem et tabou* de celui de *L'Avenir d'une illusion*. L'invention de la religion et du Dieu unique relève d'une névrose qui a incroyablement réussi. Elle est indissociable de la névrose de la domination masculine. Les femmes ne sont pas devenues hystériques, ce sont les hommes qui sont frappés de névrose. Comment expliquer toutes ces frustrations, ces violences, ces injures faites aux femmes depuis des siècles et des siècles, et encore de nos jours ? Cette névrose marque profondément la psychanalyse et il suffit de lire les réactions indignées des psychanalystes traditionnels fustigeant les nouvelles formes de parenté parce qu'il n'y aurait plus d'image du père, de la loi. La psychanalyse s'appuie sur les deux sexes comme entités naturelles ; ce qui pose de plus en plus de problèmes avec la notion de *genre* développée en anthropologie et dans les sciences sociales. Il est temps de mettre un terme à cette illusion de la domination masculine en psychanalyse qui se confond parfois avec l'intégrisme le plus virulent.

C'est l'une des critiques majeures à l'encontre d'une psychanalyse retranchée sur le dogme freudien et lacanien. Attaquée sur ses fondements épistémologiques, fragilisée dans ses prétentions pseudo-scientifiques, concurrencée par d'autres approches thérapeutiques, la psychanalyse s'accroche à des mythes obsolètes et, en ce qui concerne l'anthropologie, complètement invalidés. Fort heureusement, de nouvelles réflexions se dessinent en psychanalyse, débarrassées de la nostalgie du « Père » seul détenteur de la fonction symbolique. Non la fin du Père, mais du patriarcat occidental archaïque.

On vient d'évoquer les droits aussi récents et fragiles des femmes, un stade interglaciaire dans la longue glaciation de l'idéologie de la domination masculine. Revenons justement aux âges de la pierre, à la Préhistoire. En tant que paléoanthropologue, on peut être légitimement scandalisé par les affirmations stupides et péremptoires sur le mode de vie des hommes de Cro-Magnon dont nous supporterions encore les séquelles. Les pseudo-savants, qui assoient leurs piètres démonstrations en citant Rousseau ou Freud et en convoquant les âges de glace, n'ont décidément rien compris à ces grands penseurs. Pour eux, on ne saurait trop insister sur ce point : évoquer et non pas définir un état hypothétique des origines se limitait à une mise en perspective de leur système de pensée. La Préhistoire depuis l'époque de Freud a considérablement progressé avec des avancées théoriques, méthodologiques et épistémologiques qui dépassent depuis longtemps l'affligeant empirisme archaïque qui consiste à aller quérir dans d'autres disciplines des clichés éculés pour pallier ses propres insuffisances conceptuelles. L'interdisciplinarité, ce n'est pas une brocante pour pseudo-psycho-penseurs mondains. Mais la névrose est bien là, profondément accrochée aux neurones de ces représentations obsolètes et, comme toujours, dans le cadre étroit de la pensée européenne. Il est tout de même stupéfiant de lire et d'entendre encore toutes ces billevesées préhistoriques infondées sur le mode de vie des hommes de Cro-Magnon soumis aux rigueurs des temps glaciaires en Europe alors que *Homo sapiens* s'est dispersé sur toute la Terre depuis des dizaines de milliers d'années, depuis des centaines de milliers d'années pour le genre *Homo*. Si des hommes ont bien vécu dans nos contrées lors de périodes très froides, ailleurs, comme autour de l'équateur et de la bande des tropiques, il n'y avait ni neige ni glaces et encore moins de grottes. Pas besoin d'être diplômé en préhistoire pour comprendre cela. En ce qui concerne notre espèce *Homo sapiens*, ses origines géographiques se situent du côté de l'Afrique et du Proche-Orient. Alors, à moins d'imaginer que quelques populations isolées en Europe par les derniers âges glaciaires aient été obligées de se réfugier dans des cavernes, aient inventé de nouvelles organisations sociales avec une division radicale des activités imparties à chaque sexe puis les aient ensuite rediffusées à l'ensemble des autres populations humaines au-delà des steppes, des montagnes, des mers, des déserts et des océans... arrêtons là. Les fragments les plus ténus de logique scientifique ne devraient pas nous amener à stigmatiser l'inanité implicite de ces scénarios préhistoriques ; mais les idéologies n'en ont cure.

Quel était le statut de la femme préhistorique ? Dans le cadre de l'évolution du genre *Homo*, le dimorphisme sexuel ne cesse de régresser, ce qui, d'un point de vue biologique, suppose des relations de coopération entre les mâles et aussi des relations privilégiées entre des femmes et des hommes pour l'éducation des jeunes. On ne peut guère aller plus loin avec la seule étude des squelettes. Pour les périodes plus récentes, l'archéologie et l'art livrent d'autres informations. Les Hommes de Neandertal et de Cro-Magnon enterraient tous leurs morts, les femmes, les hommes et les enfants. L'Occident très chrétien refusait une sépulture aux jeunes enfants morts non baptisés, jeunes êtres venus à la vie innocents et condamnés à leurs yeux pour ne pas avoir assez vécu. Les préhistoriens ne dégagent pas de différence systématique de statut entre les sépultures des femmes et des hommes. A Sungir, dans un site du nord de l'Ukraine daté de

17 000 ans, gisaient les corps d'un homme âgé d'une soixantaine d'années, d'une femme, d'un adolescent de douze-treize ans et d'un enfant de sept-neuf ans. Ils furent ensevelis avec un magnifique mobilier funéraire et leurs vêtements, dont des coiffes, cousus de dizaines de milliers de perles en ivoire de mammouth. Même si le mobilier funéraire, le nombre de perles, les types d'ocre utilisés diffèrent d'une tombe à l'autre, et en prenant en compte les conditions de conservation, il est impossible d'argumenter pour une différence de statut entre les sexes et les âges. Il y en avait forcément, mais ces données de l'archéologie préhistorique réfutent tous les clichés si complaisamment affichés. Plus encore, le fait que ces femmes et ces hommes de la fin de la Préhistoire, des Hommes de Cro-Magnon, aient pu fabriquer autant de perles à partir de défenses de mammouth, les coudre, sans oublier des parures confectionnées de dizaines de canines de renard, etc., réfute l'idée de femmes sans cesse accaparées par les tâches de la maternité et de la domesticité alors que les hommes arpentaient sans cesse les steppes glacées à la recherche d'un maigre gibier. Il ne s'agit pas ici d'imaginer un âge d'or naïvement rousseauiste, mais de récuser ces images erronées d'un âge de pierre et d'airain justifiant l'idéologie sous-jacente à ces thèses si à la mode des différences femmes/hommes. Si des hommes et des femmes pouvaient arriver à un âge avancé et si le groupe pouvait consacrer autant d'heures – des milliers d'heures d'artisanat – à confectionner des outils, des parures et des vêtements aussi magnifiques, difficile d'imaginer qu'il ne disposait pas de temps pour créer et innover. Autrement dit, les femmes comme les hommes disposaient de temps social, de temps symbolique, de temps pour l'art, de temps pour créer et échanger.

Mais l'idéologie de la domination masculine ne recule pas aussi facilement. Selon ses postulats archaïques, il va de soi que ce sont des hommes, des mâles, qui se livraient à toutes ces activités créatrices. Les outils, les armes, les parures et toutes les activités artistiques sont portés au crédit des hommes. Nous avons tous en tête des reconstitutions d'artistes peignant et gravant dans les grottes ornées ; ce sont toujours des hommes, et s'il y a des femmes représentées, elles s'occupent de préparer les pigments pour les peintures, etc. Notre modernité appliqua le même traitement discriminatoire aux rares femmes artistes ; il suffit d'évoquer le cas dramatique de Camille Claudel. Quant aux représentations des femmes qui nous viennent de la Préhistoire, il y a ces magnifiques sculptures appelées *Vénus* aux proportions si délicates. On les retrouve dans l'Europe et l'Asie des temps glaciaires, canons artistiques reproduits sur des gravures et des bas-reliefs. Que n'a-t-on pas dit et écrit sur ces femmes aux hanches et aux seins énormes, allant les comparer aux femmes hottentotes ! Et d'imaginer un culte de la fécondité en ces temps difficiles où la survie de l'espèce semble si précaire. Femmes stéatopyges imposantes gavées des attributs de la maternité et de graisse. Rien ne prouve que les femmes de Cro-Magnon aient été ainsi. La beauté et l'esthétique renvoient à des canons artistiques appelés à durer et ne sont pas des représentations anthropologiques. Imaginons les délires des anthropologues du futur s'ils n'avaient pour image de la femme actuelle que les peintures de Rubens ou les œuvres de Botero. A moins qu'ils ne tombent sur les statues de Giacometti. Les sites préhistoriques abritent d'autres représentations féminines aux silhouettes plus graciles et érotiques. La pensée des hommes de la fin de la Préhistoire s'anime de représentations cosmogoniques évoquant des identités sexuelles, certaines explicites, d'autres plus délicates à affirmer. L'œuvre d'André Leroi-Gourhan restitue une interprétation de la signification de l'art préhistorique occidental articulée sur les représentations schématiques et métaphoriques des deux sexes. Leroi-Gourhan analyse les grottes ornées avec une démarche analytique influencée par la psychanalyse qui, on l'a rappelé, s'appuie sur l'identité de nature des sexes. Evoquons aussi les belles réflexions de Georges Bataille qui voit dans ces représentations la naissance de l'érotisme ; la sexualité source d'imaginaire, de création, de désirs. Autres images de la femme des âges de glace... Qu'elle devait être belle la femme de Sungir, marchant légère, vêtue de ses beaux habits flottant dans la brise de la steppe, glissant au rythme de la douce musique produite par les mouvements des perles...

Les temps glaciaires ne représentent pas l'âge d'or de l'humanité, et encore moins cette période sinistre si complaisamment évoquée. Il est intéressant de relever combien les rares livres dénonçant ces sombres clichés restent peu cités ou sévèrement critiqués. Citons en particulier l'excellent *Age de pierre, âge d'abondance* de Marshall Salhins. Alors, si les fondements de l'idéologie de la domination masculine n'émanent pas des conditions de la Préhistoire, d'où proviennent-ils ? Mon hypothèse est qu'ils émergent au Néolithique et se renforcent avec les premières civilisations dans le Bassin méditerranéen. Pierre Bourdieu et Germaine Tillion analysent avec pertinence les origines de l'idéologie masculine qui, si elle est universelle, se radicalise à l'extrême autour de la Méditerranée. La partition du rôle économique des deux sexes conduit à l'enfermement des femmes, au contrôle despotique de leur sexualité, à la sacralisation de la virginité, aux crimes d'honneur, à l'enchaînement des grossesses d'une année sur l'autre (« croissez et multipliez ! » mais aussi à la pratique de l'inceste comme jamais auparavant pour ne pas diviser les terres et les royaumes. Du côté des hommes, la chasse et la guerre. Auparavant les armes inventées pour la chasse pouvaient servir à tuer d'autres hommes ; à partir du Néolithique les hommes inventent des armes de plus en plus efficaces dans le seul but de tuer d'autres hommes. Les villages se fortifient, arrivent les premiers génocides. Puis les cités, leurs murailles, et l'invention des Barbares au-delà des murs. Les rapines, les saccages et les expéditions guerrières s'inscrivent dans l'économie de ces sociétés avec le viol des femmes des vaincus... L'âge de la pierre n'était pas un âge d'or ; mais le Néolithique et l'invention de l'agriculture amènent un âge d'airain pour les femmes qui se consolide avec l'âge des métaux et d'où nous ne sommes pas encore sortis.

La révolution néolithique du Moyen-Orient, dans le Croissant fertile, s'étale sur plusieurs millénaires. Au fil du temps, des populations humaines se sédentarisent. Elles domestiquent à la fois des plantes et des animaux, alors que dans les autres foyers d'invention de l'agriculture, comme en Asie orientale et en Amérique, cela commence surtout par la culture des plantes, la domestication de quelques espèces animales venant bien plus tard. Dans les premiers millénaires, la chasse et la collecte constituent une part importante de l'économie, ce qui signifie que les femmes vont hors des villages. Puis la collecte des nourritures sauvages régresse en faveur des espèces végétales cultivées, mais pas la chasse. L'espace économique des femmes se resserre sur le village. Dans les premiers temps, on constate que les femmes et les hommes participent aux activités pénibles de meulage des graminées. Le Néolithique est l'âge de la pierre polie et celui de l'invention des meules. Les efforts physiques imposent des traumatismes aux corps dont les stigmates s'observent sur les squelettes des deux sexes. Quelques millénaires plus tard, seuls ceux des femmes portent ces stigmates ; ces activités incombent aux seules femmes. Ces changements dans l'attribution des tâches entre les sexes s'accompagnent d'autres représentations du monde et d'autres croyances.

A Çatal Höyük, comme pour d'autres sites du Croissant fertile, on trouve des figurines avec des femmes opulentes qui, au passage, ne sont pas sans rappeler les *Vénus du Gravettien* plus anciennes de 20 000 ans évoquées plus haut. Les archéologues évoquent des « déesses mères » ou des « maîtresses des animaux » pour ces femmes représentées assises sur des trônes et dominant des léopards et d'autres bêtes sauvages. On retrouve l'idée d'un culte de la fécondité, renforcé en l'occurrence par une économie d'agriculture reposant sur la reproduction des plantes et des animaux. Double dépendance à la production et à la reproduction, celle des récoltes et celle de bras nécessaires à ces récoltes, exigeant plus d'enfants. Ces figurines féminines réveillent chez quelques archéologues le mythe du matriarcat originel. L'idée d'un stade de l'histoire universelle de l'humanité passant par une période où les femmes détenaient le pouvoir domestique et politique émerge dans les années 1860, en même temps que la Préhistoire. Cette hypothèse de la gynécocratie primitive devient une doctrine qui influence nombre de philosophes et d'historiens, et pas des moindres : Karl Marx, Friedrich Engels, Mikhaïl Bakounine. On la retrouve sous la plume des fondateurs de l'ethnologie, comme Lewis Morgan ou encore John L. Lennan. Elle resurgit dans les années 1960-1970 avec l'anthropologie féministe. D'un côté, ceux qui considèrent qu'il s'agit d'un état primitif des sociétés humaines qu'il fallait dépasser, de l'autre, la recherche d'un état des origines que l'on n'aurait jamais dû quitter. La doctrine dominante reste celle d'un état primitif, l'évolution de l'Humanité commençant par la promiscuité chaotique dénuée de toute morale sexuelle ; puis la gynécocratie avec les pouvoirs domestique, politique et religieux des femmes ; enfin celui du patriarcat et de la domination masculine. Ce schéma s'inscrit dans une vision universelle, linéaire et progressiste de l'histoire de l'Humanité.

Les données de l'archéologie du Néolithique furent inter-
prétées en ce sens, notamment sous l'influence de
l'anthropologie féministe américaine. Les travaux les plus
récents décrivent en fait une évolution esquissée plus
haut qui commence par une période néolithique ancienne
avec un rôle économique, politique et religieux des
femmes. Au fil des millénaires, elles s'en trouvent spo-
liées, puis écartées et soumises. Les vestiges archéologiques des pratiques religieuses voient apparaître des
figures cultuelles plus masculines à côté des « déesses
mères » comme des cornes d'aurochs – l'aurochs, fabuleux et puissant animal mythique, représentant la force
sauvage et virile, est considéré comme la plus noble proie
des chasseurs jusqu'au XVIIᵉ siècle de notre ère. Un culte
appelé à un bel avenir au fil des grandes civilisations
méditerranéennes : Apis, le Minotaure, Io, ou encore le
culte de Mithra concurrent du christianisme naissant. La
toponymie de l'est du Bassin méditerranéen en témoigne
encore : monts Taurus (où se trouve Çatal Höyük), mer
Ionienne, Bosphore ou « passage du taureau », etc. Pendant que les déesses mères disparaissent, s'affirment des
cultes aux représentations plus masculines. A côté du taureau, déité terrestre, émerge l'idée du Dieu unique et
patriarcal d'Israël, déité céleste. Une « verticalisation » du
monde qui laisse les femmes dans la nature. La messe
est dite.

Le mythe du matriarcat primitif s'inscrit parfaitement
dans le cadre de l'idéologie de la domination masculine.
Il ne se retrouve pas seulement dans le Bassin méditerranéen où s'enracine notre culture et où on trouve des vestiges archéologiques. De l'autre côté de la Terre, des
mythes de Nouvelle-Guinée évoquent ce temps originel
dominé par les femmes, qui inventent tout, même les
outils et les armes, mais qui se montrent incapables de
maintenir une harmonie avec les forces de la nature,

entre la vie et la mort. Alors les hommes ont pris les choses en main, rétablissant l'équilibre avec le cosmos.

L'universalité de ce rapport aux origines et à la discrimination des femmes chez des peuples traditionnels, avec des formes de domination masculine des plus douces au plus injustes, comme dans nos civilisations occidentales, nous renvoie à une dernière interrogation. Au long de ces pages on a survolé une grande diversité de sociétés humaines du présent et du passé, des sociétés avec des économies, des industries, des religions, des systèmes politiques fort divers. On retrouve partout des formes de la domination masculine, les rares exceptions pointées par quelques anthropologues confirmant la règle. Alors, serait-ce dans la nature d'*Homo sapiens*, voire du genre *Homo* ? Nous avons vu que cela n'a rien d'évident, que ce soit pour les divers modes d'expression de la domination masculine, pour l'outil, la chasse ou la division des tâches. Le paléoanthropologue, autrement dit le biologiste de l'évolution, et le préhistorien, autrement dit le spécialiste de l'évolution culturelle, ne peuvent pas répondre facilement à cette question. En revanche, il ressort avec force que, s'il existe des différences entre les sexes, elles ne sont pas celles si complaisamment avancées par l'idéologie de la domination masculine. Le temps de la Préhistoire n'était certainement pas un âge de grâce pour la femme ; l'âge de glace de la condition féminine vient de notre histoire récente, du Néolithique terminal qui voit bientôt l'invention des cités, des castes, des guerriers, des clergés. Les premières écritures rassemblées dans les textes sacrés apparaissent au cœur d'une période ayant déjà consacré la domination masculine. Puis arrive l'Antiquité grecque et machiste, les grandes religions n'échappant pas à l'influence du mâle hellénique, pas plus que la philosophie. La Préhistoire de la femme évoque tant de mystères, de mythes, de poésie. Que les doctes exégètes machistes des Ecritures la laissent tranquille. La Préhistoire était déjà assez dure pour les femmes pour qu'on ne vienne pas leur imputer en plus les fondements de la condition dans laquelle on les a enfermées si durement et si injustement. Touchez pas à Lucy !

# 6

## L'Homme et l'enfant

### L'homicide de Kaspar Hauser

Cette étrange histoire débute au cœur de la ville de Nuremberg le 26 mai 1828. Un adolescent de seize ans vêtu de hardes de paysan erre, hagard, sur une place de la ville. Il tient une lettre adressée au commandant du 4e escadron du 6e régiment de chevau-légers auquel son père aurait appartenu. Le jeune homme répète sans cesse : « Cavalier veut comme mon père été. » Il est conduit au poste de police où on lui pose les questions d'usage auxquelles il répond invariablement : « Je ne sais pas. » On lui donne un papier et un crayon sur lequel il écrit son nom : Kaspar Hauser. Ainsi commence une énigme qui va tenir l'Europe en haleine.

Kaspar raconte alors qu'il a vécu dans une cellule d'environ deux mètres de long sur un mètre de large et haute d'un mètre et demi à peine, munie de deux fenêtres obstruées. Il vivait dans l'obscurité totale. Le sol était nu. Il disposait d'une couche en paille et d'une couverture de laine pour dormir. Il portait pour seul vêtement une simple blouse et un pantalon en cuir. Chaque matin il trouvait près de sa couche une cruche d'eau et un morceau de pain. Parfois il se réveillait avec ses vêtements changés et les ongles coupés. Il ne vit jamais son gardien qu'il nommait « l'homme » et n'avait jamais d'échange verbal avec lui.

Un jour, un homme entra dans sa cellule, l'appela par son nom, Kaspar Hauser, et le fit sortir. Une fois dehors, Kaspar, ébloui par la lumière et trop faible pour supporter un changement aussi brutal, vacilla. Il se souvient avoir été porté sur le dos de cet homme et finit par se retrouver seul dans la ville. Dans la lettre destinée au commandant, l'auteur raconte que cet enfant lui a été confié en octobre 1812. Etant un fermier de petite condition et ayant déjà dix enfants à nourrir, il l'a laissé quitter sa maisonnée.

Bien étrange histoire pleine d'incohérences. Un policier décide de prendre l'enfant chez lui et de l'observer. Le jeune homme est en bonne santé, de petite stature, et possède de petits pieds d'enfant. Il montre un doux sourire sur une face dénuée de toute autre expression et ne sait pas se servir de ses doigts. Sa démarche est incertaine, comme s'il titubait. Il se nourrit de pain et d'eau, gardant difficilement les autres aliments. Quand la femme du gardien le baigne, il ne ressent aucune gêne, insensible aux différences entre les sexes. Il apprend rapidement à parler avec des phrases hachées. En dépit du mystère autour des origines et de l'enfance de Kaspar, ses hôtes sont convaincus que ce jeune homme a bien été séquestré pendant de longues années.

Dès le mois de juin, le célèbre juriste et criminologue Anselm Ritter von Feuerbach rend visite à Kaspar. Il convainc le maire de la ville de le sortir de la cellule où il séjourne pour le confier aux soins du professeur Daumer, réputé pour ses travaux en philosophie et en matière d'éducation. Les progrès de Kaspar sont spectaculaires, il semble disposer d'une acuité auditive très sensible et être capable de lire la Bible dans l'obscurité ! Il progresse rapidement, passant en quelques mois du niveau d'éducation d'un enfant de trois à quatre ans à celui d'un jeune adolescent sensible et instruit, jusqu'à écrire sa propre biographie dont des extraits sont publiés dans les journaux. C'est alors que, profitant de l'absence de Daumer, un homme tout de noir vêtu pénètre dans la maison et tente d'égorger Kaspar avec un couteau de cuisine le 17 octobre 1829. Sous le coup, Kaspar s'écroule, évanoui. L'agresseur le laisse pour mort. On retrouve Kaspar inanimé dans la cave où il s'était réfugié.

L'Europe de cette époque est facinée par ces cas d'enfants abandonnés, séquestrés ou sauvages. Rapidement des hommes de loi, des médecins et des membres officiels du gouvernement rendent visite à Kaspar. L'un d'entre eux souligne son étrange ressemblance avec la famille du grand-duc de Baden en 1830. Cette affirmation mise en relation avec la tentative d'assassinat donne un autre relief à ce qui devient l'énigme Kaspar Hauser. Serait-il un enfant enlevé et séquestré en raison d'une sordide histoire de succession dynastique ? Quoi qu'il en soit, Daumer meurt en 1833 et des rumeurs soupçonnent un empoisonnement. En décembre de la même année, un homme donne rendez-vous à Kaspar dans un parc de la ville sous prétexte de lui révéler des informations sur ses origines familiales. L'homme le poignarde dans la poitrine. Kaspar décède trois jours plus tard.

Kaspar Hauser et Victor de l'Aveyron, autre célèbre cas du début du XIXe siècle, campent deux types d'enfants isolés, ou ceux enfermés, qu'on appellera plus tard des enfants-placards, et ceux retrouvés dans la nature, les enfants sauvages. Le XIXe siècle commençant se passionne pour ces cas, puis l'intérêt s'infléchit. L'anthropologie a déjà fort à faire avec l'émergence de la Préhistoire et de la théorie de l'évolution. Les singes et les grands singes des forêts écartent durablement la question de l'enfant ou de l'ontogenèse en relation avec les origines de l'Homme ou de la « nature humaine ».

C'est grâce à une invention de la fin de ce XIXe siècle, le cinéma, que les enfants sauvages ou isolés de la compagnie des hommes depuis leur plus jeune âge reviendront,

portés par des films sublimes, *L'Enfant sauvage* de Truffaut et *L'Enigme de Kaspar Hauser* de Werner Herzog.

Mais les temps ont changé et la paléoanthropologie
s'intéresse à l'enfance de la lignée humaine du côté de
l'Afrique, de Lucy et des australopithèques. Adieu, les
enfants sauvages, alors que se réalisent à nouveau des
études sur l'ontogenèse en relation avec les processus de
l'évolution. Lucy est découverte en 1974 et, trois ans plus
tard, Stephen Jay Gould publie *Ontogeny and Phylogeny*.
La phylogenèse et l'ontogenèse avaient connu un
immense engouement au début du XX$^e$ siècle avant de
dériver dans des considérations racistes, l'anthropologie
physique n'arrivant décidément pas à se débarrasser de
ses vilains fantômes. Gould réhabilite les travaux sur l'ontogenèse, sur le rôle potentiel des durées et des taux de
développement ou de croissance dans les premiers âges
de la vie dans une perspective évolutive, ce qu'on appelle
les hétérochronies. Quel succès ! Surtout en France. Les
modélisations mathématiques et phénoménologiques
appréhendées dans une perspective holiste ressuscitent
les bons vieux mythes cosmologiques. Constat navrant
d'une paléoanthropologie toujours aux prises avec ses
vieux démons et ses contes pour enfants pseudo-savants.

### *Où sont passés les enfants ?*

Pour Aristote, les enfants sont des « nains » en raison
de leur conformation, le haut du corps étant plus développé que le reste. Par la suite on leur porte bien peu
d'intérêt, les considérant au mieux comme des adultes
de taille réduite. Il faut attendre l'époque moderne et les
réflexions des fondateurs de la pensée anthropologique,
Buffon et Rousseau, pour que l'enfant devienne un sujet
d'étude. Entre la théorie et la pratique, on sait que Rousseau, auteur de l'*Emile* et père de nombreux enfants, s'in-

téressa bien peu à leur éducation. Il en va autrement d'un Buffon et de son cher *Buffonet* et, rarement cité, Charles Darwin, dont *L'Esquisse biographique d'un petit enfant* fait suite en appendice à *L'Expression des émotions chez l'Homme et les animaux* publié en 1872. L'enfance ou l'ontogenèse s'insinuent par divers biais dans les études anthropologiques du xxᵉ siècle avec la célèbre théorie de la *fœtalisation* ou de la néoténie de Bolk, redevenue très en vogue ces dernières années. Cette théorie, fort discutée et fort discutable, suscite l'intérêt des philosophes depuis quelque temps et sert de fondement à un néocréationnisme à la française.

L'enfant intéresse peu les historiens – encore moins que les femmes – avant la seconde moitié du xxᵉ siècle. L'étude de Philippe Ariès, *L'Enfant et la vie familiale sous l'Ancien Régime*, publiée en 1960, soutient que la reconnaissance de l'enfance en tant que période de la vie différente de l'âge adulte se manifeste à partir des xvıᵉ et xvııᵉ siècles. On pense au Montaigne des *Essais* qui eut une éducation originale, puisqu'il passa les premières années de sa vie parmi les bûcherons. La thèse d'Ariès suscite des controverses, des historiens soulignant que l'enfant est entouré d'attentions au Moyen Age et aussi au cours des autres périodes de l'histoire. Jamais personne n'évoque alors les travaux des ethnologues sur les autres sociétés humaines. On s'intéresse enfin aux enfants comme sujets d'histoire après des siècles d'études consacrées aux grands hommes et à leur enfance exceptionnelle. Constater que les enfants ont si peu retenu l'attention des historiens reflète les piètres représentations de l'enfant dans les sociétés contemporaines.

La découverte soudaine de tant d'enfants sauvages à partir du xvııᵉ siècle n'est pas étrangère aux interrogations nouvelles sur l'enfance. Les spéculations des philosophes, bien plus que celles des naturalistes, autour de l'homme de nature ou de l'homme des origines conduit à s'intéresser à l'enfance.

La principale argumentation de Buffon contre l'homme de nature de Rousseau repose sur la lente croissance et la longue éducation de l'enfant qui requiert les soins attentifs de la mère et de l'entourage familial, puis de la société (nourrices, précepteurs, éducateurs...). Chez l'Homme, « l'éducation de l'enfant n'est plus une éducation purement individuelle, puisque ses parents lui communiquent non seulement ce qu'ils tiennent de la nature, mais encore ce qu'ils ont reçu de leurs aïeux, de la société dont ils font partie ». Cette citation est tirée du seizième volume de l'*Histoire naturelle des quadrupèdes* consacrée aux singes. Buffon consacre quatre chapitres de l'*Histoire naturelle de l'Homme* aux âges de la vie : l'enfance, la puberté, l'âge viril et la vieillesse. A cette époque, l'adolescence commence à peine à être reconnue comme âge intermédiaire entre l'enfance et l'âge adulte (les romantiques s'en saisiront avec ferveur au siècle suivant). Buffon place dans une perspective anthropologique une préoccupation, celle de l'enfance, qui suscite des débats dans la société du XVIII<sup>e</sup> siècle autour de l'éducation, de la mortalité infantile, de l'hygiène publique, de l'allaitement maternel. On a évoqué Linné et la notion de mammifère ; pour une fois, Buffon s'accorde avec lui sur l'importance de laisser aux mères le soin d'allaiter les nourrissons, recevant la tendresse que ne saurait procurer une nourrice. Il décrit le « dégoût » de ces premiers âges de la vie qui exigent des tâches et des attentions peu agréables et d'évoquer, dans une ethnologie comparée avant l'heure, les habitudes des autres peuples : Lapons, Japonais, Siamois, Nègres, Indiens du Canada et du Brésil qui, pour certains, laissent les jeunes aller sans ces couches infectes. Il insiste sur la nécessité d'une éducation accordant de la liberté aux enfants, de ne pas forcer leur nature et d'adopter les préceptes les moins sévères, les plus proportionnés aux faiblesses et non pas aux forces de l'enfant. Ce texte est publié en 1749, l'*Emile* de Rousseau en 1762.

Rousseau, à défaut de s'occuper de ses enfants, a bien lu Buffon. Il identifie l'enfance à cet âge de l'homme de nature avant l'invention de la société, ouvrant dans une perspective analytique et non pas historique la question de l'ontogenèse dans la phylogenèse de l'homme, du côté des sciences humaines. Pour lui, l'enfance est l'intervalle le plus dangereux de la vie. Eduquer, c'est préserver la part d'innocence naturelle de l'enfant, laisser du temps, ne pas brusquer.

On retrouve la même sensibilité chez Darwin un siècle plus tard. Alors qu'il rédige *De l'expression des émotions chez l'Homme et l'animal*, il lit un article d'Hippolyte Taine sur les étapes du développement chez l'enfant. Il reprend son cahier de notes, prises trente-sept ans auparavant, alors qu'il observait jour après jour les progrès de l'un de ses enfants, ce qui devient l'*Esquisse biographique d'un petit enfant* publié dans le même livre en 1872. Ce qui frappe à la lecture de ces pages, c'est la qualité des observations de Darwin, notant les mouvements des yeux, l'affirmation des mimiques et des expressions faciales et, surtout, les gestes de la main comme les suivis du regard par rapport aux objets, à leur dissimulation, à leur trajectoire... Piaget n'est pas loin. Il relève que son enfant utilise préférentiellement sa main droite une semaine avant sa main gauche, ce qui ne l'empêchera pas de devenir gaucher comme son grand-père, sa mère et un de ses frères. Remarque étonnante aussi lorsqu'au cours d'une visite au zoo l'enfant s'émerveille devant des animaux familiers grâce à ses peluches, mais s'effraie devant de grands animaux encagés : seraient-ce des superstitions qui datent de l'époque sauvage ? s'interroge Darwin. Il compare ses notes avec le texte de Taine, soulignant des différences qu'il attribue non pas à des erreurs

de l'un ou de l'autre, mais à ce qu'on appelle la variabilité. Les enfants ne se développent pas tous au même
rythme. Ils prennent leur temps différemment. Pour clore
avec Darwin, cette anecdote avec le même enfant, âgé de
quelques années, ayant chipé des conserves et dissimu-
lant son acte en mensonge prémédité : « Comme nous
élevions cet enfant uniquement par la douceur, il devint
bientôt aussi sincère, aussi franc, aussi tendre qu'on peut
le désirer. »

Buffon et Darwin invitent à des éducations ouvertes,
métaphores de l'enfance qui s'ouvre au monde. Rousseau
aussi, bien que sa vie de père et d'éducateur soit en
contradiction avec ses préceptes. Une discordance encore
plus dramatique pour les enfants qui n'avaient pas la
chance de naître chez les Buffon ou les Darwin. Au temps
de Buffon, un enfant sur deux mourait avant l'âge de trois
ans en Angleterre, un sur deux avant l'âge de sept ans en
France. Effroyable mortalité infantile qui, avec la succession des naissances, ne laissait guère le temps d'une éducation parentale, même si la tendresse des parents existe
de tout temps. L'époque n'épargne ni les parents ni les
enfants. Du temps de Napoléon, l'âge légal du travail est
de sept ans ; il est reporté à dix ans au milieu du
XIXᵉ siècle. Il faut attendre les lois de Jules Ferry pour
que cet âge libère l'enfance du travail avec une scolarité
obligatoire jusqu'à treize ans. Combien d'enfants meurent
broyés dans les effroyables métiers à tisser des manufac-
tures ? Combien sont emportés par des lames sur les
bateaux ? Combien sont morts d'épuisement dans les
champs ou de suffocation dans les mines ? Où étaient
les anthropologues, les philosophes, les psychiatres et les
pédiatres ? Les seuls écrits sur cette ethnologie sinistre de
l'enfance se trouvent dans les romans de Zola et de Dic-
kens. Un peu plus près de nous, tous ces enfants « placés » dès onze ans avant la loi Ferry et, après, à l'âge de
treize ans et un jour dans des fermes ou comme domes-

tiques à la ville. Après l'époque de Buffon et de Rousseau, l'enfance entre dans sa période la plus sinistre. L'adolescence à peine reconnue exalte les romantiques alors que la médecine s'approprie la question de la sexualité avec les ravages et les traumatismes infligés que l'on sait. L'enseignement scolaire de la première moitié du xxᵉ siècle loue les vertus de la discipline, du travail, de la morale... l'enfant n'étant qu'un adulte en formation. Nos sociétés modernes ne redécouvrent l'enfance qu'à partir des années 1950. Long effacement d'une enfance abandonnée de la société – comme de la société des adultes –, témoignant de l'absence de tout intérêt pour les enfants rejetés dans les forêts sombres et les placards obscurs.

## La découverte des enfants sauvages

Les mythes ne sont pas avares de dieux et de héros de l'Antiquité dont les premiers âges de la vie se passent en compagnie d'animaux. Il y a Zeus, le dieu des dieux et des hommes, élevé par la chèvre Amalthée. Il n'hésite pas a se transformer en cygne pour séduire Léda ou à transformer la belle Io en génisse, mais qui n'échappera pourtant pas à la jalousie et à la colère de sa femme Héra. Ses enfants jumeaux, Apollon et Artémis, passeront aussi leur prime enfance parmi les animaux. Du côté des héros, on retrouve un autre couple de jumeaux célèbres, Remus et Romulus, élevés par une louve. Plus de deux millénaires plus tard, la controverse autour de la famille de Kaspar Hauser évoque ces enfants de nobles origines ou supposés tels, abandonnés pour un temps, dont les vies tragiques ne doivent rien à de quelconques damnations du ciel, mais à la cruauté des hommes, ce qui ne les empêche pas d'accomplir tout de même leur destinée.

Revenons vers ces enfants sauvages ou ensauvagés. Divers chroniqueurs évoquent la découverte et la capture de jeunes enfants au Moyen Age, souvent dans des textes écrits longtemps après, parfois plusieurs siècles. Procope de Césarée (vi$^e$ siècle) rapporte le cas d'un enfant élevé par une chèvre, qui le nourrit et le protège. On tente de l'intégrer à la vie du village, mais il s'y refuse. Alors on le laisse mener sa vie. L'anecdote reprend le mythe de la chèvre nourricière mythologique, mais dans une perspective chrétienne. L'un des plus anciens témoignages d'enfant-loup provient des bénédictins d'Erfurt au xiv$^e$ siècle. Il se déplace à quatre pattes. Les moines le contraignent à l'aide d'éclisses pour le faire marcher debout. Comme il préfère la vie sauvage, ils le laissent à son sort ; il meurt alors qu'il n'a pas douze ans. De ces brefs récits conservés, aucune spéculation sur la nature de l'homme, le langage, les sociétés humaines.

Un changement considérable se manifeste au début du xvii$^e$ siècle, comme si l'Europe découvrait un peuple d'enfants sauvages : enfants-loups de Westphalie et des Ardennes ; enfants-ours de Lituanie et de Saxe ; l'enfant-mouton d'Irlande qui sera montré en Hollande et examiné par le grand anatomiste Nicolas Tulp. Ce dernier est à l'image de son siècle qui vient de découvrir les grands singes, notamment ces *Homo sylvestris* ou hommes des forêts, nom donné par Tulp aux orangs-outans qu'il a étudiés et disséqués. On note que pour ces quelques cas cités, les enfants ne portent pas de nom ; on se réfère à eux par l'espèce sauvage ou domestique avec laquelle ils ont vécu et par la région où on les a trouvés. Charles Linné les rassemble dans sa liste des *Homo feri* – les hommes sauvages – en leur attribuant des noms latins : *Juvenis lupinus hessensis, Juvenis hannoveranus, Puella campanica*, etc.

Puis vint le temps de leur donner des prénoms : Jean de Liège ; Anna-Maria Jannaert ; Peter de Hamelin ; Marie-Angélique de Champagne, etc., et pour les cas les plus récents et les plus célèbres d'Europe, Victor de l'Aveyron, etc. On découvre qu'il y a aussi des enfants-loups dans les forêts du nord de l'Inde à la fin du XIXe siècle et jusqu'au début du XXe siècle, comme les célèbres Amala et Kamala recueillies et décrites par le révérend Singh. Que s'est-il passé pour qu'en deux siècles autant d'enfants sauvages sortent des forêts pour entrer dans le monde des hommes, en rappelant ici que l'étymologie du mot sauvage vient de *silva* : la forêt.

Apparemment, il y a toujours eu des enfants sauvages ou hors du monde des hommes élevés par les animaux sauvages – loups et ours – ou des animaux domestiques. Nous ne nous intéresserons qu'à ceux qui vécurent dans les forêts avec des animaux sauvages ou à proximité d'animaux sauvages. La rareté des chroniques citant de tels cas avant le XVIIe siècle signifie tout simplement qu'on ne faisait pas grand cas de ces enfants. Après qu'ils avaient été repérés, le plus souvent par des chasseurs, des expéditions étaient montées pour les récupérer. Mais en l'absence de réel statut de l'enfant – sans même évoquer, anachronisme épais, de science de l'éducation –, les tentatives pour les ramener dans la société des hommes s'essoufflent rapidement ou, sinon, passent par des méthodes si contraignantes que ces enfants préfèrent, s'il ne sont pas morts de ces traitements ou de chagrin, retrouver la vie sauvage. Situation incomparable avec le cas de Victor de l'Aveyron, vu pour la première fois par des chasseurs en 1797, attrapé en 1798, il s'échappe, est repris en 1800. On l'interne à l'asile de Saint-Affrique – cela ne s'invente pas ! – avant de l'envoyer à Rodez. Les autorités parisiennes s'en mêlent et le voilà à Paris. Examiné plus tard par le docteur Philippe Pinel, auquel on doit le concept d'*aliénation*, il est déclaré idiot, ce qui est incurable dans l'esprit de l'époque. Il aurait pu finir tragiquement enchaîné au fond d'une cellule comme tant de déments. Fort heureusement, le docteur Jean-Marc Itard s'occupe de son cas. Nous sommes aux commencements de la psychiatrie.

Que de changements ! Entre les enfants sauvages sans nom et Victor de l'Aveyron émergent l'humanisme du XVIIIᵉ siècle, la découverte du genre humain, la question de la nature humaine et la naissance de l'anthropologie. Un autre regard qui fait découvrir ce qui a toujours existé – sorte d'« œil de la providence anthropologique » – et qui n'a pas fini d'embarrasser l'anthropologie. Sans aucun cynisme et sans porter de jugement infondé, est-ce que ces enfants sans nom laissés à leur sort et, d'une certaine manière à leur liberté, eurent des destins moins enviables que ceux qui eurent une existence plus humanisée qu'humaine sous le regard des sciences ? Les cas du docteur Itard et de la gouvernante Mme Guérin se distinguent de tous les autres par leur véritable humanisme : Victor est considéré comme un sujet et non pas comme un objet offert au regard scrutateur et froid des scientifiques. Ainsi, la problématique n'est pas d'où sortent soudainement tous ces enfants sauvages, mais d'où vient cet intérêt presque soudain pour eux. D'autant que les cas les plus cités proviennent des régions du monde les plus peuplées, l'Europe et l'Inde.

*Enfants sauvages ou enfants ensauvagés ?*

En Inde, il y a toujours eu des enfants sauvages, mais il semble qu'on les découvre subitement et ce n'est pas sans rapport avec la présence des Européens. Le cas de Mowgli (ce qui signifie « grenouille » en langue hindi), le petit d'homme du *Livre de la jungle* de Kipling, résonne dans notre mémoire. Les deux livres sont publiés en 1894 et 1895, bien avant que soient décrits les cas d'Amala et Kamala par le docteur Singh en 1920. Quelques décennies auparavant, la terrible répression des Thugs par les troupes coloniales puis la révolte des cipayes chassèrent les survivants terrorisés hors des villages ; de nombreux enfants moururent abandonnés ou dévorés, d'autres furent recueillis par des loups, comme Mowgli. Ainsi se dessine un contexte bien particulier qui conjugue la naissance de l'anthropologie au cœur d'un XIXe siècle et l'expansion de l'Occident européen sur le reste du monde. D'ailleurs, le sort de Mowgli diffère de celui des autres enfants sauvages. Alors que certains seront laissés à leur sort, que d'autres mourront de mauvais traitements ou de traitements inappropriés et que quelques-uns seulement finiront leurs jours plus ou moins reclus, Mowgli décide de retrouver le monde des hommes, la civilisation, parabole de la supériorité de l'homme. Mowgli n'est pas un cas anthropologique, mais une idéologie déguisée dans un magnifique récit qui reprend des mythes et des légendes de l'Inde tout en réveillant d'autres mythes de l'Occident, comme celui du premier paradis avec les animaux communiquant entre eux. Tous ces enfants sauvages surgissent dans l'espace anthropologique forgé par la culture occidentale au cours du XVIIIe siècle, entre nature et culture, alors que ces deux concepts s'avèrent moins tranchés dans la plupart des autres cultures.

On dispose à vrai dire de peu de comptes rendus ou d'études précises sur ces enfants. Dans beaucoup de cas ils meurent avant d'atteindre l'âge adulte, ils ne parlent pas, ou très peu, éprouvent les pires difficultés à marcher debout, quand ils y arrivent, et ne manifestent aucun désir sexuel à la puberté et à l'âge adulte. On lit souvent qu'ils ne mangent que du foin ou des nourritures végétales, évoquant en cela le châtiment de Nabuchodonosor qui achève son existence à quatre pattes et en broutant. Cela se conçoit pour des enfants trouvés en compagnie de chèvres, de moutons ou de truies, mais pour ceux prétendument élevés avec des loups et des ours... c'est surprenant !

Ces enfants sont des victimes de la fureur ou de la méchanceté des hommes. Si pour la plupart d'entre eux on ignore les circonstances exactes qui les poussèrent hors de la société des hommes, on retrouve des événements tragiques liés aux guerres. Nous avons évoqué le cas des répressions en Inde. Pour le plus ancien enfant « sauvage » évoqué par Isidore de Césarée, un conflit entre les Grecs et les Goths conduisit au saccage du village et au massacre d'une partie de ses habitants. Dans le cas des enfants-ours de Lituanie, des commentateurs de l'époque font état de razzias esclavagistes menées par des « Tartares ». Notre époque connaît elle aussi des conflits terrifiants, pour ne citer que les atrocités du Rwanda et du Congo. Combien d'enfants errants ? combien survivront ?

Il y a ces autres enfants, victimes d'abandon pour divers motifs : mort des parents, négligence parentale, drames familiaux, rejet pour cause de malformation, de débilité ou de toute autre tare, ou encore pour de sordides questions de famille. Victor de l'Aveyron est peut-être le fils d'un notaire indélicat qui s'est débarrassé d'un enfant anormal, cet idiot identifié comme tel par Pinel. Victor fut trouvé couvert de haillons, ce qui suppose qu'il n'avait pas été livré à lui-même depuis de très nombreuses années, ce qui ne diminue en rien son traumatisme. Quant à leur vie partagée avec une espèce sauvage, les loups, aucun indice n'établit avec certitude une vie en leur compagnie. Ainsi récemment, des enfants ont été retrouvés vivant en association avec des chiens errants dans des villes en Roumanie, en Hongrie, en Russie et au Chili ; leurs relations s'établissent sur le registre de services et d'échanges entre membres d'une même communauté. Ces enfants étaient tolérés par les chiens, probablement protégés, et n'avaient jamais quitté « leurs rues ».

Il en va autrement pour Amala et Kamala. D'après les récits du docteur Singh, elles furent retrouvées dans des conditions épiques. Elles se terraient dans une tanière de loup et les ramener nécessita force prouesses. Cette histoire se passant au début du XXᵉ siècle, inutile de préciser que ces deux petites filles, l'une âgée de trois ans, l'autre de huit ans, attirèrent l'attention des médecins et des anthropologues. Le docteur Singh se montra assez peu coopératif face à ses visiteurs et, sans mettre en doute son honnêteté intellectuelle, bien des zones d'incertitude persistent.

L'un des cas les plus récents d'enfant sauvage vient d'Ouganda. Un enfant d'environ six ans, que l'on a appelé John, fut retrouvé dans un état psychologique fragile, peureux et agressif. Il avait les ongles longs et crochus. Son corps ressemblait à celui d'un singe à cause de poils collés sur sa peau par la sueur et l'humidité. Ces poils provenaient des singes vervets avec lesquels il avait vécu pendant trois années. Il leur ressemblait dans sa façon de se déplacer et de se comporter. Lorsque des hommes le retrouvèrent, une vieille femme le reconnut et évoqua un drame familial. Le père avait assassiné la mère sous ses yeux et l'avait poursuivi jusque dans la forêt où il avait perdu sa trace. Que firent les Africains ? Ils recueillirent l'enfant et le placèrent dans un orphelinat en compagnie d'autres enfants, martyrisés aussi par la vie. Et là, par une socialisation non forcée, sans savant ni docteur l'étudiant comme un beau cas, il renoua avec la société des hommes par le chant, la danse, le jeu, l'échange... C'est un des seuls exemples d'enfant dont on connaît l'histoire et dont on est sûr qu'il a partagé la société d'une espèce sauvage.

A-t-on affaire à de véritables enfants sauvages ayant vécu avec des espèces sauvages ou les a-t-on ensauvagés ? N'a-t-on pas voulu voir trop vite en eux des exemples aussi inespérés que rarissimes d'un état de l'homme primitif ou sauvage avant l'invention de la société, une enfance fantasmée de l'humanité, interrogation aussi ancienne que les civilisations ? Le siècle des Lumières la reprend, puis l'anthropologie et toutes les sciences humaines jusqu'à nos jours. Ces enfants sauvages ont-ils vraiment vécu en compagnie des bêtes sauvages ? Si les loups et les ours se distinguent par leur hospitalité sauvage, disons leur tolérance, on n'a rien à espérer du côté des félins. Deux jeunes enfants égarés dans la jungle n'auraient rien à attendre de la rencontre avec une panthère ou un tigre. Le rôle du vilain Sher Kahn du *Livre de la jungle* n'est pas usurpé ; quant à la douce Bagheera, on peut toujours se bercer d'illusions. Certes, sur un autre rapport entre espèces, on connaît le cas d'une chienne qui allaitait de jeunes tigres et sut se faire respecter d'eux toute sa vie. Le fait qu'on évoque aussi souvent les enfants-loups et ailleurs les enfants-ours semble consolider une association entre un petit d'homme et ces carnivores canidés et ursidés aux mœurs sociales pourtant très différentes. Il est curieux de constater l'absence de considérations éthologiques dans ces rapports, ce qui peut se concevoir pour les époques envisagées, mais est bien incompréhensible pour les études plus récentes. Une fois de plus, les mythes tendent un voile trouble entre l'homme et l'animal, entre la culture et la nature. Ensauvager ces enfants, c'est les renvoyer dans les forêts peuplées d'espèces qui hantent en réalité l'imaginaire européen.

Contrairement au beau mythe de Remus et Romulus, représentés jeunes enfants tirant le lait d'une louve aux mamelles généreuses, aucun cas d'allaitement ou d'élevage n'est avéré. Il ne fait aucun doute cependant qu'une fois capturés, ils cherchaient à s'enfuir. Pourquoi ? Pour retrouver une société sauvage hospitalière ou pour fuir à nouveau une société humaine brutale qui leur avait causé tant de traumatismes ? Le cas de ces enfants ensauvagés n'a été reconnu et perçu que dans une perspective anthro-

pologique, indéniablement aussi fascinante que fondamentale, mais enfermée dans ses présupposés du passage
du sauvage au civilisé. Ces enfants ensauvagés ont rarement été considérés comme des personnes, mais comme
des objets d'étude. C'est en ce sens que la méthode du
docteur Itard, qui consistait à entourer Victor d'un environnement que l'on peut qualifier de familial, avec la collaboration de Mme Guérin, se distingue des autres. Victor
passera ses dernières années en compagnie de la bonne
Mme Guérin. Pourtant, la tentative de réinsertion soutenue par le docteur Itard sera considérée comme un échec.
Dorénavant, la place que la société réservera à ces
enfants, ce sera l'asile !

On ne peut pas quitter ces enfants sauvages sans évoquer une fiction célèbre inspirée du cas de Mowgli : Tarzan, l'homme singe, le personnage créé par Edgar R.
Burroughs. Tellement inspiré du *Livre de la jungle* que
dans sa première aventure, Tarzan se bat contre un tigre.
Or, il n'y a jamais eu de tigre en Afrique. Cela appelle
plusieurs remarques. Tarzan, selon la légende qui se
construit au fil des épisodes, serait de noble naissance, ce
qui nous rapproche du cas de Kaspar Hauser. Tarzan est
de type européen, il survit parmi les singes, un super
Mowgli qui, n'ayant pas pu rejoindre le monde des
hommes (blancs), autrement dit la civilisation, devient le
maître de la jungle, créature adamique transfigurant la
supériorité et la noblesse de l'homme blanc. Tarzan est
recueilli et élevé par les chimpanzés, l'espèce la plus
proche de nous dans la nature actuelle, alors que le seul
cas avéré d'un enfant humain ayant vécu parmi les singes
est celui évoqué précédemment avec les vervets – il est
possible, certes, qu'il y en ait eu d'autres : l'anthropologie
ne s'est tourné vers l'Afrique que très récemment. Enfin,
Tarzan se battant avec un tigre, ce qui n'enlève rien à
l'intérêt de la fiction, est révélateur des fondements sous-
jacents à toutes ces histoires : on est passionné par l'en-

fant ou l'homme sauvage, qu'importe en fait l'espèce avec
laquelle il est censé se trouver, le tigre en Inde comme le
loup et l'ours en Europe.

## Des enfants au placard

Les enfants ensauvagés disparaissent alors que les
théories de l'évolution de l'homme s'affirment. Est-ce
parce que l'avancée de la civilisation – selon le souhait
de Kipling – écarte tous les drames évoqués ayant poussé
des enfants loin des hommes ? La fin du XIXe siècle et le
XXe siècle ne sont malheureusement pas avares de tragé-
dies. Les enfants ensauvagés disparaissent du paysage
anthropologique, mis au placard ou dans un coin d'asile.
Place aux « enfants-placards » qui, à peine sortis de leur
calvaire, se retrouvent dans les laboratoires.

Le merveilleux film de Truffaut sort en 1970, l'année
où l'on découvre Gennie dans la banlieue de Los Angeles.
Cette pauvre enfant vécut plus de douze ans maintenue
par un harnais au-dessus d'une chaise percée. Parfois, elle
passait la nuit dans un sac de contention. Elle recevait
pour seuls repas des céréales et des aliments pour bébé.
Elle n'entendait jamais les voix de sa mère, de son frère
aîné ou de son père, sauf quand ce dernier poussait une
colère. Sinon, pas de radio, pas de télévision, aucun
échange avec des êtres humains. Aucune stimulation
sonore, ni possibilité de manipuler des objets. On la
recueillit avec des traumatismes cérébraux très graves, ne
pouvant dire que *stop it* (arrêtez ça !) et *no more* (pas
plus !). Malgré ses traumatismes cérébraux, elle n'était
pas idiote, savait exprimer ses émotions, se montrait fort
curieuse et très douée pour la communication sociale non
verbale. Gennie présente la plupart des traits reconnus
chez les enfants des forêts. Son cas en rappelle d'autres
plus anciens ou plus récents comme Edith Riley en 1931,

Anna de Pennsylvanie et Isabelle de l'Ohio en 1938, Yves Cheneau de Saint-Brévin en 1963, Horst Meyer de Düsseldorf en 1988 ou encore la fillette de Norco en 1999, pour ne citer que ceux que l'on a sortis du placard et dont les cas furent révélés au public. Combien d'histoires de famille sordides et ignorées...

Entre Kaspar Hauser sorti du cachot d'un donjon et Gennie tirée du placard d'une maison de banlieue se déploie toute l'anthropologie et plus particulièrement la préhistoire et la paléoanthropologie. Les hommes fossiles exhumés des sédiments écartent durablement les enfants de la question des origines humaines ou de l'homme primitif. Ce ne sont pas pourtant des enfants perdus pour les sciences de l'homme. L'acquisition du langage et de la bipédie comptent parmi les grands caractères associés à l'évolution de l'Homme. D'où les efforts déployés pour faire marcher et parler ces enfants des forêts et des placards.

*Langage et « expérience interdite »*

Le cas de Gennie et de tous ces malheureux enfermés pendant leur enfance se substitue aux « expériences interdites ». Seuls des monarques, des empereurs, des papes et des souverains investis d'un pouvoir céleste ou divin se sont permis de faire de telles expériences : prendre des nouveau-nés et les isoler hors de tout contact avec les hommes afin de découvrir le langage originel, pur, la langue naturelle et divine. Cette folie nourrie d'une volonté de pouvoir sacré et absolu remonte à la plus haute antiquité avec le pharaon Psammétique Ier, au VIIe siècle avant Jésus-Christ, d'après Hérodote. Viennent ensuite Frédéric II de Hohenstaufen au XIIe-XIIIe siècle, le roi Jacques IV d'Ecosse au XVe-XVIe siècle, ou encore le roi

Melardi Echebar d'Hindoustan au XVI<sup>e</sup>-XVII<sup>e</sup> siècle parmi les plus couramment cités.

Alors que les enfants sauvages sortent des forêts tirés par les spéculations des philosophes et des anthropologues du XVIII<sup>e</sup> siècle intéressés par l'homme des origines et, plus tard, par les pionniers des sciences psychologiques au sens large du début du XIX<sup>e</sup> siècle, Gennie et les enfants des placards sont libérés alors que s'amorce la grande controverse sur les origines et l'acquisition du langage. Il suffit d'évoquer le débat organisé à l'abbaye de Royaumont en 1975 à la suite du célèbre colloque intitulé l'« Unité de l'Homme » entre Jean Piaget et Noam Chomsky. L'école chomskienne postule que le langage humain repose sur un module cérébral spécifique et propre à l'homme, théorie qui s'inscrit dans la tradition de la neuro-anatomie fonctionnelle qui débute avec la découverte par Paul Broca à la fin du XIX<sup>e</sup> siècle de la célèbre aire corticale du langage sur l'hémisphère gauche du cerveau, aire qui porte désormais son nom. Pour Chomsky et son école, il s'agit d'un module fonctionnel et moins d'un locus anatomique. Quoi qu'il en soit, il existe une grammaire universelle innée puisque tous les enfants naissent avec la capacité d'apprendre un langage, que tous parlent, et que cela s'observe dans toutes les populations humaines indépendamment de leur culture et de leur économie. Face à cet *innéisme*, Piaget oppose le *constructivisme* fondé sur sa théorie des stades de développement psychologique de l'enfant. Ces deux écoles admettent, et c'est fondamental, que les enfants n'arrivent pas au monde dépourvus de capacités ou de potentialités d'apprentissage du langage ; ils n'arrivent pas au monde *tabula rasa* comme le soutiennent encore les écoles empiriques qui veulent que l'Homme ne soit qu'un être de culture façonné par la société. Ces écoles *nativistes*, indépendamment de leurs controverses, s'opposent aux écoles *empiristes,* comme le *béhaviorisme* qui postule

que le cerveau humain est une cire molle. Ce débat intervient à une époque où les sciences cognitives s'affirment
avec pour conséquence le déclin du béhaviorisme. Il est
évident que la question de la nature de l'homme et du
langage s'inscrit dans le champ nativiste, une approche
dominante dans les pays anglo-saxons qui rencontre
encore de vives résistances en France, non pas du côté
des chercheurs, mais une fois de plus en raison de l'hégé-
monie de la philosophie de la liberté absolue de l'Homme
dans les sciences humaines.

Dans ce débat, que nous apprennent les enfants sauvages et les enfants-placards ? Tous les témoignages
comme toutes les études attestent des réelles difficultés
éprouvées par ces enfants pour apprendre tardivement à
parler. Cependant, tous apprennent, de quelques rudi-
ments à un langage simple. Seulement, les histoires
vécues par ces enfants, aussi dramatiques soient-elles, ne
constituent pas de véritables expériences scientifiques. Ce
sont des drames de la vie – des « crimes contre l'enfance », selon l'expression de Françoise Dolto – qui interfèrent après coup avec des questions philosophiques,
anthropologiques et scientifiques. Pour les enfants des
forêts, on ne connaît rien ou presque rien de ce qui pré-
cède leur exclusion : parlaient-ils avant ? A quel âge se
sont-ils retrouvés seuls ? Sans évoquer les traumatismes
psychologiques dus à des parents méchants et psycho-
tiques. Pour les enfants des placards, retrouvés dans des
maisons ou des lieux habités, les témoignages recueillis
auprès des parents et d'autres personnes impliquées
apportent des informations dont la fiabilité est loin d'être
assurée dans un tel contexte. Kaspar Hauser surprend par
ses progrès dans l'apprentissage de la vie sociale et aussi
pour le langage. Un cas exceptionnel, mais on ignore à
partir de quel âge il s'est retrouvé reclus. Si sa prime
enfance s'est déroulée plus normalement et plus humai-
nement, on comprend qu'il ait pu progresser aussi bien

comparé à tous les autres cas connus. Le fait qu'il ait pu
écrire son nom et donner quelques réponses triviales aux
premières questions qu'on lui pose témoigne d'un mini-
mum d'éducation. L'histoire de Gennie, la mieux connue,
propose une situation inverse puisqu'elle éprouve les
pires difficultés pour parler. Kaspar serait-il plus doué
que Gennie, d'autant que son « éducation » commence à
un âge plus avancé ?

Dans tous les cas les mieux étudiés, il ressort que ces
enfants montrent de formidables capacités de résilience.
Si on revient au débat sur les origines et le développement du langage, tous ces enfants apprennent à
comprendre le langage mais éprouvent bien plus de difficultés pour s'exprimer. Cela ne les empêche pas d'avoir
d'autres modes de communication sociale, comme Gennie, à moins qu'ils ne souffrent de traumatismes ou de
déficiences psychologiques, comme Victor et certainement d'autres. Ajoutons, comme si cela ne suffisait pas,
que beaucoup de ces enfants furent « abandonnés des
hommes » parce qu'ils étaient nés avec de graves handicaps. La seule chose qu'ils peuvent nous dire, c'est que,
comme tous les autres enfants, ils sont nés avec la capacité d'acquérir et d'utiliser le langage. L'apprentissage du
langage dépend du contexte social, bien que des périodes
de l'enfance apparaissent plus sensibles – le langage
explose littéralement entre deux et trois ans chez tous
les enfants du monde – et que plus l'on entre tard en
apprentissage, plus c'est difficile – ce que l'on sait fort
bien pour l'apprentissage des langues étrangères. L'école
nativiste ne se trompe pas. Les petits humains naissent
avec des capacités cognitives pour apprendre le langage,
apprentissage qui dépend du contexte environnemental, mais selon des interactions complexes avec des
contraintes liées au développement cérébral et atténuées
par les capacités de résilience. Autrement dit, comme
nous l'avions déjà évoqué, le génome humain est un sys-

tème à la fois contraint – sinon nous ne serions pas des hommes ; même les enfants des forêts et des placards se développent comme des humains – et étonnamment plastique – puisqu'on peut apprendre, non pas de la même façon à tout âge mais avec les contraintes de l'âge.

Saura-t-on jamais ce qu'il en est de l'inné et de l'acquis chez l'Homme, de la nature humaine ? L'enfant, à l'image de *l'homme de nature* évoqué par Rousseau, n'existe pas. Buffon insiste avec pertinence sur cette évidence, l'enfant est un être social avant même de venir au monde. Les expériences d'isolement précoce visant à mettre en évidence la nature de l'Homme hors de la société sont contre nature, contre la nature de l'Homme, mais pas seulement.

La seule façon d'approcher cette question de l'inné et de l'acquis s'inscrit dans la démarche de l'anthropologie évolutionnaire actuelle, évoquée précédemment dans cet ouvrage. Il ne s'agit pas de réduire l'Homme et les chimpanzés au dernier ancêtre commun, mais de reconstituer cet état commun des origines, que nous pourrions appeler notre inné commun [1]. S'il y a nécessairement des innés qui diffèrent chez les chimpanzés et les hommes, découlant de leurs évolutions respectives depuis la séparation des lignées, il y 6 millions d'années, leurs acquis propres depuis notre dernier ancêtre commun sont pour l'heure hors de notre portée. Deux raisons à cela : la première, c'est qu'on pose cette problématique de l'inné dans ce cadre méthodologique que l'on utilise depuis trop peu de temps ; la seconde, que les chercheurs en sciences humaines ne se dégagent pas de la dichotomie obsolète du tout inné et du tout acquis, que ce soit chez l'homme et, d'une manière cocasse, chez les chimpanzés.

---

1. Dans cette approche structuraliste, on écarte la question des origines de cet inné, issu forcément d'une histoire antérieure aux hommes et aux chimpanzés. Cette attitude fait partie de la logique de la démarche phylogénétique et ne cherche pas à contourner un quelconque embarras métaphysique

Le petit humain naît dans un monde dont il a déjà perçu des vibrations physiques et sonores. Il quitte le liquide amniotique pour baigner dans un milieu culturel. Ses capacités innées pour l'apprentissage se développent par étapes, ce qui évoque l'approche constructiviste de la psychologie du développement de Jean Piaget. Précisons cependant que les étapes du développement mises en évidence par l'école piagétienne ne correspondent pas à un programme rigide. La résilience, les capacités d'apprendre à tout âge révèlent une plasticité cognitive de l'apprentissage et du développement psychologique chez l'Homme.

Sans surprise, on peut faire le même constat du côté des singes, et surtout des chimpanzés. Ceux-ci présentent des stades du développement homologues à ceux des hommes et ce n'est qu'entre l'âge de deux et trois ans que s'affirment des divergences qui semblent propres à chaque espèce. Les expériences sur l'apprentissage du langage avec des grands singes eurent du succès avec de jeunes individus qui furent élevés comme des enfants et parfois avec des enfants dans des familles. L'inverse de tous les cas dramatiques d'enfants des forêts ou des placards. Certains chercheurs contestèrent cette approche humanisante et développèrent leurs protocoles de recherche sans affect entre les chimpanzés et les expérimentateurs. Bien sûr, les sujets eurent des performances moins brillantes. Pas plus que les enfants humains, les enfants chimpanzés ne naissent avec un *inné* – ce programme génétique ouvert discuté dans les chapitres précédents – qui va de soi ; il requiert un contexte social pour se développer.

Le cas des chimpanzés – auquel nous nous limitons, mais nous pourrions étendre la discussion aux autres grands singes et même à d'autres espèces – permet de récuser nombre d'idées obsolètes sur l'enfance de l'Homme et de l'humanité. L'expérience de l'isolement est un contresens fondamental pour des espèces aussi sociales. Nous ne naissons pas *tabula rasa* mais avec un bagage de potentialités cognitives qui se développent plus ou moins bien à différents âges de la vie, mais selon une plasticité rarement reconnue. Enfin, par nos éducations d'Hommes et de chimpanzés, nous ne développons que certaines caractéristiques parmi un éventail des possibles encore mal perçu. Le fait que les chimpanzés – et d'autres grands singes – manifestent de telles aptitudes pour la communication symbolique dans des contextes humanisés, alors qu'on ne les a pas mises en évidence dans la nature, souligne l'ampleur de notre plasticité cognitive. D'où la surprise de découvrir que les chimpanzés possèdent un cerveau gauche avec aire corticale dans la région temporale homologue à nos aires de Broca et de Wernicke très impliquées dans nos fonctions langagières. Nous arrivons au monde nantis d'un formidable potentiel éducatif sur lequel l'environnement social imprime ses caractéristiques. Quand on réalise l'expérience tolérée d'éduquer un très jeune chimpanzé avec des petits humains et dans des conditions très semblables, les deux apprennent très vite puis, après deux ans, les contraintes du développement cérébral et cognitif des chimpanzés les font « décrocher » alors même que les enfants voient exploser leur maîtrise du langage. Rousseau aurait apprécié cette perfectibilité propre non pas à notre lignée évolutive mais à nos lignées évolutives. Les chimpanzés ne sont pas l'enfance de l'Homme. Leur enfance ressemble à la nôtre puis, au fil des âges et des contextes sociaux, ils deviennent chimpanzés et nous devenons hommes.

*Enfance, ontogenèse et évolution*

La plasticité de notre ontogenèse demande du temps, celui de l'évolution et celui de l'enfance. On a vu qu'au cours du XIXᵉ siècle les études sur l'enfance intéressent les sciences médicales et la psychologie au sens large sans concerner les évolutionnistes, si ce n'est une fois de plus l'exception notable de Darwin, presque anecdotique. Les âges de la vie, autrement dit l'ontogenèse, ne seront investis qu'indirectement au travers des théories de l'évolution dites de la récapitulation avec le célèbre aphorisme d'Ernst Haeckel : « L'ontogenèse récapitule la phylogenèse. » Il ne s'agit pas d'une incidence des sciences de l'évolution dans les sciences de l'éducation ou les sciences psychologiques ; au contraire, ces sciences vont se développer en s'inspirant de ces conceptions transformistes et téléologiques.

Les analogies entre le cosmos et les premiers âges de la vie s'enracinent dans l'Antiquité grecque, chez les présocratiques comme Anaximandre, toujours cité dès qu'on évoque les pensées préévolutionnistes, ou Empédocle qui considère le cosmos comme la membrane amniotique qui enveloppe le fœtus. Ces philosophes, tout comme Héraclite qui scande « qu'on ne se baigne jamais deux fois dans un même fleuve », proposent des cosmologies moins immobiles que celle de Platon, qui dominera si longtemps en Occident – jusqu'au Moyen Age. Dire que leurs systèmes préfiguraient les théories de l'évolution n'est que très relatif, notamment en raison de leur notion d'un temps cyclique très différente de l'idée de flèche du temps forgée dans le cadre de la pensée chrétienne. On retrouve une analogie constructive chez Aristote qui classe les animaux selon leur mode de reproduction : mammifère vivipares ; requins ovovivipares ; oiseaux et reptiles ovipares ; les poissons, les céphalopodes et les crustacés ovipares avec fécondation externe ; les insectes. Il ne s'agit donc en fait que d'analogies fondées sur la reproduction et non sur l'ontogenèse.

Charles Bonnet (1720-1793) est l'un des premiers savants à passer de l'analogie de la reproduction à l'ontogenèse comme processus de développement identifié à la nature. Il appartient à l'école dite des *préformationnistes* qui admet que toute l'histoire de la vie se déroule selon un programme déjà préétabli par le Créateur. On retrouve l'idée du microcosme qui reproduit le macrocosme avec le célèbre *Homunculus*. C'est de là que vient le terme *évolution*, du latin *evolvere*, qui signifie dérouler. Il ne s'agit donc pas d'évolution au sens moderne qui implique une transformation des espèces, et surtout pas dans la conception darwinienne de l'évolution. Il n'y a rien de plus fixiste que l'évolution de Charles Bonnet puisque tout est déjà mis en place. C'est un système statique qui se déroule, les espèces se succédant selon la *scala natura*. Bonnet vante son système comme une « grande victoire sur le sens ». Toujours cette quête de sens combattue par Locke, Buffon et d'autres en leur temps.

Voilà qui peut faire sourire du haut de notre prétendue modernité, mais de telles croyances persistent encore, notamment en paléoanthropologie. Bonnet ramène toute l'histoire de la vie et du cosmos à une seule création et à une seule chaîne universelle guidée vers la perfection, l'Homme. Vieille idée qui évolue au cours du temps. Dans l'Antiquité grecque l'Homme/microcosme s'identifie à la nature/macrocosme. A la Renaissance, la nature est la création de Dieu alors que les machines sont les inventions des hommes, avec Dieu promu au grade de Grand Horloger. A partir du XVIIIe siècle et jusqu'à nos jours, les processus naturels – les théories de l'évolution – se ramènent à l'histoire des hommes. Une autre idée soutient ces conceptions cosmologiques : la continuité. Il n'y a pas de rupture. Au xix$^e$ siècle, Charles Lyell, l'un des grands fondateurs de la géologie, affirme que les discontinuités entre les couches géologiques résultent d'accidents dans les archives de la Terre, s'opposant en cela à la théorie des catastrophes de Georges Cuvier. Dans toutes ces controverses, il faut garder à l'esprit cette question de la continuité et de la discontinuité dans l'histoire de la Terre comme dans celle de la vie. Pour résumer, la thèse de la continuité n'est acceptable que si l'Homme est au pinacle d'une évolution conçue comme un projet cosmique. En revanche, hors de toute hypothèse finaliste, la thèse de la discontinuité – évoquant en cela le dualisme cartésien – devient très prisée lorsqu'il s'agit de dégager l'Homme de la nature et de lui octroyer une place à part. Autrement dit le corps appartient à l'histoire de la vie, mais pas la conscience ou l'âme.

Les théories transformistes n'échappent pas à l'idée la plus forte, celle de la chaîne des êtres et de la continuité, Lamarck apportant deux contributions scientifiques importante, la *biologie* – dont il invente le terme en 1802 – et la paléontologie. A la même époque, en Allemagne, Goethe invente le terme *morphologie*. C'est ainsi que deux grands courants philosophiques vont se renforcer entre les deux pays, l'un dit de la *morphologie transcendante* d'après l'expression de Geoffroy Saint-Hilaire, et la *Naturphilosophie* et sa biologie romantique héritée de Schelling. L'embryologie émerge dans ce contexte : qu'y a-t-il de moins dirigé dans la vie que le fabuleux développement d'un œuf en un organisme complexe ? Idée renforcée par la physiologie, en plein essor aussi à cette époque. Deux embryologistes, Etienne Serres et J. F. Meckel, l'un français et l'autre allemand, donnent leur nom à la loi de Meckel-Serres qui dit que les animaux inférieurs sont des embryons permanents des animaux des classes supérieures. En d'autres termes, que l'embryogenèse et l'ontogenèse des animaux supérieurs franchissent toutes les étapes de la chaîne des êtres, passant par la succession de leurs états adultes : c'est la *récapitulation*. C'est ainsi qu'une idée héritée de la Grèce antique se transforme au fil des siècles pour devenir scientifique.

En Allemagne, plus qu'ailleurs, la récapitulation se renforce dans le courant de la *Naturphilosophie* qui soutient qu'il existe un ordre métaphysique universel, que la place de l'Homme dans la nature repose sur sa supériorité et qu'il existe une identité entre l'Homme et tout ce qui existe. En France, Cuvier, qui a pourtant reçu sa première éducation en Allemagne, n'aura de cesse de combattre cette conception de la nature. La question passionne l'Europe lorsque l'Académie des sciences de Paris organise un débat entre Cuvier et Geoffroy Saint-Hilaire en 1830. Les protagonistes tout comme la noble assemblée s'attendaient à bien des choses, mais certainement pas à un tel retentissement. Cuvier soutient que les animaux se répartissent en quatre embranchements distincts. Geoffroy Saint-Hilaire défend une unité de plan allant jusqu'à rechercher des identités de structure entre le squelette interne des vertébrés et le squelette externe des arthropodes. (L'histoire de la biologie décerne plus de satisfecit à l'un ou à l'autre, selon les préférences ; ils sont néanmoins deux très grands savants quoi qu'il en soit.) En France comme en Allemagne, s'affirme la conception hiérarchique et linéaire de la transformation des espèces alors qu'une acception très différente de l'évolution émerge avec Darwin.

A la même époque, un autre biologiste, von Baer, défend une conception très différente de l'embryologie. Il démontre l'analogie formelle entre les états de l'embryon et les stades adultes des espèces dites inférieures. En effet, on ne reconnaît chez aucun embryon l'état adulte d'autres espèces. Il n'existe donc pas de série graduée des espèces alignées sur un seul thème. D'ailleurs, on se demande pourquoi les animaux inférieurs stoppent leur développement à différents stades de la chaîne du vivant, question qui ne trouve évidement pas de réponse en biologie. Von Baer établit les fondements de l'embryologie moderne en dégageant quelques grands principes : les traits généraux des grands groupes, comme les Vertébrés, apparaissent tôt chez leurs embryons ; puis leur développement procède du général au spécialisé ; le développement des embryons ne cesse donc pas de diverger depuis leurs états généraux communs ; on ne retrouve jamais chez un embryon d'un animal supérieur l'état adulte d'un animal inférieur. Pour prendre un exemple bien connu, l'embryon humain présente des branchies à un stade de son développement, mais ce n'est pas un poisson pour autant ! En des termes plus philosophiques, la *téléologie* cède devant la *téléonomie*. C'est un renversement complet de conception, presque philosophique, puisque l'enchaînement des états adultes s'effondre pour laisser place à la succession de différents états embryologiques – morphologiques et structuraux – reconnus dans les grands embranchements. La loi linéaire de Meckel-Serres éclate devant la loi de différenciation de von Baer, lequel exprime son admiration pour Cuvier et ses quatre embranchements chez les animaux.

Charles Darwin et l'un de ses propagandistes les plus célèbres, Herbert Spencer, adhèrent à l'embryologie de von Baer. Pourtant ce dernier récuse le caractère matérialiste de la sélection naturelle. Van Baer est allemand et reste attaché à la *Naturphilosophie*. Quant à Spencer, c'est à lui que l'on doit l'acception actuelle du terme *évolution*. Par une belle ironie de l'histoire des sciences, alors que ce terme provient de la conception préformationniste et fixiste de Bonnet, c'est à partir des travaux d'un embryologiste non évolutionniste, von Baer, qu'il fait son entrée dans la théorie darwinienne. Darwin ne l'emploie pas dans les premières éditions de son ouvrage *De l'origine des espèces par la voie de sélection naturelle*, lui préférant des expressions comme « la descendance avec modification ». Fort au fait de l'étymologie comme de l'origine de son usage, il hésite avec beaucoup de discernement. Car la suite de notre histoire montre que von Baer comme Darwin seront vite occultés par la domination d'une vision transcendentale de l'évolution.

## L'ontogenèse récapitule la phylogenèse

Hier comme aujourd'hui, les controverses sur l'évolution, et plus particulièrement autour des origines de l'Homme, ne tarissent pas. Dans les discussions actuelles apparaissent souvent les noms de Darwin et de Lamarck, beaucoup plus rarement celui de Haeckel. Pourtant, il y a un siècle, le traducteur de Darwin en allemand publie un livre intitulé *Anthropogenie*, considéré alors par Thomas Huxley comme l'un des livres les plus importants de son temps. Haeckel et son école dominent toute la pensée biologique de l'Europe continentale et, comme nous le verrons, se retrouvent dans les théories sur l'enfance, l'éducation et la psychanalyse.

La chaîne des espèces, jamais aussi solide que dans le cadre de la *Naturphilosophie*, se renforce de trois analogies scientifiques : la première avec la conception gradualiste classique de la classification des espèces ; la deuxième avec l'embryologie et avec la loi de Meckel-Serres ; la troisième avec la paléontologie, en plein essor au XIX$^e$ siècle, notamment avec le paléontologue antidarwinien Louis Agassiz. Haeckel rassemble toutes ces contributions pour construire son schéma transformiste de la vie. Il livre un hommage explicite à Goethe, Lamarck et Darwin. Goethe pour la *Naturphilosophie* et la morphologie ; Lamarck pour le transformisme et la transmission des caractères acquis ; Darwin aussi pour la transmission des caractères acquis et le rôle de la sélection des caractères les plus aptes. Très créatif, on lui doit l'invention de termes aujourd'hui d'usage courant, comme *ontogénie* et *phylogénie*. Je cite à dessein ces trois termes car leur mise en relation ne manque pas de poser bien des difficultés pour la suite de notre histoire.

Commençons par l'ontogenèse et la phylogenèse. La première récapitule l'autre en additionnant la succession des états adultes des espèces inférieures. Autrement dit, les états adultes des espèces actuelles et fossiles s'accumulent et se condensent dans l'ontogenèse. On comprend bien la double inspiration due à Lamarck et à Darwin. Il y a toujours une variation des caractères sur lesquels intervient la sélection naturelle, éliminant les moins favorables (Darwin), puis transmis aux générations suivantes (Lamarck) selon une série graduelle et continue aboutissant à l'Homme en relation avec tout ce qui existe (Goethe). Seulement, pour faire rentrer des millions d'années de phylogenèse en quelques mois d'ontogenèse, deux phénomènes interviennent, la condensation des étapes et la délétion d'étapes non nécessaires. Autre problème, l'inversion de la séquence d'apparition des caractères. Chez l'embryon le système nerveux central, les yeux et le cerveau se développent en premier alors qu'ils apparaissent plus tardivement dans l'histoire de la vie. Haeckel appelle ces *dislocations des hétérochronies*, autre terme appelé à un bel avenir. Evidemment, tout n'est pas pour le mieux dans le meilleur des mondes téléologiques (Haeckel n'était pas croyant). Les cas de divergence par rapport au schéma principal sont légion. C'est là qu'intervient un usage aussi malin que détourné de Darwin puisque Haeckel distingue deux types de caractères, ceux qui participent de la *palingenèse*, la vraie phylogénie, et ceux qui la falsifient, placés dans la catégorie de la *cénogenèse*. Autrement dit, ne comptent que les caractères les plus pertinents et donc retenus selon la direction de la vraie phylogenèse dirigée vers l'Homme. Belle figure de rhétorique qui écarte d'emblée les longues listes de caractères qui n'entrent pas dans la vision haeckelienne.

Plus qu'un système philosophique, la théorie de Haeckel dérive vers l'idéologie. Il fonde une ligue *moniste* qu'il précise dédiée à la suprématie du peuple allemand. Le national-socialisme s'en inspire et on connaît la suite. L'immense influence de Haeckel sombre avec les horreurs de la Seconde Guerre mondiale. Néanmoins, la théorie de la récapitulation s'insinue partout dans la pensée occidentale car, au risque d'insister, elle repose sur des idées très anciennes. Elle persiste encore et marque toujours profondément les sciences de l'éducation et la psychanalyse. C'est d'autant plus troublant que la théorie de la récapitulation s'écroule au cours des années 1920-1930. C'est un très bel exemple de la façon dont avancent les sciences. Alors que la théorie de la récapitulation est fort contestable dans ses fondements scientifiques (voir von Baer, Darwin...), elle s'impose certainement en raison de son contenu fortement heuristique qui donne du sens à l'embryologie, à la classification des espèces et à la paléontologie. Toutes les objections, aussi nombreuses que pertinentes, l'atteignent à peine, ce qui montre les limites du seul critère de la réfutabilité de Karl Popper en science. Le développement de la génétique ruine définitivement la question des caractères acquis alors que l'embryologie expérimentale retrouve les principes de von Baer. Un changement de paradigme devient nécessaire et une autre théorie se met en place au sens de Thomas Kuhn. La longue parenthèse de la récapitulation aurait dû se refermer, parenthèse représentée d'un côté par Darwin et von Baer au milieu de xixe siècle et de l'autre par le néodarwinisme ou théorie synthétique de l'évolution avec un autre embryologiste, Galvin de Beer, au milieu des années 1950. Seulement, le monstre mythique et anthropocentrique resurgit là où on s'y attend mais aussi là où on ne s'y attend pas.

*Des mauvais usages de la récapitulation*

La théorie de la récapitulation s'insinue en anthropologie physique et criminelle, dans le racisme. On a déjà évoqué l'échelle de l'évolution selon Haeckel avec, sur un arbre, des grands singes suivis des Noirs avec les Blancs au sommet. Les Jaunes ne sont pas oubliés pour autant. C'est à la fin du XIX$^e$ siècle que le docteur Down décrit le syndrome portant son nom relatif aux enfants malformés, ce qu'on appelle aujourd'hui la trisomie 21 ou mongolisme. D'où vient ce terme de *mongolisme* ? Justement de la théorie de la récapitulation. Si des enfants nés de parents blancs, donc tout en haut de l'échelle, se trouvent parfois frappés de ce syndrome, c'est à cause d'un accident au cours de leur ontogenèse. L'embryon puis le fœtus gravissent tous les échelons mais, pour une raison que l'on ignorait à l'époque, s'arrêtent à l'avant-dernière étape, celle des Jaunes, entre les Noirs et les Blancs, d'où le nom de mongolisme. La plupart des critères du syndrome de Down se réfèrent, dans leurs descriptions, aux « races inférieures », selon l'expression de l'époque, et aux grands singes.

Schiller, chantre de la *Naturphilosophie*, compare les autres peuples aux différents âges de l'homme blanc – à la fin du XVIII$^e$ siècle, déjà ! L'ontogenèse s'associe à la phylogenèse pour classer les hommes par rapport à l'homme blanc, étalon de la perfection. Agassiz, cité précédemment, raciste convaincu et anti-évolutionniste, compare l'âge mental des Noirs à celui d'enfants blancs de six à sept ans. Carl Vogt, évolutionniste suisse, affirme que le cerveau d'un Noir ressemble à celui d'un fœtus d'enfant blanc de sept mois. Je cite ces exemples, celui d'un anti-évolutionniste et celui d'un polygéniste, pour souligner combien la pensée raciste s'amplifie au XIX$^e$ siècle. Les théories évolutionnistes ne sont pas à l'origine du racisme, mais elles vont lui fournir, alors qu'elles plaident la continuité, une assise pseudoscientifique redoutable.

Les enfants civilisés, les Blancs, ne tardent pas à être comparés aux sauvages. Tout comme eux, ils sont animistes avec leur propension à donner des noms à leurs jouets comme aux objets. Leurs piètres penchants esthétiques pour des dessins aux formes imparfaites, le choix de couleurs contrastées et brillantes, autant de fautes de goût que l'on rapproche des peintures faites sur les falaises par les Aborigènes, etc.

Les femmes n'échappent pas à la récapitulation qui, au passage, ôte une sacrée épine du pied au transformisme et aux théologiens. En effet, d'après les textes de la Genèse, la femme a été créée après l'homme à partir d'une côte flottante, ce qui veut dire, selon les canons du transformisme, qu'elle est plus évoluée car apparue en dernier ! La côte flottante se met en travers du dogme machiste et théologique. Grâce à la récapitulation, la femme se situe entre l'enfant et l'homme adulte blanc car, comme chacun sait, son ontogenèse est plus courte.

Même refrain du côté de l'anthropologie criminelle dont l'une des figures les plus célèbres est Lombroso. On lui doit l'invention de l'*atavisme* des criminels, rendant compte de près de la moitié des cas, les autres étant dus à la misère, l'éducation ou tout autre problème lié à la société, etc. Ces criminels seraient les victimes d'une ontogenèse inachevée les ayant abandonnés quelque part entre les grands singes et les hommes. Les descriptions de ces malheureux détaillent : des bras longs, de longs pieds avec un gros orteil écarté, voire préhensile ; un front étroit et fuyant, de grandes oreilles, des os du crâne épais, une face prognathe, une peau plus sombre, le goût pour les tatouages, une pilosité fournie sur la poitrine, une faible sensibilité à la douleur, l'incapacité de rougir d'émotion et, pour les cas les plus graves, de grandes canines et un palais peu profond... Imaginons un grand singe, la reconstitution du pithécanthrope de Java, et la caricature du sauvage, et l'on obtient un vrai criminel ; on pense à l'orang-outan meurtrier du *Double assassinat dans la rue Morgue*, par Edgar Allan Poe.

Lombroso et ses disciples n'étaient pourtant pas des racistes ni des eugénistes, ce qui souligne une fois de plus l'influence de l'idéologie de la récapitulation. D'autres fileront l'analogie jusqu'au comble du ridicule en considérant que les enfants, moins évolués, sont bien plus proches du sauvage et de l'animal, donc du criminel, d'après la loi du développement. Voici une loi criminelle qui fait des criminels-nés ! Louons l'éducation de nos jeunes qui possèdent leurs vingt dents de lait agressives et acérées, se montrent si actifs, endurants et violents tout en étant dotés d'un cerveau fort développé. Dès le plus jeune âge ils mordent et ils griffent, puis ils utilisent leurs pieds, après leurs mains avant d'employer des armes. Sans l'éducation qui transforme les enfants de la bête mordante et griffue aux civilisés sachant faire un usage convenable des armes, que serions-nous devenus ?

*Récapitulation, sciences de l'éducation et psychanalyse*

Stanley Hall est l'une des grandes figures des sciences de l'éducation aux Etats-Unis. Il s'intéresse particulièrement au développement des enfants, les comparant à des adultes ancestraux vivant dans un environnement contemporain. Il considère qu'ils doivent vivre une enfance libre au sein de la nature pour se libérer de leur héritage ancestral. Puis arrive le temps de l'adolescence, celui de la conscience phylétique, du sentiment esthétique et de l'éthique. Belle vision aussi idéaliste que rousseauiste qui ne cadre pas avec la triste réalité des enfants au travail dont ils ne seront libérés que par l'école obligatoire, hors de la nature. Le scoutisme de Baden-Powell emprunte une partie de ses fondements à cette philosophie naturelle de l'éducation.

Alors que la récapitulation connaît son déclin en biologie, Jean Piaget construit ses recherches sur le développement de la psychologie de l'enfant en s'y référant explicitement. Ses études universitaires passent par une thèse en paléontologie alors que les idées haeckeliennes dominent en biologie. Pour lui, la récapitulation qui met en parallèle l'ontogenèse et la phylogenèse s'impose comme le concept le plus heuristique. A propos des stades de l'évolution, il considère que si on peut difficilement reconstituer la psychologie des hommes préhistoriques d'après les fossiles et l'archéologie, il y a fort heureusement la psychologie des enfants. Leur développement psychologique reproduit les progrès des connaissances accomplis par l'humanité, des humanités aux sciences. Cette idée sera reprise dans divers projets de réformes scolaires dont les programmes intégraient ce parallélisme entre l'ontogenèse et l'histoire des connaissances[1]. Piaget évoque, par exemple, la façon dont les enfants classent les objets dans des catégories rigides avant d'adopter des positions plus relativistes et continues, parallélisme entre la classification fixiste de Linné et la continuité des classifications évolutionnistes. On a évoqué le débat entre Piaget et Chomsky à Royaumont en 1975. Parmi les participants, il y avait François Jacob qui fit remarquer combien les thèses de Piaget s'ancraient dans un lamarckisme rigide, idée qu'il ne reniera jamais.

Un autre grand personnage, et pas des moindres, se réfère explicitement à la récapitulation et au lamarckisme, Sigmund Freud. Il fit lui aussi des études en biologie au temps le plus fort de l'influence de Haeckel dans

---

1. Cette remarque peut surprendre mais le système éducatif en France qui privilégie la sélection des connaissances en rapport avec les classes d'âge s'appuie sur de telles considérations !

les universités. Freud admet explicitement la récapitulation et la transmission des caractères acquis. Point besoin d'être un spécialiste en psychanalyse pour s'en convaincre. Dans la veine de ce qui a été évoqué plus haut, Freud rapproche les phases orale et anale de la sexualité des animaux à quatre pattes, puis l'importance de la vue prédominera au cours de l'ontogenèse, avec ses refoulements, etc. Comme Haeckel, il admet que des stades de la phylogenèse puissent être effacés dans l'ontogenèse pour le développement du corps, mais pas pour celui du cerveau et encore moins pour le psychisme. Si les stades ancestraux sont réprimés pour laisser place à des stades plus récents, ils ne sont pas effacés. La psychanalyse devient une archéologie psychique de l'évolution de l'Homme. Il recourt à cette évidence basée sur le principe de récapitulation pour expliquer l'occurrence du complexe d'Œdipe chez tous les hommes. Ne pouvant concevoir qu'il puisse réapparaître spontanément chez tous les individus, cela ne peut provenir que d'un état ancestral à tous les hommes. On retrouve *Totem et tabou* évoqué dans un précédent chapitre avec la horde primitive dominée par un père despotique et patriarcal qui s'approprie toutes les femelles. Ses fils le tuent et le dévorent. Accablés de culpabilité, ils décident d'en faire un totem associé à un animal sacré et instaurent le tabou de l'inceste. Il s'agit évidement d'une démarche analytique mais qui, tout de même, s'appuie sur des convictions aussi affirmées que réitérées. Jung, disciple de Freud bientôt dissident, prendra pour principe établi que le psychisme des enfants est celui des hommes préhistoriques, glissant de prémices analytiques inspirées de la récapitulation à une récapitulation prise au pied de la lettre.

La récapitulation ne s'intéresse qu'à la succession des stades ancestraux adultes. Même constat pour la psychanalyse. Si quelques enfants passèrent par un traitement psychanalytique, comme le petit Hans Graf en 1908, et avec succès, une psychanalyse de l'enfance se met en place trois décennies plus tard avec Françoise Dolto. Traiter des adultes ou des enfants requiert des aménagements dans la relation entre le jeune patient et le thérapeute, comme la délicate question du paiement des séances. Dolto ne discerne aucune différence fondamentale dans la pratique psychanalytique de l'adulte et de l'enfant, si ce n'est que les enfants restituent les composantes les plus archaïques du psychisme et de la personne.

L'évocation si superficielle de l'influence de la théorie de la récapitulation dans les sciences de l'éducation et la psychanalyse ne vise pas à récuser ces disciplines et leurs fondements, ce qui serait tout simplement jeter le bébé avec l'eau du bain. La récapitulation eut une influence considérable dans tout ce qui touche à la biologie au sens le plus large. Les théories modernes de l'évolution récusent nettement la récapitulation. Mais, en raison de sa diffusion séminale et heuristique dans tant de domaines – que ce soit les mythes cosmologiques de l'Occident, des écoles philosophiques importantes, en biologie et pour les sciences émergeant au xxe siècle –, il est impératif de rappeler que son influence a nourri les pires idéologies du siècle dernier, ce qui appelle à la plus grande vigilance intellectuelle. On voit en effet réapparaître des avatars à peine dissimulés de cette théorie obsolète dans le champ de la paléoanthropologie, ce qui suscite des inquiétudes. Les biologistes ont balayé devant leur porte depuis longtemps ; les paléoanthropologues rencontrent encore des résistances. Réminiscence sournoise qui signifie tout simplement que dès qu'on se rapproche de l'Homme, les vieux fantômes et les mythes s'accrochent. Les sciences humaines et les disciplines de la psychologie au sens large ont tort de donner encore asile à de telles idées, surtout quand cela retombe sur les enfants.

## L'homme, l'enfant attardé

Ce qui est formidable avec les grandes lois de l'évolution, c'est qu'elles font bon usage des mêmes observations dans un sens ou dans un autre, parfois même dans les deux. D'après la théorie de la récapitulation, les Noirs adultes se situent à un stade de développement qui correspond à celui des enfants blancs. Cependant, d'autres morphologistes constatent que la forme générale du crâne de l'Homme, avec sa face en retrait dominée par une boîte crânienne volumineuse et arrondie, ressemble à celle des jeunes grands singes. Le crâne de l'Homme adulte aurait conservé des proportions que l'on retrouve chez les jeunes grands singes, une morphologie juvénile appelée *pédomorphie*.

La ressemblance n'a pas échappé à plus d'un morphologiste, comme Geoffroy Saint-Hilaire, après avoir observé un jeune orang-outan au Jardin des Plantes de Paris. Il publie une étude à l'Académie des sciences sur ce sujet en 1836 et conclut qu'il s'agit d'un cas exceptionnel de tératologie, de « monstre » s'écartant de sa « morphologie transcendale » qui repose sur les mêmes idées que la récapitulation. On connaît aussi les célèbres photographies et schémas avec des grilles de d'Arcy Thomson montrant ces ressemblances entre les crânes d'un jeune chimpanzé, d'un jeune humain et d'un homme adulte. Les similitudes « sautent aux yeux ». Mais il en va autrement des proportions corporelles. Alors d'imaginer une dissociation de ces lois selon les parties du corps. D'après E.D. Cope, la récapitulation rend compte de la taille du corps, de la bipédie et de la corpulence, mais aussi de la saillie du nez et de l'abondance de la barbe. La pédomorphie s'applique à la boîte crânienne et à la face en retrait (orthognathisme). Voilà un compromis bien arrangeant et plus signifiant qu'il n'y paraît car il récuse le caractère holistique de ces lois qui impliquent des processus ontogénétiques opposés selon les parties du corps.

Le phénomène de rétention chez l'adulte de caractères juvéniles de l'espèce ancestrale s'appelle la *néoténie*, un terme que l'on ne doit pas à Haeckel mais à un de ses contemporains, Kollman. Il s'agit en fait d'un processus d'altération de l'ontogenèse qui aboutit à une morphologie juvénile, une pédomorphie. Ces distinctions entre les processus et leurs conséquences morphologiques sont récentes et peu pertinentes pour notre propos puisque à l'époque qui nous intéresse les deux sont confondus. La théorie inverse de la récapitulation apparaît aussi sous le nom de *fœtélisation* d'après les travaux de L. Bolk. On a vu que l'idée était dans l'air depuis quelque temps déjà et, sans surprise, elle émane de morphologistes fervents adhérents de la récapitulation. Ce qui importe pour eux, c'est de mettre en évidence une grande loi de la transformation des espèces dont la généralité admet des exceptions. La liste de ces exceptions s'allongeant, tout se passe comme s'il existait une loi inverse. La théorie de la néoténie, ou encore de la fœtélisation, connaît un vif succès entre les deux guerres mondiales sous l'impulsion de Bolk et de Montagu. Ils recensent les caractères de l'homme qui, selon eux, ressemblent à ceux des jeunes grands singes supposés représenter notre espèce ancestrale : une face plate et orthognathe, l'absence de relief susorbitaire, un cerveau relativement plus gros, un crâne large, des os de la boîte crânienne minces dépourvus de relief et de crête osseuse, une position avancée du trou occipital, les proportions harmoniques de l'arcade dentaire, des dents de petite taille à éruption tardive, une position avancée du trou occipital, la forme du bassin, un pied avec un gros orteil adducté, la morphologie de la main, un vagin orienté vers l'avant, une faible pilosité. Pour ces auteurs, les caractères de l'homme moderne sont donc homologues à ceux décrits chez les jeunes grands singes. Ils se maintiennent à l'état adulte à cause du *retardement* des périodes de l'ontogenèse, un phénomène associé à une croissance prolongée, à une longue espérance de vie et à une grande taille corporelle. L'ontogenèse de nos ancêtres se serait modifiée en réponse au besoin d'une vie plus longue dont une grande partie est dédiée à l'apprentissage. C'est l'une des rares tentatives d'explication adaptative sur les altérations des périodes de l'ontogenèse, appelées hétérochronies, alors que pour la récapitulation il s'agissait tout simplement de dérouler une loi cosmique. Inutile de préciser que la théorie darwinienne de la sélection naturelle, considérée comme matérialiste car faisant intervenir des facteurs environnementaux, est au mieux ignorée, souvent violemment rejetée par les chercheurs convaincus de toutes ces lois transformistes.

Inspirée dans son principe par des tenants de la récapitulation, la néoténie tend à devenir une théorie tout aussi holistique. Bolk décrit une *théorie du retardement de l'anthropogénie* ! Comme pour la récapitulation, on retrouve les conséquences abjectes dénoncées plus haut. On inverse tout, mais on justifie les mêmes ignominies. Bolk, raciste convaincu, affirme que les Noirs passent par un stade ontogénétique correspondant à celui des Blancs adultes mais poursuivent leur ontogenèse. Leur croissance est plus rapide, ce qui expliquerait, d'après des études conduites dans cette perspective, la plus grande habilité sensorimotrice des jeunes Noirs dès l'âge de deux-trois ans par rapport aux jeunes Blancs, alors que ces derniers manifestent de meilleures aptitudes intellectuelles à partir de ce même âge. (Toujours le passage de la nature à la culture, du sauvage au civilisé, de la domination du corps par l'esprit, etc.) Bolk admet que toutes les races proviennent d'un même ancêtre grand singe mais que le processus de retardement n'a atteint son stade le plus avancé que chez les Blancs, sous-entendu en rapport avec le développement de la civilisation.

Restent les mongoloïdes et les femmes. Il n'est pas nécessaire d'être un spécialiste en anthropologie physique pour s'apercevoir que les caractères donnés ci-dessus apparaissent encore plus marqués dans le sens de la pédomorphie chez les populations asiatiques – tout au moins selon les vieux clichés. Les mongoloïdes seraient donc plus pédomorphiques que les Blancs, une contradiction que Bolk ne prend pas la peine de discuter. Quant aux femmes, il est parfaitement évident qu'elles possèdent une morphologie plus juvénile que les hommes – alors, pour une fois, des anthropologues ont vu chez la femme l'avenir de l'homme !

*Des enfants et des fossiles*

La théorie de Bolk s'écroule comme celle de la récapitulation et pour les mêmes raisons. Une première charge vient des paléoanthropologues, dont le célèbre Frans Weidenreich qui considère que l'homme de Pékin, le célèbre Sinanthrope, présente plus de caractères juvéniles que l'homme moderne, dont il est l'ancêtre direct. Difficile de déceler des caractères pédomorphes chez ces *Homo erectus* et de rappeler que Weidenreich pensait que les hommes actuels descendaient d'ancêtres géants, autre mythe. Un autre *Homo erectus* bien connu, le Pithécanthrope de Java, cadre mal avec un processus de juvénilisation généralisé. J. Kollman, l'inventeur du terme *néoténie*, pense que les hommes modernes dérivent de populations pygmées – les Pygmées et les Hottentots d'Afrique étant invariablement les deux populations humaines actuelles considérées comme les plus primitives par l'anthropologie raciste – par un processus de retardement de l'ontogenèse, elles-mêmes issues d'ancêtres grands singes par un même processus. Revoilà les Pygmées comme « chaînon manquant » !

Un survol des grandes tendances évolutives de la lignée humaine selon une série gradualiste *Australopithecus africanus* (états adultes et juvénile connus par des fossiles comme l'enfant de Taung) ; *Homo erectus* (états adultes et juvénile aussi connus par des fossiles comme l'enfant de Modjokerto) ; *Homo sapiens* décrit un processus de retardement ontogénétique et de pédomorphie. Seulement, il ne s'agit pas d'un processus holistique et encore moins d'une loi générale. Les proportions de notre crâne, avec sa face courte dominée par une grande boîte crânienne, rappellent indéniablement celles des crânes de tous les jeunes Hominoïdes (les grands singes et les hommes). Si on en reste à la forme générale, à ce seul coup d'œil phénoménologique, on s'aveugle d'une telle ressemblance. Si on regarde du côté de l'évolution, on retient que notre face en retrait résulte d'une régression de notre système masticateur en relation avec le régime alimentaire alors que le développement du cerveau répond à d'autres modalités d'évolution. Les ressemblances sont donc du pur domaine de l'analogie et non pas de l'homologie. Même remarque pour la flexion de la base de notre crâne aux premiers âges de l'enfance, identique à celle des crânes de tous les jeunes Hominoïdes. La forte flexion accusée par notre base du crâne à l'âge adulte ne se fait pas au même endroit et est secondaire.

La liste des caractères pédomorphiques est aussi longue que celle des caractères qui vont dans l'autre sens (péramorphie). Les longues jambes des hommes, le menton, la chronologie de l'éruption dentaire, la saillie des os du nez, la fusion précoce des os prémaxillaires et maxillaires ne rentrent pas dans la catégorie des pédomorphies alors que ce sont des caractères très distinctifs de l'homme comparé aux grands singes, jeunes ou adultes.

Bref, comme pour la récapitulation où on a vu que les embryons et les fœtus des espèces ancestrales ne présentent jamais de caractères adultes des espèces plus récentes, la fœtélisation ne maintient pas les caractères juvéniles des espèces ancestrales chez les adultes des espèces filles. Alors, faut-il rejeter en bloc ces deux théories ? Certainement dans leurs acceptions holistiques et cosmiques ; surtout pas si on s'intéresse non pas à la morphologie mais au processus ontogénétique. La morphologie est la conséquence de ces processus appelés hétérochronies et pas l'inverse.

Les recherches sur les hétérochronies redeviennent convenables après la publication du superbe livre *Ontogeny et Phylogeny* de Stephen Jay Gould, en 1977. Il est indéniable que les processus hétérochroniques interviennent sur la plasticité de l'ontogenèse par l'intermédiaire de la régulation des gènes impliqués dans le développement et la croissance (il n'existe pas de gènes des hétérochronies). Les travaux récents confirment avec plus de précision les grandes étapes du retardement de l'ontogenèse dans la lignée humaine avec des processus hétérochroniques aboutissant à des caractères pédomorphiques ou péramorphiques. Il y a dissociation des différents processus connus selon les parties des organismes, récusant toute loi holistique, même si ces processus affectent l'organisme plus globalement ou plus localement. Pour prendre quelques exemples simples, l'Homme actuel, *Homo sapiens sapiens*, se montre plus gracile et doté d'un cerveau plus petit que son ancêtre direct, tout aussi *Homo sapiens* que lui, d'il y a 40 000 ans. Il s'agit d'un processus hétérochronique connu qui, au passage, rapproche la morphologie générale des hommes de celle des femmes. Les Pygmées, *Homo sapiens sapiens* comme nous, possèdent un cerveau tout aussi développé alors que la croissance corporelle ne connaît pas la poussée pubertaire, un processus hétérochronique qui n'affecte que la taille du corps. Le cas des Hommes de Florès, *Homo floresiensis*, découverts récemment, décrit d'autres processus hétérochroniques conduisant à une taille corporelle très diminuée et à un cerveau très petit. Un cas d'hétérochronie très différent de celui des Pygmées et bien connu dans les autres lignées de mammifères. Pour revenir à notre espèce, la taille corporelle a augmenté considérablement au cours des trois dernières générations, sans que notre cerveau suive, etc. Ces quelques exemples suffisent à montrer la fascinante plasticité des processus hétérochroniques en jeu dans l'évolution, dans notre lignée comme dans les autres. Evoquons finalement les chimpanzés bonobos – *Pan paniscus* – dont le corps plus longiligne, le crâne relativement plus petit, l'usage plus fréquent de la bipédie, les cris plus aigus, le vagin orienté vers l'avant, certains aspects de la pilosité et les propensions tout aussi affectives et sexuelles évoquent de grands singes pédomorphiques lorsqu'on les compare aux autres chimpanzés. Les bonobos, découverts récemment, ne sont pas des chimpanzés juvéniles qui attendaient leur heure tapis dans les forêts d'Afrique centrale et dans un repli de leur ontogenèse. Ils affichent une autre combinaison de caractères depuis un patron commun que nous partageons avec eux et les autres grands singes. L'enfance et les âges de la vie disposent d'une souplesse sur laquelle interviennent les environnements naturels et sociaux, autant de promesses d'évolution léguées par notre évolution. Les états adultes ne guident pas l'ontogenèse, ils ne sont que les spectres des possibles.

## *L'enfant et l'évolution*

Les enfants, l'enfance et l'ontogenèse furent trop longtemps les oubliés de l'histoire des Hommes comme de l'histoire de la vie dans la tradition occidentale. Consi-

dérés comme des adultes en miniature, comme des
étapes en sommeil de l'Homme, ils ne sont pas un autre
âge de l'Homme, parallèle troublant entre l'histoire et la
théorie de la récapitulation.

Au fil de l'esquisse anthropologique et historique développée dans ce chapitre, on retient que l'éveil à l'étude
de l'enfance vient de questionnements sur l'évolution ou
les origines. Rousseau et Buffon investissent l'enfance au
travers de la question de l'Homme des origines ou de
nature, puis Darwin au milieu d'une période oublieuse
des avancées du XVIIIᵉ siècle. La théorie de la récapitulation, si vieille dans ses principes, concentre dans l'ontogénèse de l'Homme toute la série phylogénétique d'états
adultes et d'autres espèces. Sa dimension heuristique fer-
tilise les théories de Piaget et de Freud, bien que les
enfants d'aujourd'hui apparaissent encore en psychanalyse comme des reliques psychiques juvéniles des
hommes préhistoriques. Où est passée l'enfance en soi,
une enfance ouverte vers des âges adultes et non pas
une enfance vue de la distance de l'âge adulte ? Etonnant parallélisme, un autre, avec la démarche d'une
paléoanthropologie trop occupée à regarder l'évolution
depuis l'état de la nature actuelle et qui, par retournement tautologique, se félicite de découvrir une évolution
dirigée. Une préhistoire et une évolution de l'enfance restent à écrire.

On se prend à rêver d'une enfance à la Rousseau, chez
les Darwin ou dans l'école utopique sauvage de S. Hall.
Buffon a raison de dire que l'enfant naît au monde et à
la société ; Rousseau aussi lorsqu'il décrit un homme de
nature isolé, dénué de langage et d'autres attributs
humains, hors de la société des hommes, comme en
témoignent les enfants sauvages. L'idée d'une enfance
sauvage ouverte à toutes les libertés reste une utopie sou-
riante et irréalisable, belle liberté écrasée sous le regard

des adultes qui ne voient dans les enfants que des adultes en devenir, de la matière à modeler.

Nous avons évoqué l'ontogenèse si particulière du petit homme. Il naît après une gestation de neuf mois qui, si on prend la taille et le développement du cerveau comme référence pour estimer la durée de gestation, devrait s'étendre jusqu'à vingt et un mois ! Le petit homme vient au monde relativement plus tôt que ses jeunes cousins grands singes et maintient une croissance de type fœtal jusqu'à un an. L'évolution du genre *Homo* se distingue par un processus de retardement considérable de l'ontogenèse dans une lignée, celle des grands singes hominoïdes, déjà très caractéristique à cet égard. Les anthropologues et quelques philosophes apportent des avis complémentaires à ce que Peter Sloterdijk décrit comme une ouverture précoce au monde. Les premiers expliquent qu'il s'agit d'un processus de retardement des périodes de l'ontogenèse qui favorise une longue enfance et une souplesse cognitive qui s'étend sur plusieurs décennies. Les capacités d'apprentissage d'*Homo sapiens*, depuis les plus jeunes âges – comme la maîtrise si rapide du langage entre deux et quatre ans – jusqu'aux universités du troisième âge en témoignent. Les philosophes, quant à eux, interprètent cette longue ontogénèse comme la poursuite de la croissance de l'enfant dans un utérus culturel, la maturation « in utero » se muant en anthropogenèse. Buffon avait bien vu.

Tout semble pour le mieux dans la plus belle des enfances comme le dirait le bon docteur Pangloss. Voltaire invente ce personnage pittoresque pour railler Leibniz qui, dans la lignée de Charles Bonnet, croyait en un monde parfait et à la chaîne des espèces. Tous ceux qui adhèrent à ces lois cosmiques voient dans cette ontogenèse humaine une réponse adaptative dictée par la nécessité d'avoir recours à l'innovation technique et culturelle au cours de l'hominisation. Rien de tel ! Les pressions de sélection qui finissent par fixer la durée de la gestation humaine à neuf mois n'émergent pas par enchantement du jour au lendemain. Cela débute certainement avec les premiers représentants du genre *Homo*, les *Homo ergaster*, il y a 2 millions d'années. D'un côté, une évolution vers une bipédie très efficace qui impose un bassin étroit. De l'autre, le développement relatif du cerveau. Ces deux tendances évolutives se rencontrent au moment de l'accouchement. Dès lors, les femmes qui portent en elles des petits dont la gestation dépasse neuf mois ou plus meurent dans les pires souffrances. Cela ne cessera jamais puisque si la taille du bassin change peu au cours de l'évolution du genre *Homo*, la taille du cerveau double ! Les femmes continuent d'accoucher en souffrant, sauf dans les pays riches où l'obstétrique a fait des progrès considérables, quand bien même l'assistance médicalisée pour l'accouchement reste soumise à des prescriptions culturelles et des traditions perpétuant l'idée d'un châtiment imposé aux femmes : « Tu enfanteras dans la douleur. »

Cette « ouverture au monde » se paie par la mort en couches de tant de femmes et une effroyable mortalité infantile au cours de la Préhistoire et de l'Histoire. C'est ce qu'on appelle « un fardeau de l'évolution », lourdement porté en effet par les femmes après une enfance qui commence dans la douleur et les cris. Et du côté des hommes ? Cela va très bien puisque l'hominisation est faite pour eux.

L'hominisation n'est au vrai qu'une fable anthropocentrique inventée pour flatter la domination de l'homme sur la femme, l'enfant, la nature et l'histoire de la vie. Un conte qui n'a rien d'enchanteur, en tout cas pas pour les enfants ni pour celles qui les mettent au monde. Un superbe cas de néoténie mentale qui, pour évoquer une fois de plus Freud, a tourné à la névrose de la supériorité. Le diagnostic brutal et fruste de l'anthropologue étant donné, le cas de l'Homme n'est plus de son ressort. Une contagion psychique qui a tout de « l'avenir d'une illusion » dont il est grand temps de dénoncer l'inanité. Propos exagérés ? Je voudrais évoquer le cas troublant d'une collègue dont j'apprécie la personnalité et dont les travaux font l'objet de dérives troublantes. Anne d'Ambricourt-Malassé mène des recherches sur la base du crâne, une région très sensible puisque au carrefour de plusieurs tendances évolutives comme le développement cérébral, la bipédie et la position relative de la face par rapport à la boîte crânienne. Elle définit une loi de contraction de la base du crâne qui commence avec les présinges pour aboutir à l'Homme selon une série graduelle de changements qu'elle appelle « loi biodynamique fondamentale ». Il s'agit d'une tendance évolutive dirigée non pas téléonomique mais téléologique puisqu'une modélisation mathématique fait intervenir « un attracteur étrange ». Ce que des journalistes appellent « un nouveau regard sur l'évolution humaine » n'a pourtant rien de nouveau. La « loi biodynamique fondamentale » résonne comme « la loi biogénétique fondamentale » de Haeckel. La modélisation mathématique reprend le bon vieux paradigme cosmologique newtonien d'une perfection de la Création prouvée par la pureté des équations. L'« attracteur étrange » se substitue au Grand Horloger, au Suprême Géomètre et autres avatars. Ainsi l'évolution tend vers l'avènement du Christ cosmique en invoquant la pensée de Teilhard de Chardin dans une acception étriquée. Ce processus téléologique de contraction basicrânienne, qui se calque sur l'inébranlable *scala natura*, se déroule indépendamment des circonstances, allant jusqu'à nier toute incidence des changements d'environnement sur l'évolution de la lignée humaine alors que toutes les autres lignées ne représentent que des ébauches « chaotiques ». On retrouve la piètre rhétorique haeckelienne qui consiste à ne prendre en compte que les caractères ins-

crits dans une véritable hominisation, les autres étant
sans pertinence[1]. Quant aux autres Hommes fossiles,
sans prendre en considération les Hominidés passés à
côté de la contraction basicrânienne, ils sont purement et
simplement laissés pour compte. Rien de nouveau donc
entre le cosmos et la base du crâne...

Sans entrer dans une discussion technique à propos de
l'évolution de la base du crâne, je rappelle que cette
région fait l'objet de centaines de travaux, depuis Daubenton jusqu'aux techniques d'étude biométriques les
plus récentes mobilisées par les anthropologues actuels.
Alors pourquoi un tel engouement pour les seuls travaux
d'Anne d'Ambricourt-Malassé ? Un seul chercheur aurait-
il touché à la vérité, à la révélation de l'évolution ?
Comment peut-on imaginer dans un seul court instant de
bon sens que toute l'évolution puisse se concentrer dans
la seule base du crâne ? Notre organisme découle d'une
mosaïque de mécanismes de l'évolution à la rencontre de
facteurs internes et externes faisant intervenir des processus hétérochroniques divers. Démêler cet écheveau n'est
pas simple. L'affaire est devenue tellement sensible
qu'une critique – non pas des travaux anthropologiques
en eux-mêmes qui sont soumis aux appréciations des
pairs, comme c'est l'usage pour une publication scientifique – peut faire l'objet d'une menace de procès ! On

_____

1. On a vu que Geoffroy Saint-Hilaire fait de l'orang-outan un cas
tératologique de l'évolution qui cadre mal avec sa cosmologie transcendantale. Depuis, d'autres chercheurs trouvent le crâne des jeunes
orangs-outans asiatiques tellement convenable selon les canons de la
néoténie qu'ils les réhabilitent, piétinant nos relations phylogénétiques
étroites avec les grands singes africains. D'autres, plus convaincus, persistent à ne considérer que la *scala natura*, ne reconstituant l'évolution
qu'à partir d'une classification anthropocentrique des espèces actuelles,
ne retenant ensuite que les fossiles s'inscrivant dans leur schéma séculaire, tous les autres étant rejetés dans la fosse commune et toujours
plus pleine de leurs déchets de l'évolution.

glisse dangereusement dans l'inquisition. Il y a là une confusion grave entre les résultats scientifiques et les interprétations, entre les sciences et les croyances.

L'anthropologie et les sciences réclament un traitement respectueux d'une interdisciplinarité digne de leurs épistémologies propres. Autrement dit, nos travaux ne doivent pas conforter l'empirisme archaïque de la quête de sens. Ainsi soit-il !

Voilà comment des études sur l'ontogenèse contraignent l'enfance à un dessein cosmique ! Où est notre liberté ? Où est cette enfance pleine de plasticité évolutive ? L'évolution nous offre tellement plus de liberté que toutes ces « lois » archaïques dont la validité se construit sur la négation de tout ce qui en dévie. Ce chapitre s'est ouvert sur le meurtre de Kaspar Hauser, enfermé odieusement et assassiné, un double meurtre contre l'enfance. Le cachot de Kaspar est l'antithèse de l'enfance sauvage de Rousseau. Entre une enfance cloîtrée dans des placards et une enfance abandonnée dans les forêts, peut-on voir des analogies avec notre système éducatif qui enferme les futures élites dans le bachotage des humanités et abandonne les sauvageons à la périphérie des cités et de la citoyenneté ? Rapprochement naïf d'un paléoanthropologue qui ferait mieux de retourner à ses fossiles et à ses grands singes !

# Conclusion

Je suis fasciné par la profondeur du ciel et les myriades d'étoiles, comme autant de promesses lumineuses d'autres vies sur autant de planètes sorties de l'ombre grâce aux observations patientes des astrophysiciens. Je reste perplexe lorsque mon regard plonge dans celui d'un animal et qu'il me scrute en retour, court instant gros de la durée de l'évolution. Je ne cesse d'être surpris par les grands singes qui, victimes expiatoires de notre arrogance, nous restituent l'étendue d'une humanité partagée alors que l'humanité les pousse vers l'extinction. Je me laisse toujours émerveiller par la diversité des langues, des rires, des sonorités, des chants des peuples du monde que je ne connaîtrai pas parce que je n'en aurai jamais le temps, ni l'intelligence, alors que désormais le temps leur est compté. J'aime la femme qui, partout dans le monde, donne la vie tout en portant dans son corps et sur ses épaules, toujours avec dignité, tous les fardeaux de l'homme qui a honte d'aimer. J'adore tous ces enfants, nés si innocents et ouverts au monde, encore inconscients des inégalités entre les hommes, avant que tant d'initiations et de dressages effacent leurs sourires, ferment leurs grands regards scrutateurs et les poussent à reproduire les différences. Pourquoi, entre vivre et être, notre culture produit-elle tant d'enfermements, d'exclusions ?

Au fil des chapitres, j'ai entrepris une déconstruction des idéologies qui se servent d'une vision aussi caricatu-

rale que vulgaire de ma discipline, la paléoanthropologie,
pour soutenir l'archaïsme pourtant pas si préhistorique de
l'anthropocentrisme du mâle occidental issu de la culture
méditerranéenne. Essai modeste, parfois caustique, qui
mériterait des réflexions plus soutenues pour prétendre à
devenir un traité d'a-anthropocentrisme. L'objet de ce
livre se trouve dans sa perspective aussi logique que nouvelle : partir des origines pour embrasser l'histoire de
l'humanité, non une histoire factuelle essentiellement
fondée sur les écritures et les textes, mais une histoire
anthropologique qui n'exclue ni les peuples sans écriture,
ni les espèces les plus proches de nous, ni les fossiles ;
une histoire pour tous les hommes et non pour quelques
hommes.

Les plus anciennes écritures remontent à 7 000 ans, ce
qui représente à peine un 1/1 000 de l'histoire de la
lignée humaine, 1/300 de la durée du genre *Homo* ou
1/30 de la présence de notre espèce *Homo sapiens* sur la
Terre. Peut-on continuer à prétendre n'écrire l'histoire de
l'humanité qu'à partir de textes, à l'exclusion de toutes les
autres expressions graphiques tellement plus anciennes
comme l'art préhistorique et, dans la même perspective
restrictive, des peuples et des cultures qui n'ont pas
d'écriture ? La période historique et l'écriture marquent
une accélération sans précédent des avancées de l'humanité, ce qui ne signifie pas pour autant un progrès pour
l'ensemble de l'humanité, cette remarque valant aussi
pour les sociétés occidentales.

Toutes les cultures, de l'ethnie la plus isolée aux civilisations les plus étendues, nourrissent une forme de
culturo-centrisme : « Nous les Hommes » parmi les
autres. Ce « nous », que l'on soit chez les animistes ou les
monothéistes, ne prend sens que par rapport aux autres
Hommes. La culture occidentale n'échappe pas à la règle,
avec ses barbares et ses sauvages, tout en ayant développé un regard sur les autres hommes, des Barbares

d'Hérodote à l'ethnologie en passant par les bons comme les vils sauvages. Mais sans l'écriture, la connaissance des autres peuples, de l'humanité, aurait été impossible. Buffon pose les jalons d'une ethnographie comparée à partir des récits des voyageurs ; on oublie trop souvent de citer les documents rédigés par les jésuites, ethnologues avant la lettre, sans oublier la littérature ethnographique et ethnologique qui prend une ampleur inouïe au XXe siècle. Attentions et attitudes ambivalentes d'un Occident rongé tout à la fois par le racisme et fasciné par la diversité des Hommes : ainsi, au cours des années 1930, voit-on l'Exposition coloniale et le zoo humain sur une rive de la Seine et la création du musée de l'Homme sur la colline de Chaillot.

Ce livre ne se dresse pas contre l'Histoire, ni contre la culture occidentale. Il s'oppose à une vision étriquée de l'Histoire qui s'arroge le droit de considérer la Préhistoire comme bon lui semble ; il s'emploie à montrer combien les mythes séculaires conditionnent à la fois les politiques scientifiques et les interprétations des recherches ; il s'élève contre une idéologie du progrès dédiée à la domination masculine occidentale par la technologie ; il s'interroge sur un humanisme et des humanités – la littérature, la philosophie, l'histoire et les sciences humaines – qui reproduisent tant d'exclusions entre les hommes, mais aussi entre les hommes et les femmes, les hommes et les enfants, les hommes et les animaux.

### Des mythes, des fossiles et des bosons

Plus que les religions, les mythes donnent une cohérence au monde et unissent les hommes dans une même référence au monde. Evoquer un mythe, dire d'une représentation que c'est un mythe, cingle comme un jugement péjoratif. Cette acception navrante du mythe remonte au

XIX$^e$ siècle et à sa prétention positiviste, sanctionnant comme irrationnel et mythique tout ce qui sortait du domaine de la science. Inutile de préciser que les peuples non occidentaux et les classes sociales dénuées d'instruction se retrouvaient pêle-mêle dans le folklore, la superstition, l'irrationnel, etc. Le progrès, la science et le scientisme, le positivisme ont vidé le mythe de sa fonction humanisante.

Claude Lévi-Strauss a restitué la signification du mythe tout en réhabilitant l'universalité de la pensée rationnelle comme de la nécessaire référence au mythe. La « pensée sauvage » n'est pas la pensée des sauvages. Tous les *Homo sapiens* se situent au monde en naviguant par leur pensée entre ces deux pôles de l'entendement. Les travaux scientifiques n'y échappent pas, si ce n'est dans ce qui motive les recherches, à tout le moins quand arrive le moment de l'interprétation.

La paléoanthropologie ne manque pas d'exemples fameux, comme ces références à l'Eve mitochondriale pour décrire l'hypothétique fragment d'ADN ancestral de mitochondrie dont dérive celui de tous les hommes et femmes actuels. Les chercheurs n'ont jamais dit que toutes les femmes descendaient d'une seule femme ou d'une d'Eve africaine datée de 200 000 ans. La presse et le grand public se sont enthousiasmés pour une avancée spectaculaire de ce qu'on appelle l'anthropologie moléculaire. Il s'agit de travaux aussi complexes que techniques qui, considérés dans leur simple appareil scientifique, n'ont rien d'aussi attirant que la mythique Eve. Mais, en usant de cette référence, c'est toute la question des origines qui s'éveille. Il ne s'agit aucunement d'une manipulation mais bien de sciences. Sans convoquer Eve, on est dans la technique, ou la technoscience ; avec Eve, on est dans la science comme mode d'explication du monde, dans l'enchantement. L'Eve mitochondriale n'a pas détruit Eve dans un triste procédé de réductionnisme moléculaire. Les gens de bon sens n'ont jamais cru que l'humanité est issue, pour les sciences, d'un brin d'ADN ou, pour les religions, d'une femme elle-même sortie d'une basse côte d'Adam. Si c'est le cas, le réductionnisme répond à l'intégrisme littéral, et adieu l'enchantement d'un côté comme de l'autre.

Les sciences n'échappent pas au mythe, et comment pourrait-il en être autrement ? Les grandes questions investies par les sciences émergent bien avant l'affirmation de la pensée scientifique, tout en rappelant que l'épistémologie distingue diverses façons de faire de la science. C'est évident en paléoanthropologie comme dans le vaste univers des cosmologies scientifiques. Passer de l'entropie au principe anthropique ne laisse pas de me surprendre. L'esprit humain oscille entre la partie et le tout, entre réductionnisme et holisme. Le débat est au moins aussi ancien que la philosophie. Dans le domaine des sciences, c'est du côté de l'esprit que la pensée humaine, le *cogito*, peut comprendre le monde à partir des idées, avec une approche s'appuyant sur les mathématiques opposée, du côté des sens, à l'observation et à l'induction. En simplifiant à outrance, Platon et Aristote pour la pensée grecque classique, Descartes et Buffon pour les sciences et l'âge classique. Le siècle des mécanistes échoue dans son ambition à expliquer la totalité du monde par des lois exprimées par des équations. Puis vient le siècle des naturalistes qui se proposent de classer, d'ordonner la Création comme un tout merveilleusement agencé par la Providence divine. Buffon installe une rupture en critiquant les mathématiciens, les classificateurs – alors qu'ils possèdent de grandes compétences dans ces deux domaines – et les observateurs. Disciple de Locke et du sensualisme, Buffon soutient que l'on ne peut percevoir qu'une partie de la réalité du monde. Les causes premières de l'existence du monde ne sont pas son affaire ; quant aux causes secondes, c'est l'affaire des savants, autrement dit, c'est l'Homme qui donne sens au monde à l'aune de ses capacités intellectuelles. Buffon ne fait preuve ni d'incertitude ni de contradiction dans sa démarche scientifique. Newtonien convaincu – pour Newton contre Descartes dans la querelle sur la méca-nique céleste –, néanmoins cartésien dans sa méthode, mathématicien plus féru de probabilités que d'équations générales, bien qu'il admette que les équations de New-ton suffisent à décrire les mouvements des planètes dans le système solaire, Buffon raille les espèces nominalistes d'un Linné et perçoit l'importance de la variation chez les populations dont la stabilité moyenne est régulée selon des mécanismes inspirés de la philosophie politique d'Adam Smith. Rien qui dénote un esprit confus mais tout simplement l'éventail des démarches scientifiques qui se révèlent plus ou moins pertinentes selon les terrains scientifiques.

Mon intention n'est pas de reprendre l'histoire des sciences et de l'épistémologie, mais de dégager, certes de manière schématisée, les oppositions fondamentales propres à différentes approches scientifiques qui jaillis-sent entre le principe anthropique et la paléoanthropolo-gie. L'entropie, pour prendre cet exemple, dit qu'un système évolue toujours vers plus de désordre et dans le sens d'une dégradation de la qualité de l'énergie. Ce deuxième principe de la thermodynamique résulte de tra-vaux en physique mathématique vérifiés ensuite par l'ob-servation et l'expérimentation. Les recherches actuelles sur la mise en évidence du boson de Higgs, particule nécessaire à une théorie de l'unification des forces fon-damentales de la physique, s'inscrivent dans cette démarche. Partir des équations, des mathématiques, quoi de plus platonicien ?

La démarche obligée des naturalistes, basée sur l'obser-vation, est un itinéraire inverse, qui part des faits et tente de dégager un système, d'où le nom de *systématique*. Les classifications découlent des différentes approches de la systématique et cela requiert aussi des idées. La nature ne saute pas aux yeux et à l'esprit comme cela. Quelle que soit l'idée ou la motivation initiale, comme la théologie naturelle ou la Providence, ces démarches produisent des connaissances qui, à leur tour, obligent à repenser, à questionner les paradigmes premiers. Il en est bien ainsi des classifications et de l'évolution. Buffon abhorrait la systématique linnéenne car elle décrivait une nature figée. Puis vint Lamarck et sa philosophie zoologique qui traduit les ressemblances en relations généalogiques. Les mêmes espèces, mais avec une autre interprétation. Un demi-siècle plus tard, Darwin soutient que les classifications expriment des relations de parenté entre les espèces issues d'une histoire, l'évolution. Ainsi, partant d'une volonté d'honorer l'œuvre du Créateur, les mêmes espèces, arrangées dans des classifications sensiblement identiques, soutiennent des théories très différentes : fixisme, transformisme, évolutionnisme. Contrairement à l'affirmation aussi justifiée qu'exagérée du philosophe Gilles Deleuze, la science ne se contente pas de fonctionner. Elle crée des idées, des concepts, et c'est bien le cas de l'une des plus grandes inventions de la science : l'évolution. Celle-ci fonctionne bien comme une théorie scientifique puisqu'elle donne une explication rationnelle de la diversité du vivant (fonction heuristique). En tant qu'idée, elle met en lumière des observations restées jusque-là fort controversées, comme la signification des fossiles. Même si les fossiles sont signalés depuis la plus haute Antiquité comme des vestiges possibles d'organismes vivants – Lucrèce, Léonard de Vinci, etc. –, c'est dans le cadre des théories transformistes et évolutionnistes qu'ils trouvent leur signification. Contrairement à une idée largement répandue, ce ne sont pas les fossiles qui façonnent l'idée d'évolution, mais l'inverse, même si, avec Buffon et Lamarck, les fossiles participent de ces réflexions sur la nature, déterminant le passage d'une histoire naturelle à une histoire de la nature.

Seulement, on l'a vu, l'évolution, née de l'observation, ne s'accommode pas du tout des idées des cosmologistes. Eternelle opposition entre l'ordre et le désordre. D'Aristote à Darwin, et même jusqu'à nos jours, les relations entre l'Homme et le cosmos requièrent une téléologie, une finalité. Le transformisme de Lamarck, la récapitulation de Haeckel, la néoténie de Bolk, l'alpha et l'oméga de Teilhard de Chardin reprennent invariablement le même schéma. « Invariablement », c'est bien le terme qui convient car la variabilité s'oppose à ces conceptions cosmiques de l'univers et de la vie. La vie, consubstantielle de l'évolution, se joue de l'entropie en créant de l'ordre, en établissant des niveaux d'organisation émergeant d'états antérieurs sans qu'on puisse déceler de déterminisme et, suprême ironie, elle ne peut évoluer qu'en produisant du désordre et en lui imposant des contraintes. Charles Darwin incarne le pire accident cosmologique de la pensée occidentale, l'antéchrist cosmique.

La vie, l'évolution ne seraient tout simplement pas s'il n'y avait pas d'erreur, de variabilité. Buffon, Darwin et d'autres comprennent que les espèces changent parce qu'il y a variation des caractères ; le type n'est rien, c'est la variabilité qui fait tout. Les deux livres les plus cités de Darwin, *L'Origine des espèces par voie de la sélection naturelle* (1859) et *La Filiation de l'homme en relation avec la sélection sexuelle* (1871), commencent justement par la question de la variabilité. Sans elle, il n'y aurait pas d'évolution, pas de vie. Autre aspect fondamental de l'approche de Darwin, les preuves de l'évolution ne sont pas du côté des fossiles, mais dans tous ces caractères dits « vestigaux » des organismes, comme les stylets des membres des chevaux, vestiges des doigts dont la taille a régressé, ou l'appendice chez l'Homme, etc. La variabilité et les caractères vestigaux des espèces sont des erreurs pleines de possibles et des restes d'autres possibles. La vie n'est pas une erreur. Sans ces erreurs il n'y aurait pas de vie, pas d'évolution.

La logique des principes anthropiques est une antithèse fondamentale de ce qu'est la vie. La vie ne pourra jamais se résumer à des équations car elle fabrique trop d'inconnues. Ceux qui s'acharnent dans ce projet doivent adopter la piteuse épistémologie d'un Haeckel qui ne conserve que les faits et les observations qui contribuent à sa vraie phylogenèse, tous les autres étant non pertinents, pour ne pas dire impertinents. Or, toute la vie se déploie dans cette immense impertinence cosmique. Ainsi, la sélection opérée par tous ces chantres de la finalité cosmique se montre bien plus impitoyable et sans merci que la si décriée sélection naturelle à l'origine de la fascinante diversité du vivant.

Et l'Homme dans tout cela ? Est-il égaré entre l'infiniment petit et l'infiniment grand ? Pascal s'angoisse, Cyrano de Bergerac lui rit au nez. La vie est apparue sur la Terre, et certainement sur d'autres planètes. On finira par en découvrir des traces avant la fin, je l'espère, d'*Homo sapiens*. Cela dépendra des avancées des sciences et des techniques, surtout d'une conception de la vie débarrassée de l'anthropocentrisme cosmique, une question de lunettes et de myopie.

En précisant que la vie ne serait pas la vie sans des erreurs de duplication de l'ADN, source de la variabilité, il ne s'agit aucunement de dire que la vie est une erreur. On connaît trop cette boutade qui scande que l'Homme est une erreur de la nature. En fait, c'est l'Homme qui commet une erreur sur la nature, si ce n'est sur sa nature humaine. L'Homme ne s'inscrit pas dans un projet cosmique, dans un principe vitaliste de l'univers. Son problème est celui d'une prise de conscience dans un cosmos dépourvu de toute ontologie. L'Homme, selon l'avis de

Peter Sloterdjik, s'invente des questions trop grandes pour lui.

Gassendi critique la pensée de Descartes en soulignant que la science, même pratiquée avec la méthode la plus rationnelle, ne touche rien qui soit extérieur à l'esprit humain. Face à ce type de contradiction, comme pour l'absence de toute âme chez les animaux, Descartes répond non pas en argumentant, mais en appelant à des évidences selon lesquelles s'il en était ainsi cela nierait les compétences mises en l'Homme par son Créateur. Et de s'offusquer face à Gassendi : « Si cela est vrai, contentons-nous d'être des singes et des perroquets. » Descartes serait surpris de la conversation qu'il pourrait avoir avec Koko la gorille, Kanzi le bonobo, Aïe la chimpanzé, Chantek l'orang-outan ou avec Alex, le perroquet d'Irène Pepperberg. Le propos ici n'est pas de railler ce que Descartes ne pouvait qu'ignorer en son temps, mais plutôt une méthode qui, dans sa pensée totalisante et idéalisante, a pour effet d'évacuer du champ du savoir tout un univers fascinant, celui de l'intelligence des animaux, qui rencontre encore de nos jours les pires difficultés à se faire reconnaître.

Henri Atlan souligne qu'il y a plusieurs chemins de la connaissance, l'un lié à la pratique scientifique qui, par souci de clarté, d'efficacité et de méthode, adopte un réductionnisme méthodologique tout en étant contraint d'abandonner la prétention à une réalité totale et ultime ; l'autre immédiat et plus totalisant balisé par ses vérités et sa mystique. Le physicien Laplace, interrogé par l'empereur sur la place de Dieu dans ses travaux, lui répondit : « Sire, Dieu ne fait pas partie de mes hypothèses. » Il n'y a ni Dieu, ni principe vitaliste, ni ontologie dans le cosmos, et encore moins dans l'histoire de la vie. Triste matérialisme ? Pas de déception, pas de désenchantement pour un Darwin qui s'émerveille de l'évolution en observant : « N'y a-t-il pas plus de grandeur à considérer que l'Homme puisse être issu d'une telle aventure ? »

*L'évolution et le progrès*

Les propos développés dans les paragraphes précédents s'inscrivent dans la pensée occidentale. Ils sembleraient bien incompréhensibles aux femmes et aux hommes d'autres cultures d'Afrique, d'Orient, des Amériques ou d'ailleurs. Depuis la Renaissance, l'Occident a assuré sa domination sur le monde par la puissance de ses techniques. Creusant les écarts entre les populations, il forge des critères de mesure qui lient le développement technologique et le développement économique, avec pour corrélat la notion de croissance en termes de revenu par habitant, de quantité d'énergie consommée par habitant et d'espérance de vie. Appréciés selon ces critères, l'Occident et les sociétés qui ont adopté ce mode de développement – le Japon et d'autres pays asiatiques – dépassent de loin tous les autres pays. Les écarts, toujours selon ces mêmes critères, sont passés d'un rapport de 1 à 3 à un rapport de bientôt 1 à 80 entre les pays les moins développés et les plus développés depuis le milieu du XIXe siècle jusqu'au début du XXIe siècle ! Le progrès s'assimile à un évolutionnisme culturel, avec au sommet la société occidentale et à des échelons intermédiaires les autres peuples dont les plus démunis figurent juste au-dessus du singe. C'est l'antique échelle des êtres, à ceci près que la solidité de l'échelle est celle de son échelon le plus faible. Toute la problématique du développement durable interroge ce paradigme d'un progrès devenu de moins en moins supportable pour la Terre, si ce n'est que pour quelques sociétés.

Dans les pays riches, de tels propos irritent souvent les générations qui ont connu des conditions de vie bien plus difficiles et qui ont vu leur niveau de vie, et tout simplement leur vie, tellement s'améliorer depuis la Seconde Guerre mondiale. Parmi les autres populations du monde, beaucoup souhaitent jouir d'un tel niveau de vie, et de nombreuses personnes tentent, par les moyens les plus désespérés, de rejoindre les pays riches. Il y a bien eu progrès, et ce progrès reste encore hors de portée pour une trop grande partie de l'humanité. En tant qu'anthropologue, la question est moins de nier en bloc l'idée de progrès et sa mise en œuvre que de discuter de ce que nous entendons par progrès et si, selon les critères retenus jusque-là, on peut espérer continuer ainsi[1].

Yves Coppens, mon ancien patron et maître, a présidé la commission sur l'environnement dont les travaux ont abouti à la charte sur l'environnement qui, désormais, fait l'objet d'un article de la Constitution. Ce rappel pour signifier que si les paléoanthropologues s'intéressent aux hommes de temps révolus, ils ne se préoccupent pas moins des questions de leur temps. Yves Coppens adopte une position optimiste sur l'avenir de l'Homme, bien que n'ignorant pas les difficultés de notre époque, reprenant en cela l'idée de progrès. Même si les hommes, par le développement de leurs activités, épuisent des ressources et des énergies non renouvelables, les générations futures continueront à prospérer grâce aux progrès des sciences et des techniques. C'est la version douce, optimiste et progressiste du développement durable. C'est celle retenue majoritairement par la plupart des instances nationales et internationales sensibilisées par cette question. C'est une vision du monde qui, indépendamment des différences d'opinions, domine dans les générations de *baby-*

---

1. Les réponses possibles au deuxième volet de cette grande question participent des débats sur le développement durable et sortent du cadre de ce livre, même si par ailleurs je suis engagé dans ces discussions en tant qu'anthropologue, scientifique et citoyen.

*boomers* et celles qui les précèdent. Un progrès constant pendant quatre décennies, les « Trente Glorieuses », l'absence de conflits majeurs comme de catastrophes naturelles, du moins pour une partie privilégiée du monde. Peut-être comme jamais auparavant dans l'histoire, et certainement la Préhistoire, des populations humaines ont réalisé le projet des utopies même si celles-ci sont censées embrasser l'ensemble des populations humaines. Or, loin s'en faut. Utopie signifie « qui est de nulle part » ; elle ne s'est réalisée que dans une partie du monde et nulle part ailleurs. C'est de ces populations hors de l'utopie qu'on doit s'inquiéter.

En tant que paléoanthropologue, je me considère comme tout aussi interpellé par notre passé que par notre avenir. Cet avenir se conjugue au conditionnel et le simple fait de parler de « développement » durable nous inscrit dans un cadre défini par les sociétés occidentales ; ainsi peut-on s'interroger sur la signification universelle de ce concept. Le développement durable se trouve à l'intersection du social, de l'environnemental et de l'économique. Manque à l'appel le développement durable dans la différence culturelle !

La question n'est pas récente. Il suffit de relire le chapitre sur le progrès par Lévi-Strauss dans l'*Anthropologie structurale,* volume II, publié en 1973. Il n'y a rien à changer dans la pertinence du propos et la clarté de l'analyse. Hélas, car depuis on parle de développement durable – l'expression *sustainable development* émerge à la suite du rapport Brundland en 1987 –, et la disparition de la diversité culturelle appréhendée par Lévi-Strauss poursuit ses anéantissements. Quels critères pour le progrès et le progrès de l'humanité ? Pour l'espérance de vie et la consommation d'énergie, c'est une réussite. Est-ce là tout ?

L'idéologie du progrès, on l'a vu, a écrit l'Histoire à sa façon. Pourtant, n'en déplaise à la philosophie positiviste, l'Histoire sous le regard de l'anthropologie, de la paléoanthropologie et de la Préhistoire ne s'inscrit pas dans un récit linéaire. Il suffit de penser à ce que signifie la Renaissance, tout en rappelant combien l'Histoire conçue dans le contexte du XIX$^e$ siècle se trouvait embarrassée par le Moyen Age, allant jusqu'à dépeindre une période de régression parce que différente selon des critères qui dominent encore trop de nos jours. Il s'avère si facile d'orienter l'Histoire selon un point de mire donné par les sociétés dominantes actuelles, comme on l'a fait de l'évolution. Même si l'histoire de l'humanité, réduite à *Homo sapiens* depuis 30 000 ans, dégage des coïncidences troublantes, rien n'était écrit. La coïncidence la plus troublante est l'invention des agricultures : en différentes régions du monde, des populations domestiquent des plantes et des animaux. Les spécialistes du Néolithique s'interrogent sur ces parallélismes. Alors que les populations d'*Homo sapiens* occupent tous les continents depuis au moins 30 000 ans, voilà que plusieurs foyers de néolithisation se développent dans le Croissant fertile au Proche-Orient, en Amérique centrale et en Asie orientale. Toutes les explications classiques sur les causes de cette révolution néolithique proposées par l'Histoire positiviste et classique ne tiennent pas. Ainsi l'hypothèse d'une soudaine poussée démographique[1], reprenant en cela le credo de l'idée de progrès : « la nécessité est la mère des inventions », selon un lamarckisme décidément prégnant dans tout ce qui touche aux processus historiques. Alors que les populations d'*Homo sapiens* vivent essentiellement comme des chasseurs-collecteurs depuis des dizaines de milliers d'années dans une diversité d'environnements toujours plus étendue, certaines se trou-

---

1. La première poussée démographique importante de l'humanité réduite à une seule espèce se manifeste au début du Paléolithique supérieur, entre 40 000 et 30 000 ans.

vent dans des situations les conduisant à produire une partie de leurs nourritures végétales et animales. Je ne décèle aucune différence entre le principe d'hominisation et cette conception de l'Histoire calée sur le principe du progrès. Le propos ici n'est pas de nier des pressions environnementales sur l'histoire de l'humanité ; mais ce réductionnisme porté par un matérialisme préhistorique ou protohistorique aussi déterministe n'explique pas pourquoi, en l'état actuel des connaissances, de telles expériences ne se sont pas manifestées auparavant dans différentes parties du monde.

Les cas de convergences évolutives ne manquent pas dans l'histoire de la vie. Avec les hommes, l'affaire est plus complexe car il s'agit d'une seule espèce dont l'adaptation repose sur des innovations techniques et culturelles, sans exclure les dérives génétiques. La seule explication matérialiste proposée par l'histoire positive, tant prisée par les écoles marxistes (Marx, Engels...) ou libérales (Spencer...) ne suffit pas. Jacques Cauvin a démontré la limite de cette seule approche, sans nier sa pertinence, tout en insistant sur la révolution symbolique qui accompagne ces changements. Ce qui signifie que des représentations du monde apparemment propres à *Homo sapiens*, et dont les fondements sont antérieurs à la diaspora de ses populations, ont conduit, dans des situations analogues, à des changements économiques similaires mais pas identiques. Les foyers de néolithisation apparaissent à la même époque, avec des écarts de temps qui se comptent en millénaires, dans des régions très éloignées les unes des autres. Le Croissant fertile du Proche-Orient, la vallée du Nil, la vallée de l'Indus, l'Asie du Sud-Est et l'Amérique centrale présentent des contextes géographiques, climatiques et écologiques très différents. Les plantes et les animaux domestiqués sont évidemment très variées, comme les techniques inventées. L'idée d'un progrès universel se déroulant comme un programme – *evol-*

*vere* – ne résiste pas à l'analyse des faits de l'archéologie préhistorique. Jacques Cauvin dans son livre *Naissance des divinités, naissance de l'agriculture* rappelle, citant Nietzsche, « le mythe rationnel de l'Occident » qui repose sur des croyances et des idéologies. Dans *L'Idéologie allemande*, Marx et Engels soulignent combien la Préhistoire est le terrain sur lequel « la spéculation historique se jette tout naturellement [...] parce qu'elle s'y croit à l'abri du fait brutal et aussi parce qu'elle lâche la bride à son instinct spéculatif ». Et Cauvin, le spécialiste de la Protohistoire de préciser : « ... mais l'épistémologie scientifique ayant évolué et la discipline préhistorique allant bon train, il est piquant de constater que ce sont les " faits brutaux " de la stratigraphie qui contribuent à rendre dans ce domaine la position matérialiste intenable ». Précisons qu'il ne s'agit en rien d'une faillite de l'approche matérialiste, mais que celle-ci ne saurait tout expliquer et, inversement, que les représentations du monde, les mythes et les idéologies ne peuvent prétendre ignorer les contraintes matérialistes – on pense aux travaux de Max Weber. Remarque qui, nous l'avons vu, s'applique si bien à la paléoanthropologie, entre un réductionnisme darwiniste – et non pas darwinien – qui s'efforce de tout rapporter à la seule sélection naturelle et tous les avatars de l'hominisation qui prétendent que la vie se déroule vers l'avènement de l'Homme en dépit de tous les changements d'environnements traversés par nos ancêtres.

La paléoanthropologie et les théories modernes de l'évolution peuvent-elles s'appliquer à l'histoire naturelle de l'Homme, ce qui embrasse la Préhistoire, la Protohistoire et l'Histoire ? Claude Lévi-Strauss souligna l'importance fondamentale de la théorie darwinienne de l'évolution dans les sciences de la vie, tout en précisant que son mauvais usage dans le cadre des sciences humaines eut des effets désastreux. On lit en effet trop souvent que la théorie de Darwin a produit le racisme, l'eugénisme et tous les maux infligés par des hommes sur d'autres hommes. Tout cela existait bien avant et, plutôt que de s'en prendre à la théorie de l'évolution comme au mauvais sort, il serait bien plus pertinent de fustiger tous ceux qui déformèrent la théorie de la sélection naturelle selon une idéologie de l'exclusion et de la destruction de l'autre. Je rappelle que la théorie de la sélection naturelle n'est pas la survie du plus apte ni l'élimination des concurrents ; elle met en évidence la différence de succès de reproduction entre les individus des différentes populations. La théorie de l'évolution n'est pas un antihumanisme ; l'évolution ne s'intéresse pas moins aux Hommes qu'aux autres espèces, et, quant à l'usage odieux qu'en firent d'autres hommes, on ne saurait l'en tenir pour responsable.

L'évolution, non pas prise dans son acception caricaturale selon les croyances et les idéologies de l'Occident, propose en réalité une analogie heuristique avec l'Histoire de l'humanité. S'il n'y a eu qu'une seule histoire de la vie, cela ne signifie pas qu'il n'y a eu qu'une seule évolution possible. L'évolution n'est pas un processus linéaire, hiérarchique, progressiste et dirigé vers l'Homme ultime aboutissement. Il en va de même pour l'histoire de l'humanité. Après la chute du mur de Berlin en 1989, Francis Fukuyama annonça la fin de l'Histoire, marquant le triomphe du libéralisme sur le monde comme système économique et politique indépassable. Vision aussi naïve qu'idéologique de l'Histoire évaluée au prisme d'une vision du progrès basée sur la technologie et la consommation d'énergie et de biens. Quelque temps après, le même auteur se préoccupe de la fin de l'Homme, comprenant que l'Histoire ne s'arrêtait pas là, tout en envisageant l'avenir de l'Homme comme un futur épanouissement grâce aux avancées technologiques régulées par une sorte de sagesse de la nature humaine. Et les autres populations humaines ?

L'Homme ne marque pas évidemment la fin de l'évolution. Selon des critères qui nous appartiennent, nous nous considérons comme une espèce particulière douée de caractéristiques exceptionnelles. Sans aucun doute, car nous ne connaissons aucune autre espèce associant de telles capacités d'adaptation biologiques et culturelles. Or, cet extraordinaire éventail de types humains, de langues, de techniques et de croyances ne résulte pas des seuls processus culturels, mais d'une histoire naturelle. L'anthropologie biologique reconstitue le peuplement de la Terre par notre espèce au travers de l'archéologie préhistorique et, surtout, des gènes et des langues. L'arbre des relations génétiques entre les populations humaines et celui des relations entre les langues se superposent remarquablement. Cela ne signifie pas que chaque population porte des gènes qui codent pour sa propre langue – quelle évidence ! –, mais que cette corrélation découle d'une histoire puisque les populations se déplacent avec leurs gènes et leurs langues. Toute la diversité biologique et culturelle de l'humanité jaillit bien d'une histoire naturelle. Il convient de rappeler que ces mouvements migratoires ne répondent pas qu'à des pressions matérialistes – dégradation des ressources, démographie, changements climatiques, etc. Que des hommes et des femmes aient décidé d'aller en Australie il y a plus de 50 000 ans, aux Amériques vers 35 000 ans ou dans les îles dispersées de l'Océanie, plus récemment, suppose aussi des mythes et des croyances. L'histoire de l'humanité replacée dans une perspective évolutionniste dégage bien plus de grandeur dans la capacité d'adaptation et d'évolution de nos ancêtres que ces lamentables salades téléologiques qui ne leur vouent que du mépris.

Dans les différentes parties du monde, les populations humaines fondent des sociétés qui innovent dans tous les domaines : habitat, habits, systèmes de parenté, croyances, mœurs, techniques, régimes alimentaires, éducation... Une arborescence qui se déploie depuis un héritage commun propre à notre espèce avec ses universaux et ses divergences. Sans aucun réductionnisme, il en est de même de l'évolution des espèces considérée dans son ouverture heuristique, qu'il convient de préciser. La pluralité des cultures humaines se déploie avec l'expansion des populations d'*Homo sapiens* depuis des dizaines de millénaires ! L'expansion de l'Occident à partir du xve siècle stoppe ce processus. L'humanité, bornée à la sphéricité de la Terre, ne pouvant plus s'étendre horizontalement, s'engage dans une « verticalisation » dictée par l'Occident qui se consolide au xixe siècle. L'Histoire, l'évolution, l'évolutionnisme culturel, l'anthropologie se conçoivent selon un même schéma universel qui n'épargne ni la religion ni la philosophie. L'enseignement n'échappe pas à cette emprise avec des humanités excluant une part croissante de l'humanité, même au sein des sociétés occidentales. Les théories de l'évolution, la préhistoire et l'anthropologie réfutent tout cela.

Si l'on mesure le progrès à l'aune de l'évolution technologique, alors les sociétés occidentales en occupent le sommet. Si on l'apprécie d'après la connaissance de la nature et des plantes, les sociétés d'Amérique dépassent toutes les autres. Les systèmes de parenté des Aborigènes australiens déploient une complexité inconcevable pour toutes les autres cultures... Certes, on a moins de chances de mourir de maladie, d'agression ou de faim dans les sociétés occidentales, à condition de ne pas compter parmi les exclus... Les femmes et les hommes vivant dans d'autres sociétés ne bénéficient pas de nos progrès, mais ils ne connaissent pas le rejet de la communauté. Sans renier les avancées indéniables de l'Occident, sa dépendance à la seule technologie rencontre de plus en plus d'obstacles. Nous sommes capables de détruire tous les autres hommes et même toute la planète, ses environnements et sa biodiversité, mais restons terriblement inefficaces pour secourir des populations frappées par des catastrophes naturelles, que ce soit dans les pays exotiques ou au pied de nos immeubles. Ce n'est pas la technique qui est directement en cause, mais l'idéologie du progrès qui s'appuie sur la seule technique, sur ses usages comme sur ses mirages.

L'évolution des technologies, des transports et des télécommunications met en contact les hommes comme jamais auparavant. C'est le terme du processus de mondialisation commencé avec les lourdes caravelles et achevé par les satellites artificiels. Nous pouvons voir les autres peuples en direct, ils peuvent nous voir en direct. Que voit-on ? La détérioration inéluctable des derniers environnements sauvages et des derniers peuples traditionnels condamnés à s'éteindre dans des réserves ou dans les banlieues les plus sordides, ultimes épouvantails de la diversité culturelle de l'humanité broyés par le progrès. C'est autant de patients savoirs sur le monde qui s'effacent à jamais, à un rythme effroyable comme la disparition des langues – plus de 6 000 encore usitées il y a un demi-siècle pour la moitié au début du XXIᵉ siècle. Amadou Hampaté Bâ a dit qu'avec la mort de chaque homme, avec la disparition de chaque femme, c'est autant de bibliothèques qui s'effacent.

Il est temps de comprendre ce qu'est l'évolution, une magnifique arborescence qui, au fil de durées immenses à l'aune de l'existence humaine, n'a cessé de déployer tant de diversités. L'histoire de la vie a connu des extinctions massives, mais s'est toujours redéployée. Une « sixième extinction[1] » est en cours et l'Homme en est le seul responsable. Pas tous les hommes, mais une partie de l'humanité aveuglée dans son délire faustien, en quête d'une vie éternelle aussi illusoire que destructrice. L'évolution nous rappelle la grandeur de la vie et comment,

---

1. La formule est du paléoanthropologue Richard Leakey..

depuis nos gènes jusqu'à nos capacités cognitives, ce que nous sommes se retrouve à tous les embranchements de l'arbre de la vie. Toutes les espèces actuelles sont aussi évoluées que nous, aussi récentes et issues d'une même histoire. Il en est de même pour toutes les cultures humaines ; aucune n'est plus archaïque que l'autre. Comme dans l'évolution des espèces, des cultures, des civilisations émergent, s'épanouissent, en influencent ou en éliminent d'autres, puis finissent par mourir, avec ou sans héritières. Une seule population ne peut assurer l'avenir d'une espèce ; aucune culture ne peut prétendre assumer seule l'avenir de l'humanité.

*Jalons pour un nouvel humanisme*

Je l'ai dit, il est de bon ton de voir dans la théorie de l'évolution une antithèse de l'humanisme. Rappelons qu'il n'y a pas une théorie de l'évolution mais plusieurs théories. Le transformisme de Lamarck se moule parfaitement dans la pensée anthropocentrique occidentale, donnant un lustre scientifique à l'anthropologie transcendantale. Le transformisme est une parodie d'évolution qui travestit en d'autres termes des mythes, des idées et des idéologies qui ne changent que dans la forme.

Il en va tout autrement de la théorie de l'évolution de Darwin avec la sélection naturelle et la contingence. Le matérialisme et le hasard font voler en éclats les relations entre l'Homme et le cosmos et écartent toute idée de finalité, d'ontologie. Pourtant l'Homme est bien là. Alors, est-ce qu'une pensée humaniste est compatible avec l'idée d'évolution ?

L'attitude dominante des sciences humaines consiste à ignorer la question de l'évolution et à appréhender l'Homme hors de son histoire naturelle. Comme en d'autres temps on délaissait la question des origines à la métaphysique, on adopte désormais une position centrée sur l'Homme avec pour corrélat que tout ce qui sort de l'Homme est dénué de pertinence. Conception aussi dualiste que dogmatique qui, récusant toute histoire pour notre espèce, s'installe de fait dans une position fixiste. Même analyse pour la philosophie transcendantale en dépit de nombre de philosophes, et pas des moindres, intéressés par le phénomène humain en rapport avec la nature.

Dans sa célèbre *Lettre sur l'humanisme* envoyée à un jeune Français juste après la Seconde Guerre mondiale, Martin Heidegger isole l'Homme dans une clairière ontologique, récusant sans appel toutes les approches philosophiques qui tentent de comprendre l'Homme par rapport à l'animal. Il nie toute une tradition qui remonte à Aristote, celle qui voit en l'Homme un animal-plus : l'Homme est un animal politique ; l'Homme est un animal moral, etc. Il écarte la question délicate du propre de l'Homme en proie à tous les assauts des avancées des connaissances, tous ces critères énoncés jusque-là se retrouvant à des degrés divers chez les autres espèces, notamment chez les grands singes. Evitant un débat fastidieux sur ces critères et leur contenu, Heidegger renvoie l'Homme face à lui-même.

Peter Sloterdijk critiquera cet humanisme ontologique enfermé dans sa bulle qui, au travers des humanités classiques, n'a pas pu empêcher les horreurs du nazisme. Disposant de peu de compétences pour discuter de philosophes aussi importants, je me limite à dire mon adhésion à la critique de Sloterdijk à propos de ces humanités enseignées depuis un siècle et demi dans les lycées réservés aux élites bourgeoises entre le milieu du XIXᵉ siècle et le milieu du XXᵉ siècle, mais toujours enseignées de la même façon au cours des dernières décennies aux étudiants de toutes les classes sociales (ou presque), et qui, sous prétexte d'humanisme, exercent la plus impitoyable sélection dans les systèmes éducatifs, une « sélection par l'anthologie ». Comme Sloterdijk et d'autres, je suis profondément troublé par la coïncidence entre cet enseignement et tout ce que l'Occident a engendré comme horreurs envers les peuples d'autres continents ou du sien. Sloterdijk parle du dressage de nos élites, dans une analogie terrifiante avec la domestication des espèces. Les titres de ses livres se passent de commentaire : *La Domestication de l'Etre* et *Règles pour le parc humain*. La sélection par la lecture et l'enseignement des humanités se montre bien plus redoutable et sanglante que la sélection naturelle. Sloterdijk (re)pense l'Homme à partir de ses origines, espèce unique par l'évolution des premiers temps de son ontogenèse. Le petit humain vient au monde après une double gestation, la première dans l'utérus maternel, la seconde dans un utérus social, culturel. A la première naissance succède ainsi un long éveil au monde. Par son ontogenèse, l'homme échoue dans son devenir animal. Double enjeu puisque cette liberté permet aussi la domestication de l'Etre. Les origines sont un commencement et, comme dans le mythe de Sisyphe, devenir un Homme est un perpétuel recommencement puisque tout nouveau-né arrive au monde avec le même héritage ancestral. On ne naît pas de rien et il faut tout apprendre.

La faillite récurrente de l'humanisme ne condamne pas l'humanisme. Même si la pensée occidentale revendique les fondements de la pensée humaniste, son humanisme est dorénavant trop entaché d'exclusions pour prétendre à l'universalité. D'où ma condamnation sans appel de réduire toute l'évolution de l'Homme à ce schéma désormais obsolète comme ultime recours à un pseudo-fondement scientifique. Récuser cet humanisme étriqué, ce n'est pas rejeter la pensée occidentale, mais stigmatiser un courant archaïque de la pensée occidentale désormais réfuté par les sciences. L'humanisme se construit dans un

rapport aux autres, dans une mise en perspective humanisante. Or cette grande idée n'a cessé de nier l'altérité ;
l'autre – qu'il s'agisse de l'animal, de l'ethnie ou de la
femme – n'étant pas l'autre, c'est-à-dire une égalité dans
la différence, mais une entité inférieure méritant à peine
l'indifférence, un humanisme de dénégation et non d'édi-
fication. L'idée d'un humanisme absolu – pensé comme
un principe cosmique – est un non-sens. C'est dans l'altérité et l'amour de ce qui n'est pas *moi* que se fonde l'humanisme.

Claude Lévi-Strauss a décrit trois humanismes au cours
de l'histoire. Le premier perce à la Renaissance avec la
redécouverte de la civilisation grecque de l'Antiquité.
L'Europe élabore ses humanités dans une référence à la
culture méditerranéenne alors que bien peu de choses
sont connues des autres civilisations ou des autres
peuples. Le Re-naissance ne s'inscrit pas dans une perspective historique mais dans une référence à une autre
culture dans une même région d'un monde aux limites
encore inconnues.

Le deuxième humanisme se déploie dans le sillage des
grands voyages et des grandes découvertes. L'Europe
découvre d'autres civilisations. Certaines seront anéan-
ties, ainsi aux Amériques, d'autres fascinent bien qu'elles
ne soient perçues, justement, qu'au travers de leurs productions « civilisées » : arts, livres, techniques, costumes,
monuments..., etc. Cet humanisme bourgeois se dessine
au temps des Lumières et se consolide au cours du siècle
suivant. L'ethnologie prend son essor à la fin du
XIXe siècle, avec les dérives dénoncées dans le chapitre
consacré aux hommes. Alors que persiste une conception
linéaire et hiérarchique d'un humanisme centré sur l'Europe, un nouvel humanisme universel apparaît avec l'ethnologie du XXe siècle, ce mouvement s'accompagnant de
regards neufs sur les arts, les musiques, les langues, les
mœurs d'autres peuples. Ouvertures anthropologique et

scientifique qui mobilisent toutes les formes de la connaissance à la croisée des sciences humaines et des sciences naturelles. Claude Lévi-Strauss loue cet humanisme doublement universel par son ouverture méthodologique et en ce qu'il intéresse tous les peuples. C'est un humanisme démocratique, non plus édifié pour des populations « cultivées » pétries d'histoire et de philologie, le plus souvent des classes privilégiées en référence à des civilisations privilégiées.

Les trois humanismes se déploient dans une géographie de la rencontre avec les autres peuples, dans une géographie synchronique. Hélas, l'humanisme démocratique de Claude Lévi-Strauss s'affaiblit avant même d'avoir entamé sa mission. La mondialisation accouche de la triste chronique de la mort annoncée de la diversité culturelle. Un autre humanisme, un quatrième humanisme, est-il possible ? Certainement, tout en gardant à l'esprit que les autres humanismes – l'humanisme aristocratique et l'humanisme bourgeois fondés sur l'histoire, la philologie et les humanités – persistent d'autant plus qu'ils constituent le cœur de nos enseignements. Ce quatrième humanisme ne peut évidemment pas dépasser l'humanisme démocratique de Lévi-Strauss, mais lui apporter une autre dimension, celle du temps, celle de la seule histoire qui contient toutes les histoires de tous les hommes, l'évolution.

Michel Serres nomme « Grand Récit » celui des origines et de l'évolution de l'Homme. Grand Récit car bien plus ancien que toutes les écritures. Un récit écrit à partir de fragments fossiles, de filaments d'ADN, de pierres taillées et d'art pariétal. Un récit toujours plus complet grâce aux recherches de femmes et d'hommes de maints pays et de diverses cultures réunis par ce qui fait le propre de l'Homme, la connaissance des origines. Un grand récit universel nourri de l'éventail des sciences humaines et des sciences naturelles, démocratique au sens où l'entendait Lévi-Strauss, qui ne prétend pas à la vérité, surtout pas, récit qui s'enrichit en complétant la seule histoire vraie, l'évolution de l'Homme.

Dans une conférence donnée à l'Unesco, Michel Serres a plaidé pour un enseignement universel qui prendrait en compte la diversité des cultures. Les fondements de ce nouvel enseignement s'appuient sur le Grand Récit avec la formation de l'univers, les cosmologies scientifiques modernes, puis l'apparition de la vie et l'évolution, sans oublier les origines de l'Homme jusqu'à l'apparition et l'expansion d'*Homo sapiens* sur la Terre. Avec l'apparition de l'Homme moderne, se déploie la diversité des langues, des cosmogonies, des religions dans une arborescence de la créativité humaine. Les sciences ne chassent pas la diversité des cultures, au contraire. En partant des origines communes à la vie et à tous les hommes, selon un corpus de connaissances sans cesse augmenté et modifié par les recherches de femmes et d'hommes partageant la même approche scientifique basée sur la rationalité, on n'encourt aucun risque d'un désenchantement du monde porté par un scientisme arrogant. Il suffit de penser aux diverses interprétations des origines d'*Homo sapiens* inspirées de toutes les sensibilités culturelles. Un enseignement qui rappelle l'unité de notre humanité et à partir duquel s'ouvre l'éventail de toutes les humanités.

L'inspiration évolutionniste et humaniste de ce projet n'est pas nouvelle puisque le premier secrétaire général de l'Unesco, Julian Huxley, le petit-fils de Thomas Huxley, défendait l'idée d'un enseignement universel prenant en considération l'évolution. C'est à lui que l'on doit l'expression de *théorie synthétique de l'évolution* pour désigner le renouveau des théories de l'évolution en 1947. Un demi-siècle plus tard, la condition de l'Humanité et l'état de la planète ne ressemblent en rien au souhait de Julian Huxley puisqu'on s'achemine vers une vision encore plus affligeante du monde, prophétisée cette fois par un autre petit-fils de Thomas Huxley, Aldous Huxley, dans *Le Meilleur des mondes*. La pensée et le projet de Julian Huxley reprenaient les grands schémas de l'humanisme occidental donnant un statut particulier à l'Homme pour lequel il crée la classe des *Psychozoa*. La pensée optimiste et humanisante de Teilhard de Chardin, contemporain de Julian Huxley, définit cette époque. Hélas, en ce début de xxi^e siècle, c'est la vision pessimiste d'Aldous Huxley qui se concrétise avec l'échec des humanités.

Le projet avancé par Michel Serres est de même nature, mais très différent puisqu'il part de l'unité des origines livrée par les sciences et va vers la diversité des cultures. Ce n'est pas un projet orienté vers une seule culture universelle dictée par la seule pensée occidentale, que ce soit selon le schéma séculaire des humanités, du progrès ou tout simplement fondé sur une authentique pensée humaniste. Des évolutionnistes comme Julian Huxley mais aussi de grands préhistoriens comme André Leroi-Gourhan et Teilhard de Chardin appelaient déjà de leurs vœux une seule humanité unie dans un même dessein. La seule réponse proposée a été la promesse d'un village mondial clamée par les nouvelles technologies de l'information et de la communication, une utopie de verre qui a failli pour réaliser l'avènement de la noosphère de Teilhard, l'enveloppe pensante de la Terre. Teilhard serait tout étonné de se voir promu gourou de la toile, réductionnisme technologique désespérant de sa pensée. Une vision dénuée de toute âme d'humanité, non pas unie mais uniformisée par la sphère techno-économique.

Voilà où mène l'aphorisme « l'Homme, c'est l'outil » et ses faux espoirs satellitaires. Le retour si intense au religieux en ce début de troisième millénaire n'est pas la moindre retombée de cette conception insensée de l'Homme, de la Terre et du cosmos. *Homo sapiens* a un étrange besoin de croire, pas seulement de faire. Retour sur terre d'une certaine façon. Depuis le Paléolithique, les croyances et les religions ne cessent d'exproprier l'Homme de sa condition naturelle, des premières religions animistes aux divers monothéismes. Selon une perspective trop simpliste pour être exacte, les hommes adoptent des religions animistes – depuis quelle époque du Paléolithique ? – qui les mettent en lien avec l'ensemble de la nature, sans pensée hiérarchique. Puis quelques sociétés de pasteurs-agriculteurs instaurent une autre relation à la nature plus centrée sur l'animal et l'invention des sacrifices. L'Homme domine l'animal dont la vie contient du sacré. Le Néolithique et le temps des agriculteurs installent une « verticalisation » du monde et des cosmologies avec l'apparition des orants et leurs prières dirigées vers le haut. Les villes, les cités puis les Etats amènent les premières civilisations au sens classique de nos humanités avec une hiérarchisation des sociétés et des panthéons comme des bâtiments, ziggourats et pyramides. Du panthéon égyptien au panthéon grec, le nombre des déesses et des dieux décroît alors que les figures de ces divinités s'humanisent, un transformisme qui passe de l'anthropozoomorphie hybride à l'anthropomorphie uniforme. Arrive le temps des écritures, des clercs et des clergés avec l'affirmation d'un dieu unique et mâle quelque part au ciel. Dans le Bassin méditerranéen puis en Europe, l'évolution des techniques et des sciences se met au service de ce rapport au cosmos. Dans ce processus d'élévation, l'animal, le singe, les hommes porteurs d'autres croyances jugées archaïques, la femme et l'enfant ont été abandonnés, méprisés, réifiés. Avec le salut au ciel que pour quelques-uns. Aujourd'hui, le ciel retombe sur la tête des hommes.

Mais croire en quoi ? La dernière phrase ne vise pas les religions du salut, mais les dérives d'un système de pensée plus large dans un rapport au monde qui échoue pour l'ensemble de l'humanité. Je suis agnostique et j'adhère à l'idée d'un « évangile de la perdition », selon l'expression d'Edgar Morin. Pour que l'humanité puisse continuer il lui faut accepter la mortalité ; une *apoptose*, selon une expression inventée par les Grecs pour décrire la chute des feuilles à l'automne avant que repoussent d'autres feuilles. Retour à la belle analogie avec l'arbre du vivant.

En tant qu'anthropologue et évolutionniste, je partage la pensée agnostique de nombre de mes collègues d'hier et d'aujourd'hui. Etre agnostique – le terme est aussi inventé par Thomas Huxley –, ce n'est pas être athée et encore moins nihiliste. Etre agnostique ne représente assurément pas la position intellectuelle et philosophique la plus facile. Ne croyant pas au salut ni à la prédestination et encore moins à une quelconque finalité dans le cosmos, la grande idée qui me mobilise est l'Homme et la Vie. Contrairement à l'invagination égoïste de trop de religions et de philosophies, l'évolution enseigne que ce n'est pas l'individu qui évolue, mais la population, l'espèce. Enseigner l'évolution et nos relations avec la vie, décrire l'arbre du vivant et l'arborescence de la diversité des hommes, c'est bien cela qui me séduit dans ce projet d'un véritable humanisme universel qui est tout, sauf réductionniste. Les origines n'ont donc rien de honteux ; c'est l'idée d'une honte des origines qui est honteuse. Depuis ces origines communes se sont ouverts tant de chemins de l'humanité au travers des langues, des religions, des gènes, des techniques, des pensées, des arts... Agnostique ou autre, il n'y a pas un seul chemin qui mène à l'Homme. Tel est le bel enseignement que m'ont apporté la paléoanthropologie et l'évolution : L'Homme, c'est plus que l'Homme.

# Bibliographie

*Avertissement : Ce livre est un essai et non une étude universitaire. Il se nourrit d'un grand nombre de lectures, d'échanges au cours de conférences et de colloques, de discussions avec des collègues, de films..., etc. Il y a aussi nombre d'excellents numéros spéciaux édités par des revues scientifiques ou plus généralistes comme* Pour la Science, Sciences et Avenir, La Recherche, Le Nouvel Observateur, Science et Vie, Sciences humaines..., *etc., grâce à des rédactions capables de réunir des auteurs souvent peu susceptibles de se retrouver ensemble. Ces parutions ne sont pas mentionnées ; il suffit de se référer aux sites web de ces revues pour les retrouver. Je cite aussi de nombreux ouvrages collectifs dont je suis parfois le ou l'un des directeurs et d'autres auxquels j'ai contribué. Je me contente de référencer ces livres en ne donnant que les noms du ou des directeurs. Il est évident que de tels ouvrages, par leur caractère collectif, ont grandement contribué à la perspective interdisciplinaire de cet essai. Ne sont pas rappelés non plus les livres des grands auteurs classiques (Aristote, Rousseau..., etc.), si ce n'est Darwin, bien plus critiqué que lu en France.*

## Chapitre 1

Allègre Claude. *Dieu face à la science*. Fayard, 1997.

Atlan Henri. *Entre le cristal et la fumée*. Seuil, 1979.

Bergson Henri. *L'Evolution créatrice (1907)*. PUF, 1996.

Brahic André. *Enfants du Soleil*. Odile Jacob, 1999.

Cassé Michel. *Energie noire, matière noire*. Odile Jacob, 2004.

Cohen-Tannoudji Gilles et Noël Emile (dir.). *Le Réel et ses dimensions*. EDP Sciences, 2003.

Darwin Charles. *L'Origine des espèces au moyen de la sélection naturelle* (1859). La Découverte, 1985.

Delumeau Jean. *Que reste-t-il du Paradis ?* Fayard, 2000.

De Duve Christian. *A l'écoute du vivant*. Odile Jacob, 2002.

Gould Stephen Jay. *La vie est belle*. Seuil, 1991.

Gould Stephen Jay. *L'Eventail du vivant. Le Mythe du progrès*. Seuil, 1997.

Gouyon Pierre-Henri, Henry, Jean-Pierre et Arnoult Jacques. *Les Avatars du gène*. Belin, 1999.

Hawking Stephen. *L'Univers dans une coquille de noix*. Odile Jacob, 2001.

Jacob François. *La Souris, la Mouche et l'Homme*. Odile Jacob, 2000.

Jacob François. *Le Jeu des possibles*. Fayard, 1981.

Jacob François. *La Logique du vivant*. Gallimard, 1970.

Kupiec Jean-Jacques et Sonigo Pierre. *Ni Dieu, ni gène*. Seuil, 2000.

Maynard-Smith John. *La Construction du vivant*. Cassini, 2001.

Monod Jacques. *Le Hasard et la Nécessité*. Seuil, 1970.

Morange Michel. *La Vie expliquée ?* Odile Jacob, 2003.

Reeves Hubert. *Chroniques du Ciel et de la Terre*. Seuil, 2005.

Reeves Hubert et Frédéric Lenoir. *Mal de Terre*. Seuil, 2003.

Reeves Hubert, de Rosnay Joël, Coppens Yves et Simmonet Dominique. *La Plus Belle Histoire du monde*. Seuil, 1996.

Sonigo Pierre et Stengers Isabelle. *L'Evolution*. EDP Science, 2003.

Tattersall Ian. *Petit traité de l'évolution*. Fayard, 2002.

Witkowski Nicolas. *Une histoire sentimentale des sciences*. Seuil, 2003.

## Chapitre 2

Bouvet Jean-Pierre. *La Bête, le Péché et l'Homme*. Seuil, 2003.

Breton Philippe. *A l'image de l'Homme*. Seuil, 1995.

Chapouthier Georges. *L'Homme et l'Animal. Traits et spécificité*. L'Harmattan, 2004.

Chapouthier Georges. *Qu'est-ce que l'animal ?* Petites Pommes du Savoir / Le Pommier, 2004.

Cyrulnik Boris (dir.) *Si les lions pouvaient parler...* Quarto /Gallimard, 1998.

Desmaret Jacques et Lambert Dominique. *Le Principe anthropique*. Armand Colin, 1994.

Despret Vinciane. *Hans, le cheval qui savait compter*. Les Empêcheurs de Penser en Rond, 2004.

Fontenay Elisabeth (de). *Le Silence des bêtes*. Fayard, 1998.

Galy Jean-Marie et Thivel Antoine. *Les Origines de l'Homme d'après les Anciens*. CRHI/Université de Nice Sphia-Antopolis, 1998.

Guillebaud Jean-Claude. *Le Principe d'humanité*. Seuil, 2001.

Hauser Marc. *A quoi pensent les animaux ?* Odile Jacob, 2002.

Lestel Dominique. *L'Animalité. Essai sur le statut de l'humain*. Hatier, 1996.

Lestel Dominique. *Les Origines animales de la culture*. Flammarion, 2001.

Lestel Dominique. *L'Animal singulier*. Seuil, 2004.

Mothu Alain et Sandrier Alain. *Minora Clandestina. Le Philosophe antichrétien et autre récits iconoclastes de l'âge classique*. Honoré Champion Editeur, 2003.

Picq Pascal, Digard Jean-Pierre, Cyrulnik Boris et Matignon Karine. *La Plus Belle Histoire des animaux*. Seuil, 2000.

Picq Pascal et Savigny François. *Les Tigres*. Odile Jacob, 2004.

Prigogine Ilya et Stengers Isabelle. *La Nouvelle Alliance*. Gallimard, 1979.

Prigogine Ilya et Stengers Isabelle. *Entre le temps et l'éternité*. Fayard, 1988.

Proust Joëlle. *Comment l'esprit vient aux bêtes*. Gallimard, 1997.

Simondon Gilbert. *Deux leçons sur l'animal et l'homme*. Ellipses, 2004.

Vauclair Jacques. *L'Intelligence de l'animal*. Seuil, 1992.

Vauclair Jacques. *La Cognition animale*. « Que sais-je ? » PUF, 1996.

Chapitre 3

Bobbé Sophie (dir.). *Les Grands Singes. La Fascination du double*. Autrement (106), 1998.

Boulle Pierre. *La Planète des singes*. Pocket junior, 1963.

Cavalieri Paola et Singer Peter. *Le Projet grands singes*. OneVoice, 1993.

Chapouthier Georges. *L'Homme, ce singe en mosaïque*. Odile Jacob, 2001.

Fleagle John. *Primate Evolution and Adaptation*. Academic Press, 1998.

Goodall Jane. *The Chimpanzees of Gombe*. Belknap/Harvard University Press, 1986.

Kummer Hans. *Vies de singes*. Odile Jacob, 1992.

Lestel Dominique. *Paroles de singes*. La Découverte, 1995.

Morris Desmond. *Le Singe nu*. Grasset, 1968.

Picq Pascal. *Le singe est-il le frère de l'homme ?* Le Pommier, 2002.

Picq Pascal et Coppens Yves (dir.). *Le Propre de l'Homme. Aux origines de l'humanité*, tome 2. Fayard, 2001.

Rosset Clément. *Lettre aux chimpanzés*. Gallimard, 1965.

Vauclair Jacques. *L'Homme et le Singe. Psychologie comparée*. Domino /Flammarion, 1998.

De Waal Frans. *De la réconciliation chez les primates*. Flammarion, 1992.

De Waal Frans. *La Politique du chimpanzé*. Odile Jacob, 1995.

De Waal Frans. *Le Bon Singe. Les bases naturelles de la morale*. Bayard, 1997.

De Waal Frans et Lanting Frans. *Bonobo, le bonheur d'être singe*. Fayard, 1999.

De Waal Frans. *Quand les singes prennent le thé*. Fayard, 2001.

## Chapitre 4

Bancel Nicolas, Blanchard Pascal, Boetsch Gilles, Deroo Eric et Lemaire Sandrine (dir.). *Zoos humains : de la Vénus hottentote aux reality shows*. La Découverte, 2002.

Cavalli-Sforza Luca. *Gènes, peuples et langues*. Odile Jacob, 1996.

Chaline Jean. *Une famille peu ordinaire*. Seuil, 1994.

Coppens Yves et Picq Pascal (dir.). *De l'apparition de la vie à l'Homme moderne. Aux origines de l'humanité*, tome 1. Fayard, 2001.

Darwin Charles. *La Filiation de l'homme et la sélection sexuelle*. Syllepse, 1999.

Lévi-Strauss Claude. *Anthropologie structurale, II*. Plon, 1973.

Gould Stephen Jay. *Le Pouce du panda*. Grasset, 1982.

Gould Stephen Jay. *La Mal-Mesure de l'homme*. Odile Jacob, 1997.

Gould Stephen Jay. *Et Dieu dit : « Que Darwin soit »*. Seuil, 2000.

Pellegrini Béatrice. *L'Eve imaginaire*. Payot & Rivages, 1995.

Picq Pascal. *Les Origines de l'Homme : l'odyssée de l'espèce*. Tallandier, 2002.

Picq Pascal. *Au commencement était l'homme*. Odile Jacob, 2003.

Picq Pascal et Lemire Laurent. *A la recherche de l'homme*. Nil, 2002.

Roger Jacques. *Buffon*. Fayard, 1989.

Stoczkowski Wiktor. *Anthropologie naïve, anthropologie savante*. CNRS Editions, 1994.

Tattersall Ian. *L'Emergence de l'homme*. Gallimard, 1999.

Thomas Herbert. *L'Homme avant l'homme*. Gallimard, « Découverte », 1994.

Trinkaus Erik et Shipman Pat. *Les Hommes de Neandertal*. Seuil, 1996.

## Chapitre 5

Badinter Elisabeth. *XY*. Odile Jacob, 1992.

Bataille Georges. *Lascaux et la naissance de l'art*. Skira, 1980.

Beauvoir Simone. *Le Deuxième Sexe*. Gallimard, (1949), 1978.

Bourdieu Pierre. *De la domination masculine*. Seuil, 1998.

Chaline Jean. *Une famille peu ordinaire*. Le Seuil, 1994.

Cohen Claudine. *L'Homme des origines*. Seuil, 1999.

Cohen Claudine. *La Femme des origines*. Belin-Herscher, 2003.

Duby Georges et Perrot Michelle (dir.). *Histoire des femmes en Occident*. 5 vol. Plon, 1991-1992.

Ducros Albert et Panoff Michel (dir.). *Les Frontières du sexe*. PUF, 1995.

Freud Sigmund. *Totem et Tabou*. Gallimard, (1912-1913), 1993.

Héritier Françoise. *Masculin/Féminin, la pensée de la différence*. Odile Jacob, 1996.

Héritier Françoise. *Hommes, femmes, la construction de la différence*. Le Pommier/La Cité des Sciences, 2005.

Hrdy Sarah Blaffer. *La femme qui n'évoluait jamais*. Payot, (1983) 2002.

Hrdy Sarah Blaffer. *L'Instinct maternel*. Payot, 2002.

Picq Pascal. *Au commencement était l'homme*. Odile Jacob, 2003.

Sacco François et Sauvet Georges (dir.). *Le Propre de l'homme. Psychanalyse et Préhistoire*. Delachaux et Niestlé, 1998.

Sahlins Marshall. *Age de pierre, âge d'abondance*. Gallimard, 1972.

Shäppi Rolf. *La femme est le propre de l'homme*. Odile Jacob, 2002.

Strum Shirley. *Presque humain. Voyage chez les babouins*. Eshel, 1990.

Testart Alain. *Essai sur la division du travail chez les anciens chasseurs-collecteurs*. Editions EHESS, 1986.

Tillion Germaine. *Le Harem et les Cousins*. Seuil, 1966.

Tillion Germaine. *Il était une fois l'ethnographie*. Seuil, 2000.

Tort Michel. *Fin du dogme paternel*. Aubier, 2005.

Vidal Catherine et Benoît-Browaeys Dorothée. *Cerveau, sexe et pouvoir*. Belin, 2005.

Witkowski Nicolas. *Trop belles pour le Nobel*. Seuil, 2005.

Chapitre 6

Ariès Philippe. *L'Enfant et la vie familiale sous l'Ancien Régime*. Seuil, 1975.

Bentolila Alain. *Le Goût d'apprendre*. Actes XIV, Entretiens Nathan, 2004.

Bobbé Sophie. *Nouvelles figures du sauvage*. Communication 76/Seuil, 2004.

Darwin Charles. *Esquisse biographique d'un petit enfant. L'expression des émotions chez l'homme et les animaux*. Payot & Rivages, 2001.

Deputte Bertrand et Vauclair Jacques. « Le long apprentissage de la vie sociale. Ontogenèse comportementale et sociale chez l'homme et les singes ». *In* Picq Pascal et Coppens Yves (dir.) : *Le Propre de l'Homme. Aux origines de l'humanité*, vol. II. Fayard, 2001.

Gould Stephen Jay. *Ontogeny and Phylogeny*. Belknap Press/ Harvard University, 1977.

Ottevi Dominique. *De Darwin à Piaget. Pour une histoire de la psychologie de l'enfant*. CNRS Editions, 2001.

Piaget Jean. *La Naissance de l'intelligence chez l'enfant*. Delachaux et Niestlé, 1963.

Pinker Stephen. *L'Instinct du langage*. Odile Jacob, 1994.

Premack David et Premack Ann. *Le Bébé, le singe et l'homme*. Odile Jacob, 2003.

Roger Jacques. *Buffon*. Fayard, 1989.

Vauclair Jacques et Deputte Bertrand. « Se représenter et dire le monde : développement de l'intelligence et du langage chez les primates ». *In* Picq Pascal et Coppens

Yves (dir.) : *Le Propre de l'homme. Aux origines de l'humanité*, vol. II. Fayard, 2001.

Serres Michel. *Le Tiers instruit*. François Bourin, 1991.

#### Ouvrages généraux

Arnoult Jacques. *Dieu, le singe et le big-bang*. Cerf, 2000.

Aubert Jean-Eric et Landrieu Josée (dir.). *Vers des civilisations mondialisées ? De l'éthologie à la prospective*. Essai/L'Aube, 2004.

Boyer Pascal. *Et l'Homme créa les dieux*. Robert Laffont, 2001.

Cauvin Jacques. *Naissance des divinités, naissance de l'agriculture*. Flammarion, 1997.

Diamond Jared. *De l'inégalité parmi les sociétés*. Gallimard, 1997.

Diamond Jared. *Le Troisième Chimpanzé*. Gallimard, 2000.

Dortier Jean-François. *L'Homme, cet étrange animal*. Editions Sciences humaines, 2004.

Dortier Jean-François (dir.). *Dictionnaire des sciences humaines*. Editions Sciences humaines, 2004.

Fukuyama Francis. *La Fin de l'histoire et le dernier homme*. Flammarion, 1992.

Fukuyama Francis. *La Fin de l'Homme et les conséquences de la révolution biologique*. La Table Ronde, 2002.

Gaudin Thierry et L'Yvonnet François. *L'Avenir de l'esprit*. Albin Michel, 2002.

Godelier Maurice. *Métamorphoses de la parenté*. Fayard, 2004.

Habermas Jürgen. *L'Avenir de la nature humaine*. Gallimard, 2002.

Kahn Axel. *Et l'Homme dans tout ça ?* Nil, 2000.

Leakey Richard et Lewin Roger. *La Sixième Extinction*. Flammarion, 1997.

Lecourt Dominique. *Humain, post-humain*. PUF, 2002.

Lecourt Dominique (dir.). *La Science et l'avenir de l'homme*. PUF, 2005.

Lévi-Strauss Claude. *Race et Histoire*. Paris/Unesco, 1952.

Lévi-Strauss Claude. *Tristes tropiques*. Plon, 1955 (1973).

Lévi-Strauss Claude. *La Pensée sauvage*. Plon, 1962.

Lévi-Strauss Claude. *Anthropologie structurale II*. Plon, 1973.

Lévi-Strauss Claude. *L'Ethnologue devant les identités nationales*. Académie française/Generalitat de Catalunya, 2005.

Maffesoli Michel. *Le Rythme de la vie*. La Table Ronde, 2004.

Morin Edgar. *Le Paradigme perdu*. Seuil, 1973.

Morin Edgar. *La Méthode, l'humanité de l'humanité*, tome 5 ; *L'Identité humaine*. Seuil, 2001.

Onfray Michel. *Traité d'athéologie*. Grasset, 2005.

Picq Pascal, Serres Michel et Vincent Jean-Didier. *Qu'est-ce que l'humain ?* Le Pommier/La Cité des Sciences, 2003.

Serres Michel. *Hominescence*. Le Pommier, 2001.

Serres Michel. *L'Incandescent. Le Grand Récit*. Le Pommier, 2003.

Singer Peter. *Une gauche darwinienne*. Cassini, 2002.

Sloterdijk Peter. *Règles pour le parc humain*. Mille et Une Nuits, 1999.

Sloterdijk Peter. *La Domestication de l'être*. Mille et Une Nuits, 2000.

Taguieff Pierre-André. *Le Sens du progrès*. Flammarion, 2003.

Teilhard de Chardin Pierre. *Le Phénomène humain*. Seuil, 1955.

Tort Patrick. *La Pensée hiérarchique et l'évolution*. Aubier/Montaigne 1983.

Tort Patrick (dir.) *Pour Darwin*. PUF, 1997.

Wilson Edward O. *Sociobiology. The New Synthesis*. Belknap Press of Harvard University Press, 1975.

Wilson Edward O. *On Human Nature*. Harvard University Press, 1978.

Witkowski Nicolas. *Dictionnaire culturel des sciences*. Seuil, 2004.

Wilson, Edward O. Sociobiology. The New Synthesis, Boston, Press of Harvard University Press, 1975.

Wilson, Edward O. On Human Nature, Harvard University Press, 1978.

Vincowski, adolphe, Dictionnaire culturel des langues, Seuil, 2004.

# Remerciements

Cet essai honore une promesse, celle faite à Mary Leroy de publier un livre en collaboration avec elle. Il y a quelques années, nous nous sommes rencontrés pour éditer un numéro spécial de la revue *Historia* sur les origines de l'Homme. J'appris avec elle à diriger un ouvrage collectif, comme en témoigne la suite de mes aventures éditoriales. Reste le choc entre la culture du texte et la science des fossiles et des singes. Naissance d'une amitié entre l'Histoire et la Préhistoire puis d'une longue réflexion entre ces deux volets de l'aventure humaine aux relations parfois si ambiguës. Un livre bien particulier, un regard reconnaissant de Lucy à Mary.

# Table

Déjà paru

1. *Histoire des femmes en Occident* (dir. Michelle Perrot, Georges Duby), *L'Antiquité* (dir. Pauline Schmitt Pantel).
2. *Histoire des femmes en Occident* (dir. Michelle Perrot, Georges Duby), *Le Moyen Âge* (dir. Christiane Klapisch-Zuber).
3. *Histoire des femmes en Occident* (dir. Michelle Perrot, Georges Duby), *XVIᵉ-XVIIIᵉ siècle* (dir. Natalie Zemon Davis, Arlette Farge).
4. *Histoire des femmes en Occident* (dir. Michelle Perrot, Georges Duby), *Le XIXᵉ siècle* (dir. Michelle Perrot, Geneviève Fraisse).
5. *Histoire des femmes en Occident* (dir. Michelle Perrot, Georges Duby), *Le XXᵉ siècle* (dir. Françoise Thébaud).
6. *L'épopée des croisades* – René Grousset.
7. *La bataille d'Alger* – Pierre Pellissier.
8. *Louis XIV* – Jean-Christian Petitfils.
9. *Les soldats de la Grande Armée* – Jean-Claude Damamme.
10. *Histoire de la Milice* – Pierre Giolitto.
11. *La régression démocratique* – Alain-Gérard Slama.
12. *La première croisade* – Jacques Heers.
13. *Histoire de l'armée française* – Philippe Masson.
14. *Histoire de Byzance* – John Julius Norwich.
15. *Les Chevaliers teutoniques* – Henry Bogdan.
16. *Mémoires, Les champs de braises* – Hélie de Saint Marc.
17. *Histoire des cathares* – Michel Roquebert.
18. *Franco* – Bartolomé Bennassar.
19. *Trois tentations dans l'Église* – Alain Besançon.
20. *Le monde d'Homère* – Pierre Vidal-Naquet.
21. *La guerre à l'Est* – August von Kageneck.
22. *Histoire du gaullisme* – Serge Berstein.
23. *Les Cent-Jours* – Dominique de Villepin.
24. *Nouvelle histoire de la France*, tome I – Jacques Marseille.
25. *Nouvelle histoire de la France*, tome II – Jacques Marseille.
26. *Histoire de la Restauration* – Emmanuel de Waresquiel et Benoît Yvert.
27. *La Grande Guerre des Français* – Jean-Baptiste Duroselle.
28. *Histoire de l'Italie* – Catherine Brice.
29. *La civilisation de l'Europe à la Renaissance* – John Hale.
30. *Histoire du Consulat et de l'Empire* – Jacques-Olivier Boudon.
31. *Les Templiers* – Laurent Dailliez.

À PARAÎTRE

*Composition Nord Compo*
*Villeneuve d'Ascq*

*Impression réalisée en France sur Presse Offset par*

**CPI**
Brodard & Taupin

La Flèche (Sarthe), le 17-04-2007
pour le compte des Éditions Perrin
11, rue de Grenelle
Paris 7ᵉ

N° d'édition : 2252 – N° d'impression : 41259
Dépôt légal : avril 2007
*Imprimé en France*